Diogenes Taschen
de
te
be
D0329828

Martin Suter

Die Zeit, die Zeit

Roman

Diogenes

Die Erstausgabe
erschien 2012 im Diogenes Verlag
Umschlagillustration:
Wilhelm Sasnal, ›Girl Smoking (Peaches)‹,
2001 (Ausschnitt)
Öl auf Leinwand 33 x 33 cm
Mit freundlicher Genehmigung des Künstlers
und Sadie Coles HQ, London

Für Toni

Veröffentlicht als Diogenes Taschenbuch, 2013

www.diogenes.ch
300/13/44/2
ISBN 978 3 257 24261 4

1

Etwas war anders, aber er wusste nicht, was.

Peter Taler stand am Fenster und hielt die Bierflasche mit zwei Fingern am Hals, damit seine Hand ihren Inhalt nicht wärmte. Als hätte er seinem Feierabendbier jemals genügend Zeit gelassen, warm zu werden.

Ein grauer Nissan fuhr vor und parkte auf einem der vier Parkplätze vor dem Haus. Zwischen Talers Citroën und dem Lancia der neuen Mieter, deren Namen er noch nicht kannte. Keller stieg aus, nahm sein Jackett vom Rücksitz, zog es an, ergriff seine Mappe, verriegelte den Wagen mit der Fernbedienung seines Autoschlüssels und ging zum Briefkasten. Er hob die Klappe, versicherte sich, dass seine Frau ihn schon geleert hatte, und ging auf die Haustür zu.

Taler trank einen Schluck. Von allen Getränken, die er kannte, war ihm eiskaltes Bier das liebste. Die Art, wie es sich im Mund anfühlte und wie es die Kehle hinunterlief, der Geschmack, den es zurückließ, die Behutsamkeit, mit der es seine Wirkung entfaltete – alles konkurrenzlos wunderbar. Nur den Geruch mochte er nicht. Deshalb trank er es aus der Flasche. Je enger das Gefäß, fand er, desto diskreter die Geruchsentfaltung.

Der letzte der vier Parkplätze, von denen jeder ein Schild mit der Autonummer des legitimen Benutzers trug, war noch frei. Er gehörte Frau Feldter, deren Parkplatzbelegung so unberechenbar war wie ihr Arbeitsrhythmus. Manchmal war der Platz tagelang frei, manchmal wochenlang besetzt, manchmal stand ihr türkisblauer Fiat 500 den ganzen Tag über dort und manchmal, ganz bürgerlich, nur in der Nacht. Frau Feldter war Flugbegleiterin. Sie befand sich jetzt irgendwo in der Luft oder an einer ihrer Destinationen. Ihr Wagen stand wohl auf dem Personalparkplatz des Flughafens. Alles ging seinen gewohnten Gang.

Und doch war etwas anders.

Auf dem Weg in die Küche trank er die Flasche aus, stellte sie in die Tüte für Altglas, holte eine neue aus dem Kühlschrank und postierte sich wieder am Fenster.

Etwas war anders.

Er kannte diesen Ausschnitt der Welt sehr genau. Wenn er sich ganz nahe ans Fenster stellte, sah er links etwa hundertzwanzig Meter bis zu einer Kurve, aus der der Gustav-Rautner-Weg hervorkam. Rechts reichte der Blick nur etwa halb so weit bis dorthin, wo dieser in einer zweiten Kurve wieder verschwand.

Die gegenüberliegende Seite der schmalen Teerstraße war gesäumt von immer wieder renovierten und umgebauten Einfamilienhäusern aus den fünfziger Jahren mit kleinen Gärten, von denen die meisten zu pflegeleichten Sitzplätzen umfunktioniert worden waren, mit mehr Betonplatten als Rasen.

Auf seiner Seite der Straße standen in zwei Reihen dreistöckige Wohnblocks, wie sie in den sechziger Jahren modern gewesen waren: die Seitenfassaden mit Waschbetonplatten verkleidet, die Fronten aus beigem Verputz. Die

Häuser waren leicht versetzt, damit wenigstens ein paar der Wohnungen in der zweiten Reihe einen unverbauten Blick auf den Gustav-Rautner-Weg genießen konnten. In der ersten Reihe, Nummer vierzig, zweiter Stock, wohnte Peter Taler.

Die meiste Zeit, in der er zu Hause war, verbrachte er wie jetzt an diesem Fenster mit dem breiten Holzsims voller Wasserflecken der Vormieter, die dieses, wie vom Architekten vorgesehen, als Blumenfenster benutzt hatten.

Peter Taler schloss die Augen und rief das Bild ab, das er sich von dieser Aussicht eingeprägt hatte: Gleich nach der linken Kurve die Nummer dreiunddreißig, frischgetüncht in gebrochenem Weiß mit einem Fertigbauwintergarten und sechs Sonnenkollektoren auf dem Giebeldach. Die Bewohner waren ein kinderloses Paar in mittleren Jahren.

Beim Nachbarhaus, Gustav-Rautner-Weg fünfunddreißig, war das ursprüngliche Aussehen des Hauses kaum mehr zu erkennen. Sein Dachboden war ausgebaut und mit großen Fenstern versehen. Mit einem gerüstartigen Vorbau hatte man zwei Balkons angefügt, fast die Hälfte des Gartens war einer Garage geopfert worden, die andere platzte aus allen Nähten: Ein gemauerter Grill mit Rauchabzug, ein Granittisch mit sechs Rattanstühlen, eine Hollywoodschaukel und ein oberirdischer Pool machten sich den Platz streitig. Im Sommer verbrachte die lärmige vierköpfige Familie die schönen Wochenenden und Abende im Freien. Und ab November verwandelte sie Haus und Garten in ein festlich blinkendes Lichtermeer.

Daneben die kinderfreundliche Siebenunddreißig mit Rutschbahn, Schaukel und Klettergestell. Alles verlassen und verwittert wie die Graffiti, die die Kinder auf die Fassade hatten sprayen dürfen, als sie dem Spielplatz entwachsen waren. Jetzt waren sie ausgeflogen. Taler hatte sie nie gesehen, als sie noch dort wohnten, aber er vermutete, dass es sich um die beiden jüngeren Leute handelte, die manchmal zu Besuch kamen: ganz selten eine Frau mit einem kleinen Hund. Etwas häufiger ein Mann auf einem schweren, lauten Motorrad.

Das nächste Haus stand gegenüber von Talers Wohnung, die Nummer neununddreißig. Es war das einzige, das sich noch im Originalzustand befand: Gelb mit grünen Fensterläden, der niedrige Zaun aus dunkelbraun gebeizten Staketen, in der gemischten Hecke blühten im März die Forsythien, auf dem Rasen, der mehr einer Wiese glich, standen zwei Apfelbäume und neben dem kleinen Sitzplatz mit dem rot gestrichenen Eisentisch und den Klappstühlen ein japanischer Zwergahorn. An der Grenze zum Nachbargarten lag ein kleines Gemüsebeet, im Schutz des Dachvorsprungs duckte sich ein windschiefes Tomatentreibhaus aus grüner Folie. Das Wohnzimmerfenster war von einem leeren Holzspalier eingefasst.

Der Bewohner des Hauses daneben hatte einen großen Teil des Rasens durch Betonplatten ersetzt und diesen Sitzplatz mit Gartenmöbeln und Hollywoodschaukeln vollgestellt. Auch hier gab es eine Outdoor-Küche mit Grill und einen oberirdischen Pool, in welchem der Vater manchmal betont übermütig mit den beiden Kindern tollte. Seinem Nachbarn ein Haus weiter hatte er ein Stück Garten abgekauft und eine Garage draufgebaut. Taler konnte sie von seinem Standort aus nicht sehen, nur ihr fernbedientes Tor, wenn es sich öffnete oder schloss. Der Besitzer konnte es betätigen, noch bevor sein Wagen in der Kurve auftauchte. Er fuhr einen roten Kombi mit dem Schriftzug des Fachgeschäfts für Unterhaltungselektronik, das ihm gehörte oder für das er arbeitete, Taler wusste es nicht genau.

Die ganze kleinbürgerliche Idylle hob sich wie eine Kulisse vor ein paar hohen Bäumen ab, den Resten eines kleinen Parks, der zu einer alten Fabrikantenvilla gehörte.

Peter öffnete die Augen und verglich das äußere Bild mit dem verinnerlichten. Was war anders?

Ein türkisfarbener Cinquecento fuhr schnell und in einem eleganten Bogen in die Parklücke. Frau Feldter öffnete die Tür noch beinahe im Fahren und stand Sekunden nach dem Verstummen des Motors neben dem Wagen.

Sie ging zur Beifahrertür und nahm die Uniformjacke und einen Rollkoffer vom Sitz. Eine große dünne Frau Ende dreißig mit einem Schritt, der es gewohnt war, Schwankungen zu ignorieren. Auf dem Weg zur Haustür – Peter Taler konnte durch das schlecht isolierte Fenster das Rattern des Rollköfferchens auf dem Waschbeton hören – warf sie einen kurzen Blick zu seinem Wohnzimmerfenster herauf. Taler trat unwillkürlich einen Schritt zurück, obwohl er sicher sein konnte, dass er durch die Tüllgardine nicht zu sehen war, wenn kein Licht brannte.

Er trank die Flasche leer und warf noch einmal einen Blick aus dem Fenster.

War wirklich etwas anders?

In der Küche öffnete er die dritte Flasche des Abends. Die, die er beim Kochen zu trinken pflegte.

Er hackte Zwiebeln und ein bisschen Knoblauch, dünstete beides in einer kleinen Eisenpfanne in Olivenöl glasig, öffnete eine Dose geschälte Tomaten, goss die Flüssigkeit in den Abguss und die Tomaten zischend über die Zwiebeln. Er rührte mit einer Holzkelle um, deckte die Pfanne zu und schaltete die Herdplatte herunter auf vier.

Danach drehte er den Warmwasserhahn auf, wartete, bis es heiß kam, und füllte den großen Spaghettitopf.

Laura hatte es »abgestandenes Boilerwasser« genannt. Für ihn war es »ökologisches Heißwasser«. Es verkürze die Heizdauer der Herdplatte um die Zeit, die das Wasser sonst bräuchte, um die Boilertemperatur von sechzig Grad zu erreichen. Laura hatte dem entgegengehalten, dass dafür der Boiler die gleiche Menge Wasser wieder aufheizen müsse, und das koste unter dem Strich gleich viel Energie. Die Spaghettiwassertheorie blieb eine der vielen ungeklärten Fragen ihres gemeinsamen Lebens.

Peter Taler setzte den Topf auf den Herd, salzte das Wasser, legte den Deckel drauf, ging zurück ans Blumenfenster und starrte hinaus.

Alles kam ihm vor wie an jenem schrecklichen siebzehnten Mai vor etwas über einem Jahr, als Laura unten Sturm läutete und er nicht gleich geöffnet hatte. Auch damals war etwas anders gewesen, und er konnte nicht sagen, was.

Schon im ersten Polizeiprotokoll, das er unterschreiben musste, stand: »Zeuge bejaht Frage, ob er etwas beobachtet habe oder ob ihm auf der Straße etwas aufgefallen sei. Sagt aus, etwas sei anders gewesen, aber er könne nicht sagen, was.« Bei dieser Aussage war Taler geblieben. Bis heute konnte er nicht sagen, was es gewesen war. Aber eines Tages würde er es herausfinden. Und dann würde er dieses Schwein kriegen.

Doch so angestrengt er auch versuchte, das Bild jenes Abends zu rekonstruieren, die Zeit ließ es erodieren. Und mit dem Bild verblasste auch das Gefühl, das, was anders gewesen war, läge ihm auf der Zunge wie ein kurz entfallenes Wort. Da nützte es auch nichts, dass er die Wohnung unverändert gelassen hatte. Und dass er – im Wissen, dass Geruch, Geschmack und Musik Erinnerungen zurückbringen können – immer wieder Spaghetti Pomodoro kochte und *Back to Black* von Amy Winehouse spielte. Wie an jenem Abend.

Ein unregelmäßiges Geräusch drang in sein Bewusstsein. Er eilte in die Küche. Das Spaghettiwasser kochte über und verzischte auf der Herdplatte. Er schob den Topf beiseite und schaltete die Platte aus. Er würde sie später wieder anschalten und die Spaghetti kochen. Er wusch einen Zweig Basilikum kurz unter dem Wasserhahn, legte ihn in die Pfanne zur Tomatensauce, deckte sie wieder zu und ging zurück ins Wohnzimmer.

In ein paar Fenstern waren Lichter angegangen. Die Dämmerung begann, das Grün der Hecken zu trüben. Die dreifarbige Katze sprang auf den Zaun, verharrte einen Augenblick auf einem seiner Pfähle und setzte mit einem großen Satz über das Beet ins Gras.

Die Straßenlaterne hatte sich eingeschaltet, ihr kaltes weißes Leuchten begann sich gegen das schwindende Tageslicht durchzusetzen.

Wieder ging er in die Küche. Er nahm den Deckel von der kleinen Pfanne, um den Duft von Tomaten und Basilikum freizulassen, und schaltete die Herdplatte für das Spaghettiwasser wieder an.

Dann deckte er den Tisch für zwei Personen, entkorkte eine Flasche Antinori, schenkte beide Gläser voll, nahm eines und begab sich wieder auf seinen Posten.

Im Garten auf der anderen Straßenseite stand jetzt der alte Mann, der dort wohnte, mit dem Gartenschlauch neben einem der Apfelbäume und goss ihn mit weichem Strahl. Er hielt den Kopf gesenkt, als benötige die Arbeit seine volle Konzentration.

Auch das nichts Besonderes, er arbeitete oft im Garten. Mähte, schnitt, hackte, stach um, rechte, goss und pflanzte. Und verbrannte trotz behördlichem Verbot im Herbst seine Gartenabfälle.

Er hieß Knupp und war ein Sonderling. Er pflegte keinen Kontakt mit der Nachbarschaft. Er grüßte nicht und erwiderte auch keine Grüße. Er führte keine Gespräche über den Gartenzaun, würdigte niemanden eines Blickes, verscheuchte sogar die Katzen.

Nein, das stimmte nicht ganz. Er verscheuchte eine ganz bestimmte Katze, die dreifarbige. Die anderen duldete er. Taler hatte ihn sogar schon dabei beobachtet, wie er die Geduldeten fütterte. Wie er ein Tellerchen auf das Fenstersims stellte, auf dem – aus der Kürze der Mahlzeit zu schließen – ein paar wenige Essensreste lagen.

Das Wasser kochte wieder. Taler riss die Packung auf, schüttete die Spaghetti ins Wasser und rührte ein paarmal um, damit sie nicht aneinanderklebten. Er stellte den Timer auf acht Minuten und ging damit zurück zum Fenster.

Knupp war verschwunden.

Beim Läuten des Timers schreckte er zusammen. Er ging zurück in die Küche, goss die Spaghetti ins Sieb und viel Olivenöl in den leeren Topf. Dann kippte er die Pasta zurück, goss noch mehr Olivenöl darüber, wendete sie ein paar Mal mit der Spaghettizange, schöpfte eine Portion in den Teller, tat Tomatensauce und geriebenen Parmesan dazu und setzte sich damit an den Esstisch im Wohnzimmer.

Der Duft des Essens, der Geschmack des Weines, das Dämmerlicht im Zimmer, der leere Teller, der auf Laura wartete – alles wie damals. Und – zum ersten Mal seither – auch das unbestimmte Gefühl, dass da draußen etwas nicht stimmte.

Er stand auf und ging ans Fenster. Noch nie war er der Lösung so nahe gewesen.

Aber so sehr er sich sammelte, so angestrengt er sich versenkte in das Bild des abendlichen Quartiersträßchens: Die Erleuchtung blieb aus. Doch etwas sagte ihm, dass das, was anders war, mit dem gelben Einfamilienhaus gegenüber zu tun haben musste.

In den Zimmern brannte kein Licht. Aber die Straßenlaterne erhellte die Fassade.

Ein Vorhang wurde beiseitegeschoben. Im rechtwinkligen Dreieck, das dieser freigab, war das Gesicht des alten Mannes zu erkennen, eingerahmt von seinem unnatürlich schwarzen Haar und dem eigenartig getrimmten Bart. Es war zu einem der Apfelbäume gewandt.

Taler stand so reglos am Fenster wie Knupp.

Der Vorhang fiel zurück, das Gesicht war verschwunden.

2

Das »Guten-Morgen-Peter« von Sandra Dovic am Empfang klang seit zehn Tagen wieder ganz normal. Sie schien am ersten Jahrestag von Lauras Tod beschlossen zu haben, auf den mitfühlenden Unterton zu verzichten und im Umgang mit Taler wieder zur Tagesordnung überzugehen.

»Guten Morgen«, antwortete er und ging an ihr vorbei zum Lift.

Ein guter Morgen war es nicht. Peter war bis weit nach Mitternacht aufgeblieben. Immer wieder hatte er sich ans Fenster gestellt, den vom sparsamen Licht der Straßenlampe kaum erhellten Garten jenseits der Straße studiert und versucht, herauszufinden, was dort anders war. Er hatte den alten Knupp die Läden des Wohnzimmerfensters schließen sehen.

Er hatte beobachtet, wie Stunden später die Lichtstreifen erloschen und kurz darauf im ersten Stock das Fenster geöffnet wurde. Knupps Umrisse waren zu erahnen.

Als Knupp verschwunden war, war die Flasche Antinori leer. Lauras volles Glas stand noch auf dem Tisch, aber er rührte es nicht an.

Er steckte eine Marlboro Gold an und legte sie in den Aschenbecher. Er selbst hatte nie geraucht. Aber Laura.

Auch der Duft ihrer Marlboro Gold brachte sie ihm etwas näher.

Er öffnete eine neue Flasche, obwohl er wusste, wie das endete: Er würde Rotz und Wasser heulen und irgendwann im Morgengrauen in zerknitterten Kleidern auf dem Sofa erwachen, mit trockener Zunge und pochendem Schädel.

In seinem Büro stand ein zweiter Schreibtisch. Er war leer. Sein Bürokollege hatte die Firma kurz vor Lauras Tod verlassen, und sein Nachfolger war in einem anderen Raum untergebracht worden. Taler wusste nicht, ob aus Rücksicht auf ihn und seinen Schmerz oder aus Scheu vor der Aura des Todes, die ihn umgab.

Es gab Tage, da hätte er lieber Gesellschaft gehabt, aber an einem Morgen wie diesem war er froh, unbehelligt zu bleiben. Er riss das Fenster auf, hängte sein Jackett in den Schrank, startete den Computer, holte sich einen doppelten Espresso vom Kaffeeautomaten und trank ihn stehend in kleinen Schlucken.

Über Nacht war aus dem zaghaften Frühsommer wieder ein resoluter Spätwinter geworden. Kalter Regen trommelte auf das verzinkte Dampfabzugsrohr des Personalrestaurants und auf die Müllcontainer im trostlosen Innenhof.

Unter dem Vordach des Hintereingangs standen zwei Mitarbeiter und rauchten. Peter Taler hatte nach Lauras Tod mit dem Gedanken gespielt, mit dem Rauchen anzufangen. Aber dass sie rauchte und er nicht, war in ihrer Beziehung eine so unumstößliche Tatsache gewesen, dass es ihm wie ein Verrat vorgekommen wäre, jetzt, wo sie nicht mehr da war, damit anzufangen.

Es fiel ihm schon schwer genug, es nicht als Verrat zu

empfinden, dass er – vorläufig – weiterlebte. Die einzige akzeptable Begründung dafür war, dass er Lauras Mörder finden musste. Danach war Schluss. Für ihn selbst und für diesen.

Taler schloss das Fenster, setzte sich vor den Bildschirm und nahm den Stoß Belege aus dem Eingangskorb.

Seit acht Jahren arbeitete er bei Feldau & Co., einem mittelgroßen, alteingesessenen Bauunternehmen, in der Finanzabteilung. Das klang besser, als es war. Er kümmerte sich hauptsächlich um die Kreditorenbuchhaltung und verbrachte viel Zeit mit dem Erfassen von Belegen. Wenn er damit nicht ausgelastet war, setzte man ihn in der Debitorenbuchhaltung ein. Und in der Zeit vor den Abschlüssen holte ihn Gerber für Spezialeinsätze in der Bilanzbuchhaltung.

Gerber war sein direkter Vorgesetzter, Prokurist und zweiter Mann der Finanzabteilung. Eine Position, die ursprünglich für Taler vorgesehen gewesen war, die man ihm allerdings nach Lauras Tod »nicht mehr zumuten wollte«. Wie sich Perlucci, der Finanz-, und Weingartner, der Personalchef, feinfühlig ausgedrückt hatten. Taler blieb, wo er war, und behielt seinen etwas schäbigen Titel »Sachbearbeiter«. Es war ihm egal gewesen.

Kurz vor zehn betrat Kübler das Büro, wie immer ohne anzuklopfen. Er brachte einen neuen Packen Belege, die er unten im Postbüro geöffnet und mit dem Eingangsstempel versehen hatte.

Kübler war zuständig für Post, Archiv, Material und gute Laune. Er versuchte, Feldau & Co. mit Sprüchen und Witzen zum Lachen zu bringen, was ihm bei Taler nicht gelang. Schon als Laura noch lebte, hatte er ihm nie den Gefallen getan, sich von ihm zum Lachen bringen zu lassen. Und danach hatte er Kübler einmal ausdrücklich gebeten, ihn »mit seinem Scheißhumor in Frieden zu lassen«. Der führte dies zwar auf Talers Schicksalsschlag zurück, aber er trug es ihm dennoch nach. Er brachte und holte die Belege kommentarlos und machte den Mund nur auf, wenn es absolut nicht zu vermeiden war.

Aber diesmal sagte er: »Scheißwetter.«

Peter wandte den Blick vom Bildschirm und sah Kübler an. Er war klein, korpulent und rotblond, trug eine offene Lederjacke und ein grünes T-Shirt mit dem Firmenemblem von Feldau & Co. Er hatte die Belege in den Eingangskorb gelegt und sah aus, als warte er auf eine Antwort.

Taler zuckte mit den Schultern. Das Wetter war ihm egal.

Aber Kübler gab nicht auf. »Gestern beinahe Frühling – und jetzt das.«

Nun nickte Peter Taler. »Stimmt«, murmelte er, »und jetzt das.«

»Also dann«, sagte Kübler und ging.

Etwas war anders. Auch hier.

Die vier Parkplätze waren noch leer. Der Regen hatte die Vertiefung im Asphalt gefüllt, und die große Pfütze zwang ihn, wie an jedem Regentag, zum Aussteigen über den Beifahrersitz zu klettern.

Die Tragetasche aus Papier war nass geworden. Er musste sie auf dem Arm bis zur Haustür tragen und lächerliche Verrenkungen machen, um den Hausschlüssel aus der

Hosentasche zu fischen. Er glitt ihm aus der Hand, und als er ihn aufhob und sich wieder aufrichtete, fiel sein Blick auf Knupps Haus.

Der alte Mann stand reglos zwischen den beiden Apfelbäumen. Er trug eine feldgraue Militärpelerine und stützte sich auf einen Spaten. Sobald er bemerkte, dass Taler ihn gesehen hatte, wandte er sich ab.

Als Peter kurz darauf aus dem Fenster sah, steckte der Spaten am Rand des Gemüsebeets. Knupp war verschwunden.

Er brachte die Einkäufe in die Küche: Bier, Tomaten, Spaghetti, Basilikum, Parmesan, Olivenöl, Salat, Rotwein. Er hatte vor, wieder das gleiche Essen wie am Vortag zu kochen. Vielleicht half es ihm heute, herauszufinden, was anders war.

Frau Gelphart war da gewesen. Das Spülbecken glänzte, der Geschirrlappen hing gefaltet über dem Wasserhahn, im Mülleimer steckte ein frischer Plastiksack, das Geschirr von gestern war gespült und eingeräumt. Und es roch nach dem Putzmittel, das sie immer benutzte, weil sie seinen Geruch mochte.

Frau Gelphart wohnte im Nachbarhaus der zweiten Reihe seit 1972, dem Jahr, in dem ihr Mann die Hauswartsstelle für die Siedlung angetreten hatte. Laura hatte sie als Putzfrau eingestellt, und er hatte sie behalten. Wie alles, was ihn an Laura erinnerte.

Frau Gelphart kam zweimal die Woche und bestand zusätzlich auf einem Frühjahrsputz, bei dem man ihr helfen musste, die schweren Möbel zu verschieben. Seit Laura nicht mehr da war, bemutterte sie ihn. Wusch seine Wäsche, stellte Blumen in eine Vase, brachte ihm ihr übriggebliebenes Pot-au-feu, von dem sie wohl absichtlich zu viel kochte, und ermunterte ihn, doch mal wieder auszugehen.

Von ihr kannte er die Geschichten seiner Nachbarn. Zum Beispiel, dass Knupp zweiundachtzig war, pensionierter Lehrer, Witwer seit über zwanzig Jahren und nach dem Tod seiner Frau immer eigenbrötlerischer.

Taler legte *Back to Black* von Amy Winehouse auf, holte sein erstes Feierabendbier aus dem Kühlschrank und stellte sich ans Fenster.

Das Gefühl, dass etwas anders war, war noch immer da. Es war nicht der Spaten am Rand des Gemüsebeets. Auch nicht der eintönige Regen.

An Lauras letztem Tag hatte es nicht geregnet. Es war ein frühlingshafter Tag gewesen. Er hatte gekocht, obwohl sie an der Reihe gewesen wäre. Sie hatte angerufen und gesagt, dass sie sich verspäten werde. Und er hatte gesagt: »Macht doch nichts, dann koche eben ich. Spaghetti. Okay?«

Sie war überrascht gewesen, denn so konziliant war er sonst nicht.

Er bereitete die Tomatensauce zu, deckte den Tisch, entkorkte den Wein, brachte das Wasser zum Kochen und drehte die Herdplatte wieder aus, damit er es, sobald sie kam, in einer Minute wieder am Siedepunkt hatte. Dann stellte er sich ans Fenster und wartete.

Laura ließ sich Zeit. Spätestens um sieben wollte sie eigentlich zu Hause sein. Peter stand am Fenster und sah zu, wie die Dämmerung hereinfiel und nach und nach schon Lichter angingen. Während dieser Zeit musste ihm das aufgefallen sein, woran er sich jetzt nicht erinnern konnte.

Um Viertel vor acht wählte er ihre Handynummer. Sie antwortete nicht.

Danach begann er sich Sorgen zu machen. Um Viertel nach acht hatte er bereits drei Nachrichten auf ihrem Anrufbeantworter hinterlassen.

Er war gerade in die Küche gegangen, um nach der Tomatensauce zu sehen, als es klingelte. So so, dachte er – erleichtert, aber sofort auch gereizt –, dazu noch den Schlüssel vergessen. Jetzt war er es, der sich Zeit ließ. Er schaltete die Platte unter dem Wasser ein, als es bereits wieder klingelte. Diesmal Sturm.

»Ja, ja, ich musste auch warten!«, schimpfte er vor sich hin, ging gemächlich zum Türöffner und drückte. Das Klingeln hatte aufgehört.

Taler öffnete die Wohnungstür einen Spaltbreit und ging zurück in die Küche. Dort wollte er von ihr angetroffen werden.

Wieder ließ sie sich Zeit.

Gerade als er ein zweites Mal auf den Türöffner drücken wollte, klingelte es wieder. Er drückte, aber es klingelte nochmals.

»Was ist denn?«, rief er gereizt ins Mikrofon.

»Herr Taler?« Es war die aufgeregte Stimme des inzwischen weggezogenen Herrn Zeier.

»Ja?«

»Kommen Sie herunter. Ihre Frau, wir brauchen einen Krankenwagen!«

Er erinnerte sich nicht daran, den Krankenwagen gerufen zu haben. Nur noch daran, dass er Laura in den Armen hielt und ihren Namen sagte, immer wieder, »Laura, Laura«. Und an das Blut überall.

Peter Taler trank die Flasche leer, holte sich die zweite und starrte aus dem Fenster.

Kein Mensch, kein Tier, keine Bewegung. Der Regen hatte aufgehört, Amy Winehouse sang *Love Is a Losing Game.*

Warum, fragte er sich, habe ich nie ein Foto gemacht? Dann könnte ich jetzt die Bilder vergleichen. Wie bei »Finde die sieben Unterschiede«.

Er ging in die Küche und begann zu kochen. Als er zurück zum Fenster kam, legte die Straßenlaterne schon ihre Glanzlichter auf den nassen Asphalt und die geparkten Autos.

3

Lauras kleine Digitalkamera war dort, wo sie immer gewesen war: Im Rollkorpus, der unter ihrem Zeichentisch stand. Er stammte aus der Zeit, als sie Illulaura gründete. So nannte sie die GmbH, mit der sie sich als Illustratorin selbständig machen wollte. Peter war als gleichberechtigter Partner eingestiegen, hatte die Administration übernommen und die Hälfte beigesteuert zu den zwanzigtausend Franken Gründungskapital. Diese waren rasch für Büroausstattung, Elektronik, Material und laufende Ausgaben draufgegangen, und bald musste Laura einsehen, dass sie gegen die etablierten Grafiker, die zu Dumpingpreisen ihre Beschäftigungslücken stopften, keine Chance hatte. Die Illulaura stellte ihre Tätigkeit ein. Vorläufig, wie Laura immer betonte. Löschen komme nicht in Frage, schon wegen des Namens. Bis heute hatte sich Taler daran gehalten.

Laura nahm eine feste Anstellung als wissenschaftliche Illustratorin in einem Lehrmittelverlag an. Immerhin durfte sie einen Teil ihrer Arbeit zu Hause machen. Deswegen war eines der drei Zimmer der Wohnung ihr Atelier geblieben, das Illulaura-Zimmer. Dort hatte sie ab und zu geschlafen, wenn sie Streit hatten.

In diesem Raum stand auch ihr Computer mit einem

großen Flachbildschirm. Nach ihrem Tod hatte die Polizei vergeblich die Festplatte nach Indizien durchsucht, die auf ein Motiv hindeuteten. Seither stand er kaum benutzt an seinem Platz. Taler besaß keinen eigenen, er verbrachte im Büro schon zu viel Zeit vor dem Bildschirm.

Taler nahm die Batterie aus der Kamera und steckte sie ins Ladegerät. Ein rotes Licht ging an. Bis es grün war, hatte er Zeit, ein paar Einkäufe für das Wochenende zu machen. Es war Samstag.

Ein kühler Morgen. Der Himmel war von einem hellen Grau, das sich im Laufe des Tages in ein blasses Blau verwandeln dürfte. Es war trocken bis auf die Pfützen des gestrigen Regens. Peter Taler überquerte die Straße und betrat das Trottoir, das an den Gärten der Einfamilienhäuser entlangführte.

Knupp, in einem grauen Overall, harkte im Gemüsebeet. Er sah kurz auf, und Taler nickte ihm zu, obwohl er wusste, dass der Alte ihn ignorieren würde. Beim Vorbeigehen roch er die frischen feuchten Erdschollen.

Etwa zehn Minuten ging er durch das noch stille Wohnviertel, bis er »Juanitos« erreichte. Ein Spanier der zweiten Generation hatte den dahinsiechenden Quartierladen vor ein paar Jahren übernommen und daraus mit einem klugen Sortiment einen florierenden Minisupermarkt gemacht. Bei Juanitos gab es alles, was man in der Stadt zu kaufen vergessen hatte oder was einem zu Hause ausgegangen war. Und wer keine Lust hatte zu kochen, konnte sich dort mit täglich frisch gemachten Tapas eindecken.

Mit einer schweren Einkaufstüte in jeder Hand machte sich Taler auf den Weg nach Hause.

In Knupps frisch geharktem Gemüsebeet stöberten zwei Amseln nach Würmern. Er blieb kurz stehen und betrachtete den Garten. Er wurde das Gefühl nicht los, dass sein Eindruck, etwas habe sich verändert, mit diesem Grundstück zu tun hatte.

Bei den Briefkästen stellte er seine Einkaufstaschen ab und sah in seinen Schlitz. Nichts. Als er die Taschen wieder aufhob, warf er einen Blick zu Knupps Haus. Er sah gerade noch, wie der alte Mann vom Fenster in den Schatten des Zimmers zurücktrat.

Die Batterie war geladen. Er setzte sie ins Gehäuse ein, baute Stativ und Kamera an der Stelle auf, wo er immer stand, und machte ein paar Referenzfotos. Für das nächste Mal, wenn er das Gefühl hatte, etwas sei anders.

Danach setzte er sich mit der Zeitung in einen der Wohnzimmersessel und versuchte zu lesen.

In einem Stadtkreis ganz in der Nähe war eine junge Frau erschossen worden. Sie lag im Vorgarten des Hauses ihrer Eltern. Keine Zeugen, keine Verdächtigen, kein Motiv.

Die Meldung war kurz, wohl weil die Zeitung erst knapp vor Redaktionsschluss davon erfahren hatte. Aber für den folgenden Hinweis war genug Zeit geblieben:

»Der Fall erinnert an den Fall Laura W. vor etwas über einem Jahr. Die junge Frau war vor ihrer Haustür erschossen worden, während sie darauf wartete, dass ihr Mann die Haustür öffnete (sie hatte den Schlüssel vergessen). Die Polizei tappt bis heute im Dunkeln.«

Sie wussten nicht, wie viel Zeit er sich gelassen hatte, um auf den Türöffner zu drücken. Niemand wusste es, auch der Polizei hatte er nichts davon erzählt. Nur, dass sie Sturm geläutet hatte. Aber nicht, wie lange.

Er ließ die Zeitung auf den Teppich fallen und stand abrupt auf, um die Bilder zu vertreiben: Laura mit ihrem Mörder im Rücken, wie sie Sturm läutet, um ihr Leben zu retten. Er selbst oben in der Wohnung, wie er zur Strafe für ihr Zuspätkommen und ihr Schlüsselvergessen aufreizend langsam zur Tür geht.

Und der Mörder. Wie er auf Laura zielt und sie von hinten ins Herz trifft.

Die Ballistiker konnten nicht einmal genau bestimmen, woher der Schuss kam. Alles, was sie wussten, war, dass es sich beim Projektil um das Kaliber .22 lfB Subsonic handelte. Munition, die hauptsächlich beim Sportschießen verwendet wird. Subsonic bedeutete, dass der Schuss aus einer schallgedämpften Waffe abgegeben worden war.

Je länger sich keine Hinweise finden ließen, desto hartnäckiger setzte sich die Vermutung durch, dass Laura tatsächlich nur zum Sport abgeknallt worden war.

Das Einzige, was darauf hindeutete, dass sie den Schützen gekannt oder zumindest gesehen haben musste, war ihr Sturmläuten. Obwohl: Dass Laura Sturm läutete, war auch früher schon vorgekommen.

Sie war nach der Arbeit noch mit Barbara ins Troca gegangen. Barbara war eine Arbeitskollegin, die sie schon aus ihrer Ausbildungszeit kannte. Die beiden Frauen hatten Prosecco getrunken, ziemlich viel in anderthalb Stunden, die Gerichtsmedizin wies einen Blutalkoholwert von eins Komma zwei nach.

Um Viertel vor acht nahmen die beiden Frauen den Bus.

Barbara stieg nach drei Stationen aus, Laura fuhr weiter. Es gab Zeugen, die sie allein im Bus gesehen hatten. Sie habe dagesessen und vor sich hingelächelt und manchmal sogar ein bisschen aufgelacht.

Auch der Busfahrer konnte sich an sie erinnern. Sie habe beinahe die Station verpasst und, als er schon anfahren wollte, »Stopp!« gerufen. Er habe noch einmal angehalten und die Tür geöffnet, und sie habe sich herzlich bedankt. Sie sei der einzige Fahrgast gewesen, der an der Station Kalkstraße ausgestiegen sei.

Die letzte Zeugin, die Laura lebend gesehen hatte, war Frau Kaab, die Bewohnerin vom Gustav-Rautner-Weg 33, dem Haus mit den Sonnenkollektoren. Sie hatte den Müll zum Container gebracht und mit Laura ein paar Worte gewechselt. Sie habe lachend zu ihr gesagt: »Eigentlich Männerarbeit.« Und Laura habe geantwortet: »Wir wechseln uns ab. Einmal bring ich ihn raus und das andere Mal er nicht.«

Wenig später wurde Laura Wegmann von Herrn Zeier vor dem Hauseingang tot aufgefunden. Alle Nachbarn wurden befragt. Niemand hatte etwas gehört. Niemand hatte etwas gesehen.

Peter Taler öffnete die Schublade der kleinen Kommode neben der Garderobe in der Diele und wühlte in den Fresszetteln, Briefumschlägen, Notizen, Fahrkarten und Geschäftskärtchen, die sie fast bis zum Rand füllten. Es dauerte eine Weile, bis er fand, was er gesucht hatte: eine Visitenkarte mit dem Emblem der Polizei und dem Namen Giovanni Marti, Detektivwachtmeister.

Marti war der Beamte gewesen, mit dem er damals am

meisten zu tun gehabt hatte. Ein freundlicher, ruhiger Mann Ende fünfzig, den sein Beruf, wie er Taler einmal gestand, »leider empfindlich statt abgestumpft gemacht hat«. Er war der Einzige, mit dem Taler noch Kontakt hatte. Er hatte ihm versprochen, ihn auf dem Laufenden zu halten. Peter dürfe ihn auch immer ungeniert anrufen.

Er wählte die Handynummer, die auf die Karte gekritzelt war.

»Ich habe Ihren Anruf erwartet«, sagte Marti. »Ich hätte mich auch gemeldet, sobald wir mehr wissen.«

»Irgendetwas können Sie bestimmt schon sagen.«

»Der Fall weist Ähnlichkeiten auf: Niemand hat etwas gehört, niemand hat etwas gesehen, niemand kann sich ein Motiv vorstellen. Aber wir sind noch ganz am Anfang.«

»Und die Waffe?«

»Auch zu früh. – Aber sicher nicht dieselbe. Anderes Kaliber, zweiunddreißig.«

Taler schwieg.

Wie zur Ermutigung fügte der Wachtmeister hinzu: »Zweiunddreißig wird aber auch als Sportmunition eingesetzt.«

»Dieses Schwein!«, stieß Taler hervor.

»Wie gesagt: Wenn ich mehr weiß, melde ich mich.«

Sie legten auf. Taler ging zu seinem Posten am Fenster.

Der Lancia der neuen Mieter stand auf seinem Parkplatz. Die Frau hob das Baby, dessen Weinen jetzt manchmal durch die Nacht drang, aus der Babyschale. Der Mann war damit beschäftigt, Einkaufstaschen aus dem Kofferraum zu holen. Er hatte rotes Haar, das so weit hinten ansetzte, dass es aussah wie ein verrutschtes Babykäppchen.

Hinter der Familie, auf der anderen Straßenseite, trat Knupp aus dem Garten. Er trug eine braune, schlabberige Kordhose, einen grünen Pullover und ein ausgebeultes Tweedjackett. Er hatte eine abgewetzte, ehemals rote Einkaufstasche in der Hand. Taler wusste, dass sich darin eine zusammengerollte gemusterte Nylontasche befand. Knupp benutzte sie meistens zusätzlich auf dem Rückweg von seinen Einkäufen.

Der Alte trat aufs Trottoir und machte sich auf den Weg zur Bushaltestelle. Juanitos mied er. Vielleicht war er ihm zu teuer, oder vielleicht wollte er keinen Nachbarn begegnen und mit ihnen ein Wort wechseln müssen.

Peter sah der hinkenden Gestalt nach, bis sie in der Kurve verschwunden war.

Der Gustav-Rautner-Weg lag wieder still da. Wie das Spiegelbild auf einem glatten See, kurz vor dem Steinwurf.

Es gab nicht viele Orte, wo sich der Mörder hätte verstecken können. Knupps Hecke, die verzinkten Müllcontainer, die geparkten Autos, die drei immergrünen Büsche am Rand des Plattenwegs, der von den Briefkästen zum Hauseingang führte. Die Polizei ging davon aus, dass der Täter motorisiert war und Laura im Auto verfolgt oder erwartet hatte.

Ein Rauhhaardackel überquerte die Straße und ging auf Knupps Gartenzaun zu. Er gehörte zu einer Wohnung der Mehrfamilienhäuser in der zweiten Reihe, Peter Taler kannte sogar seinen Namen: Joggi.

Der Hund schnupperte am Zaun, hob das Bein, beschnupperte seine eigene Markierung, hob das Bein nochmals und ging befriedigt weiter.

Und plötzlich war es wieder da, das Gefühl, dass etwas anders war.

Das Stativ mit Lauras Kamera stand noch am selben Ort. Peter machte ein paar Fotos, nahm die Speicherkarte heraus, startete ihren Computer und schob die Karte in das Lesegerät. Das Fotoprogramm importierte die Bilder.

Das erste zeigte ihn selbst. Er saß lächelnd und unrasiert im Bett, auf den Knien ein Frühstückstablett mit Croissants, Orangensaft, Kaffee, einem kleinen Geschenkpaket und einer Brioche, in deren Mitte eine brennende Kerze steckte.

Das Bild war am vierten Mai aufgenommen, seinem einundvierzigsten Geburtstag. Laura hatte ihn mit einem Frühstück im Bett überrascht. Im Päckchen war ein Moleskin-Notizbuch gewesen, in das er, so stand es in der Widmung, nur Erfreuliches hineinschreiben durfte. Es fanden sich drei Einträge darin, der letzte vom siebzehnten Mai, ihrem Todestag: »Das Hoch Isidor hat den Frühling gebracht.« Er hatte das Geschenk und vor allem die damit verbundene Auflage etwas dämlich gefunden und den Eintrag nur ihr zuliebe notiert.

Es gab noch mehr Fotos von diesem Geburtstagsmorgen, auch eines, das er aufgenommen hatte. Laura, nur mit einem Slip bekleidet. Das Geburtstagsfrühstück war nämlich noch richtig schön geworden. Sie waren beide zu spät zur Arbeit erschienen.

Danach kamen die Fotos von der Fensteraussicht. Es waren neun, mehr als er gedacht hatte. Er markierte sie und druckte sie auf Lauras Farblaserdrucker aus. Ebenfalls aus dem Inventar der Illulaura GmbH.

Taler legte die Bilder nebeneinander auf den Esstisch. Der erste Unterschied, der ihm ins Auge fiel: Auf dem Parkplatz vor dem Haus stand – Rohrbachs silbergrauer Polo!

Die Familie Rohrbach war vor drei Monaten ausgezogen.

Er ging zurück zum Bildschirm und prüfte die Bildinformation. Das Foto war am sechzehnten Mai des vergangenen Jahres aufgenommen worden. Am Tag vor Lauras Tod.

Wenn Laura fotografierte, hatte sie es immer mit einem gewissen gestalterischen Willen getan, eine *déformation professionelle,* wie sie es nannte. Aber an diesem Bild war nichts von künstlerischem Ehrgeiz zu entdecken. Es war so banal wie die, die Peter geschossen hatte. Als hätte auch sie nur etwas dokumentieren wollen.

Er brauchte nicht lange, um herauszufinden, was es war. Neben dem Sitzplatz mit den rot gestrichenen Gartenmöbeln, dort, wo der japanische Zwergahorn gestanden hatte, war jetzt ein Loch. Auf den Steinplatten lag etwas Aushub auf einem Haufen und daneben, als Kleinholz mit noch grünen Ästen, das hübsche Bäumchen.

Weshalb wollte Laura wohl das Ende des Zwergahorns festhalten? Und weshalb hatte sie ihm nichts davon gesagt?

Die Perspektiven seiner Fotos stimmten nicht mit Lauras überein. Er verschob und verstellte Stativ und Kamera, bis er fand, der Blickwinkel sei derselbe. Er benötigte viele Versuche, bis die Fotos tatsächlich so genau übereinstimmten, dass er sie auf transparentem Papier ausdrucken und auf Lauras Leuchtkasten übereinanderlegen konnte.

Die Container standen ein wenig anders, die Autos auch,

die Gartenmöbel stimmten nicht überein, gewisse Fenster waren offen und andere zu, das Licht war verschieden, und auf Lauras Foto war ganz am rechten Bildrand die Hälfte eines Mopeds zu sehen, das aus dem Bild fuhr.

Und der japanische Zwergahorn war wieder da.

Taler knipste seine Nachttischlampe an und setzte sich auf. Er wusste nicht, wie lange er geschlafen und was ihn so abrupt aus dem Schlaf gerissen hatte.

Der Wecker zeigte kurz nach vier. Keine gute Zeit, um wieder Schlaf zu finden.

Er öffnete die Nachttischschublade und nahm die Pistole heraus.

Seit Lauras Tod hatte er sich zum Einschlafen mit immer der gleichen Phantasie von seinem Schmerz abgelenkt: Er stellte sich vor, wie er seine Pist 75, die persönliche Waffe, die er als Sanitätssoldat gefasst hatte, hervorzog, sie auf Lauras Mörder richtete und ohne Zögern das Magazin leerschoss. Neun Schuss.

Aber diesmal funktionierte es nicht.

Waren es die Tapas von Juanitos, aus denen sein Abendessen bestanden hatte und die immer mit etwas viel Knoblauch und Öl zubereitet waren? Oder hatte das Kind geweint, dessen Fenster zwei Etagen unter seinem lag?

Er trank einen Schluck aus der Mineralwasserflasche, die neben seinem Bett stand.

Nein, es war kein Geräusch und auch nicht die schwere Mahlzeit, die ihn geweckt hatten. Es war ein Gedanke gewesen. Und er hatte mit den fast deckungsgleichen Fotos zu tun. Aber was?

Peter stand auf und ging in Lauras Arbeitszimmer. Es lag im gespenstischen Licht des Leuchtkastens, den er vergessen hatte abzuschalten.

Er erschrak. Vor zwei Jahren war er auch mitten in der Nacht erwacht und hatte den Platz neben sich leer gefunden. Laura war, wie immer, im Verzug gewesen mit einem ihrer seltenen Privataufträge und hatte Nachtschichten eingelegt. Er wollte nachschauen und hatte ihr Arbeitszimmer so vorgefunden wie jetzt: leer, der Leuchtkasten die einzige Lichtquelle. Er hatte den Kasten ausgeschaltet, und als er die Tür hatte schließen wollen, hörte er plötzlich ihre erschrockene Stimme rufen: »Was, was, was?!« Sie hatte sich auf den Boden gelegt und war eingeschlafen.

Taler machte Licht und versuchte, sich nicht nach ihr umzusehen. In den ersten Monaten war er immer auf ihr Erscheinen gefasst gewesen, und er hätte wohl den Verstand verloren, wenn er sich nicht gezwungen hätte, nicht mehr jederzeit mit ihr zu rechnen.

Er legte die beiden Fotos auf den Leuchtkasten und versuchte, sich zu konzentrieren. Aber abgesehen vom Zwergahorn und den beweglichen Dingen – Möbel, Gartengeräte, Fahrzeuge und so weiter – war alles deckungsgleich.

Und abgesehen von den Pflanzen, die natürlich übers Jahr gewachsen waren.

Und da war er wieder, der Gedanke, der ihn wachgerüttelt hatte:

Die Pflanzen waren gewachsen, nicht aber die Apfelbäume in Knupps Garten.

Sie waren nicht nur nicht gewachsen – sie waren jünger

geworden. Sie hatten zwar etwa die gleiche Höhe, aber ihre Stämme waren nur noch halb so dick.

Knupp hatte sie ausgetauscht. Wie den Zwergahorn. Das war es, was anders gewesen war. An jenem schrecklichen Tag der Zwergahorn. Und gestern Abend die Apfelbäume.

Taler ging zurück ins Bett und versuchte vergeblich, wieder einzuschlafen. Er spürte, wie sein Herz klopfte, und wurde wachgehalten durch den Aufruhr seiner Gedanken.

Sobald es das Licht erlaubte, stand er auf und ging in T-Shirt und Boxershorts zum Blumenfenster. Jetzt, wo er es wusste, wunderte er sich, dass ihm die Verjüngung der Apfelbäume nicht gleich aufgefallen war.

Im Gemüsebeet kniete Knupp. Er schien Setzlinge zu pflanzen und tat dabei etwas Eigenartiges: Immer wieder konsultierte er ein Papier, als benötige er für diese Arbeit eine Gebrauchsanweisung.

Taler holte den Feldstecher, den er sich für sein neues Leben als Beobachter angeschafft und griffbereit in der Anrichte liegen hatte. Er richtete ihn auf das Gemüsebeet.

Knupp rückte jetzt so nahe, dass Peter Taler das Zittern seiner Hände sehen konnte. Und tatsächlich: Der Alte maß die Pflanzabstände und nahm Korrekturen vor. Er grub Setzlinge aus, setzte sie wieder ein und maß erneut die Abstände.

Taler machte Frühstück und trug es zum Esstisch. Durch das Blumenfenster beobachtete er Knupp. Er stand neben dem Gemüsebeet, hatte ein Stativ aufgestellt – und machte Fotos.

Taler ging ebenfalls zu seinem Stativ und fotografierte

von Lauras Standpunkt aus. Als er sein Foto mit ihrem verglich, bestätigte sich seine Vermutung: Der Gemüsegarten war genau gleich bepflanzt wie vor einem Jahr.

Es gab keinen Zweifel: Knupp war nicht normal.

4

Am Montag machte er früher Feierabend. Er wollte nach Hause kommen, solange Frau Gelphart noch da war.

»Ich bin froh, dass Sie das Arbeitszimmer wieder benutzen«, sagte sie. »Es ist nicht gesund, in einem Mausoleum zu wohnen.«

Die Fenster des Raumes waren weit geöffnet, und es roch nach dem Putzmittel, mit dem Frau Gelphart immer das Linoleum nass aufwischte.

Taler ging nicht auf die Bemerkung ein.

»Ich finde, Sie sollten auch den Raum etwas umstellen. Überhaupt die ganze Wohnung. Das zieht Sie nur runter, wenn Sie ihr auf Schritt und Tritt begegnen.«

»Ich werde darüber nachdenken.«

»Tun Sie das. Im Kühlschrank sind zwei Stück Apfelwähe. Die mögen Sie doch.«

Peter mochte Apfelwähe nicht. Aber er antwortete: »Danke. Sie verwöhnen mich.« Und fuhr fort: »Knupp hat eine Schraube locker, nicht wahr?«

»Er ist ein bisschen seltsam geworden, warum?«

»Er gräbt seine Apfelbäume aus und pflanzt an ihrer Stelle jüngere.«

Sie zuckte mit den Schultern.

»Und sein Gemüse setzt er millimetergenau gleich wie im Vorjahr.«

»Ich sage ja, es ist ungesund, in einem Mausoleum zu leben.«

Peter verstand den Zusammenhang nicht.

»Ich glaube, er will, dass alles genau so bleibt wie damals vor zwanzig Jahren, als seine Frau noch lebte. Wie Sie.«

Taler sah sie gereizt an. »Das können Sie doch nicht vergleichen.«

»Das hat bei Knupp auch nicht so angefangen. Es ist erst vor ein paar Jahren so extrem geworden. Also passen Sie auf.«

Taler schwieg.

»Am Anfang hat er einfach alles so gelassen, wie es war. Aber die Pflanzen durften weiter wachsen. Und eines Tages vor zwei Jahren ist mein Mann nach Hause gekommen und hat gesagt: ›Hast du gesehen, wie brutal der Knupp seine Apfelbäume zurückgeschnitten hat?‹ Das waren doch so schöne, gesunde Bäume. Mit solchen Äpfeln.« Sie brauchte beide Hände, um die Größe dieser Äpfel zu zeigen. »Und jetzt hat er die zurückgeschnittenen Bäume durch jüngere ersetzt.«

»Auch den Ahorn damals, nicht?«

»Ja. Und in der Hecke verjüngt er auch immer wieder etwas.«

Als Frau Gelphart gegangen war, stellte sich Taler wie immer mit seinem ersten Feierabendbier ans Fenster. Aber diesmal konzentrierte er sich nur noch auf Knupps Garten.

Hatte der Alte etwas mit Lauras Tod zu tun? Der Gedanke kam ihm nicht zum ersten Mal. Taler hatte nach der

Tat alle Nachbarn verdächtigt. Die Polizei hatte alle verhört. Und alle entlastet. Auch Knupp. Ganz abgesehen davon, dass auch er kein Motiv hatte, war er zu schlecht zu Fuß, um die Straße zweimal überqueren zu können, ohne gesehen zu werden. Und das Zittern seiner Hände hätte ihm einen Präzisionsschuss von seinem Grundstück aus nicht erlaubt.

Doch die Neuigkeit, dass Knupp nicht einfach ein wenig schrullig war, sondern hochgradig gestört, ließ die Sache in einem anderen Licht erscheinen. Ein Verrückter braucht kein Motiv. Ein Verrückter lässt keine Vorsicht walten.

Als hätte er gespürt, dass Taler an ihn dachte, trat Knupp aus dem Haus und blickte zu seinem Fenster herauf. Dann ging er zu der verzinkten Gießkanne, die unter einem Wasserhahn an der Hausmauer stand. Sie war schwer, und es fiel ihm nicht leicht, sie bis zum Gemüsebeet zu tragen. Er goss die frischen Setzlinge mit dem großen Brauseaufsatz, bis die Kanne leer war, trug sie zurück und füllte sie wieder für das nächste Mal.

Danach schloss er den Schlauch, der daneben an einem Halter hing, an den Hahn und wickelte ihn so weit ab, dass er bis zu den Apfelbäumen reichte. Als er sie gewässert hatte, wickelte er mehr Schlauch ab und nahm sich die Hecke vor.

Taler wusste jetzt, weshalb diese Pflanzen so viel Wasser brauchten.

»Es ist nichts Illegales, Pflanzen auszutauschen.« Marti saß an seinem Schreibtisch und blickte etwas ratlos auf die Fotos, die vor ihm lagen. Im Büro saßen zwei weitere Beamte. Beide telefonierten.

»Ich sage ja nur, ich weiß jetzt, was anders war an jenem Abend. Es hatte mit den Pflanzen zu tun.«

Der Wachtmeister sah ihn wortlos an. Zum ersten Mal hatte Taler den Eindruck, dass er dem Mann etwas auf die Nerven ging.

»Und die Pflanzen haben mit Knupp zu tun.«

Noch immer schwieg Marti.

»Und Knupp hat mit Lauras Tod zu tun«, fuhr Taler trotzig fort.

Marti schüttelte den Kopf. »Ich kann der Logik nicht folgen.«

»Nicht Logik. Gefühl.«

Martis Stimme klang müde: »Wir haben ihn überprüft.«

»Aber damals wusstet ihr noch nicht, dass der Mann geistesgestört ist.«

»Das hätte nichts geändert. Er leidet unter Alterstremor. Damit trifft man kein Ziel aus mehr als einem Meter.« Marti hatte ein dünnes Dossier vor sich liegen, aus dem er zitierte. »Und er ›leidet unter Hüfthinken als Folge einer Hüftgelenksarthrose (Coxarthrose)‹. Auf Deutsch: Er kann unmöglich rasch über die Straße und zurück rennen, um mal kurz jemanden zu erschießen.«

»Warum haben Sie sein Haus nicht durchsucht?«

Marti seufzte: »Herr Taler, in diesem Land macht die Polizei keine Durchsuchungen in Häusern von Unverdächtigen.«

Taler gab nicht auf: »Aber jetzt könnte sie es tun.«

»Weil er seine Apfelbäume umgepflanzt hat?«

»Nicht umgepflanzt, ersetzt. Er entsorgt Pflanzen und ersetzt sie durch jüngere.«

Einer der beiden Kollegen war von seinem Schreibtisch aufgestanden und stand jetzt neben Marti. »Hast du einen Moment?«

Marti stand auf. »Komme gleich wieder«, sagte er zu Taler.

Die Luft im Büro war abgestanden. Der Kippflügel über dem hohen schmalen Fenster reichte nicht für genügend Frischluft im Raum. Und das Eau de Toilette, das einer der drei Beamten benutzte, brachte auch keine Linderung.

Wachtmeister Marti kam alleine zurück und setzte sich wieder an seinen Schreibtisch. »Neuigkeiten im anderen Fall. Ein Zeuge hat zur Tatzeit ein Moped gesehen. Aufgebockt und mit laufendem Motor.«

Peter stutzte. Dann suchte er aus den Fotos auf Martis Tisch das heraus, das Laura an ihrem zweitletzten Tag aufgenommen hatte.

»Hier.« Er deutete auf das angeschnittene Moped, das aus dem rechten Bildrand fuhr. »Vielleicht hat Laura die Aufnahme deswegen gemacht.«

Marti nahm eine Lupe aus der Schreibtischschublade und studierte das Bild. »Darf ich es behalten?«, fragte er, als er das Vergrößerungsglas beiseitelegte.

»Wozu?«

»Wir gehen jeder Spur nach.«

»Tatsächlich?« Taler sah Marti spöttisch an und stand auf.

»Ich halte Sie auf dem Laufenden«, sagte der Wachtmeister beim Abschied.

»Tatsächlich?«, wiederholte Taler schnippisch. Dann verließ er das Büro.

Die Hauptwache stammte aus einer Zeit, als die Architekten nicht Platz sparen mussten beim Bau von staatlichen Gebäuden, die das Volk beeindrucken sollten. Peter Taler ging durch den breiten Korridor, der nach Bohnerwachs und Sorgen roch. Leute warteten auf Holzbänken oder studierten Anschläge, die sie nicht interessierten. Von draußen hörte man eine Polizeisirene, die sich nur langsam entfernte.

Taler trat auf die Straße. Es war ein klarer, blauer Frühsommertag. Viele Angestellte verbrachten ihre Mittagspause auf den Bänken, kauten ihr Sandwich oder löffelten ihren Imbiss aus Plastikboxen.

Er hatte seinen Wagen auf dem Personalparkplatz gelassen und war mit dem Tram gekommen. Die Nummer zwölf fuhr gerade ein, als die Tramstation in Sichtweite kam. Er rannte los, überquerte den Fußgängerstreifen bei Rot und wurde beinahe von einem hupenden Offroader überfahren. Als er den Türöffnungsknopf erreichte, ging das grüne Licht aus. Taler schlug mit der flachen Hand gegen das anfahrende Tram. Dann wandte er sich fluchend ab und sah direkt in das grinsende Gesicht des Autofahrers, dessen Reaktionsfähigkeit er sein Leben verdankte.

Als er sich mit beinahe einer Viertelstunde Verspätung einstempelte, traf er Kübler. »Lieber spät als nie«, grinste der.

Lieber nie, dachte Taler.

Und kaum war er in seinem Büro, klingelte das Telefon. Es war Gerber, sein Chef. »Wir müssen reden«, sagte er.

Er saß hinter seinem aufgeräumten Schreibtisch und telefonierte. Als Taler eintrat, hielt er die Hand über die Sprechmuschel und raunte: »Setz dich doch.« Sie waren per Du, noch aus der Zeit, als Taler eigentlich für Gerbers Job vorgesehen war und dieser sich mit ihm gutstellen wollte.

Taler setzte sich auf den Besucherstuhl, der seitlich versetzt und mit etwas zu großem Abstand an der Längsseite des Schreibtischs stand.

Gerber telefonierte mit dem Mitarbeiter eines Baumaschinenvermieters, den er »Jeff« nannte. Taler kannte ihn von früher. Jeff hatte ihn manchmal zu kostspieligen Essen eingeladen, in der fälschlichen Annahme, er habe Einfluss auf die Wahl der Lieferanten von Feldau & Co.

Taler hatte das Gefühl, Gerber ziehe das Gespräch absichtlich in die Länge. Das bedeutete, dass er Taler etwas Unangenehmes zu sagen hatte. Aber wenn es um die Kündigung gegangen wäre, wäre Weingartner, der Personalchef, dabei gewesen. Ohne Weingartner gab es auf Gerbers Hierarchiestufe keine Kündigungen. Taler entspannte sich, erlaubte sich sogar einen Blick auf die Uhr, der bedeutete: Den ganzen Nachmittag habe ich nicht Zeit.

Als Gerber endlich aufgelegt hatte, faltete er die Hände im Nacken, lehnte sich zurück, sah Taler aus halbgeschlossenen Lidern in die Augen und seufzte: »Peterpeterpeter.«

»Tram verpasst«, sagte Peter.

Gerber winkte ab. »Es geht mir nicht um dieses eine Mal. Es geht mir um die Gesamtperformance. Wir wissen beide, wovon ich rede, nicht?«

Taler schwieg und wartete.

»Ich weiß, es ist schwer«, fuhr sein Chef fort.

Nichts weißt du, keine Ahnung hast du. Und zwar nicht nur davon, sondern von gar nichts, dachte Taler.

»Aber die Zeit heilt bekanntlich alle Wunden. Es ist jetzt über ein Jahr her. Du musst es hinter dich bringen. Nach vorne schauen.«

Taler schwieg. Das, was er sagen wollte, durfte er nicht, und etwas anderes fiel ihm nicht ein.

»Ich weiß, es ist schwer«, wiederholte Gerber. »Aber« – er hatte seine Stimme erhoben – »aber wenn du so weitermachst, kann ich dich nicht länger halten.«

Ach so, du hältst mich?, dachte Taler, ohne deine Hilfe wäre ich längst auf der Straße? Danke, danke.

»Perlucci spricht mich immer wieder auf dich an. Auch Weingartner hat sich schon nach dir erkundigt. Wiederholt.«

Gerber ließ es auf seinen Untergebenen einwirken.

Taler war nicht sehr beeindruckt, aber er musste sich jetzt äußern, er konnte es sich nicht leisten, den Job zu verlieren. Nicht, solange Lauras Mörder frei herumlief. Er hatte jetzt keine Zeit, eine neue Stelle zu suchen. Danach war es ihm egal. Danach würde ihm alles egal sein.

»Ich weiß. Ich werde es versuchen.«

»Einen neuen Anfang zu machen?«

Taler nickte.

Gerber brachte seine Hände, die er die ganze Zeit im Nacken gefaltet hatte, nach vorn, beugte sich über den Tisch und sah Taler mit mildem Ernst in die Augen. »Versuchen reicht nicht, Peter. Es muss gelingen.«

Taler nickte so schuldbewusst, wie er konnte.

»Du musst wieder bei der Sache sein. Feldau und Co. hat

dir viel Verständnis entgegengebracht, das musst du zugeben. Dir Zeit gelassen, dich geschont, dich mit Samthandschuhen angefasst.«

Taler ließ ihn reden.

»Aber wir« – wir! – »sind ein Unternehmen, kein Hilfswerk, gerade in Zeiten wie diesen. Ich verstehe es, wenn man da oben findet, die Schonzeit habe lange genug gedauert. Dagegen komme selbst ich – bei aller Freundschaft – nicht an.«

Peter Taler bedankte sich bei Gerber für seinen Einsatz und verabschiedete sich.

Als er die Tür erreicht hatte, rief Gerber: »Peter?«

Taler wandte sich um und sah Gerbers aufmunterndes Lächeln.

»Das Leben geht weiter.«

Taler spürte den Hass in sich hochsteigen.

Zurück im Büro startete er den Computer und stellte sich ans offene Fenster.

Wind war aufgekommen und trieb dunkle Wolken über das Himmelsviereck des Innenhofs.

Unten kam Kübler mit einem Zweiradhandwagen voller Pakete aus dem Postbüro, zog ihn zum Lieferwagen und begann, diesen zu beladen. Er blickte zu Talers Fenster herauf, winkte ihm zu und konzentrierte sich wieder auf die Pakete.

Taler setzte sich an den Schreibtisch und nahm sich den ersten Stapel Belege vor. Er versah sie mit dem Buchungsstempel, übertrug ihre Daten in den Computer und war in Gedanken bald weit weg.

Ein Moped war gesehen worden. Ein Moped mit laufendem Motor in der Nähe des Tatorts. Und ein Moped war auch auf dem Foto, das Laura am zweitletzten Tag ihres Lebens gemacht hatte. War es das, was sie hatte fotografieren wollen? Fühlte sie sich verfolgt von einem Mopedfahrer?

Nein, dann hätte sie die Kamera auf das Moped gerichtet, nicht auf Knupps Haus. Das halbe Moped am Bildrand musste ein Zufallstreffer sein.

Aber vielleicht war es eine Spur. Marti jedenfalls hatte sich für das Foto interessiert. Mehr als für Knupps seltsames Verhalten.

Ein Knall riss ihn aus seinen Gedanken. Eine Sturmböe hatte das Fenster zugeschlagen. Taler sprang auf, aber bevor er es ganz schließen konnte, hatte der Wind bereits die Belege vom Schreibtisch gefegt und im Büro verteilt. Fluchend ging er auf die Knie und begann, sie zusammenzuklauben.

Als er gerade unter dem verwaisten Schreibtisch seines früheren Bürogenossen lag, kam Kübler mit einem Ablagekasten neuer Rechnungen herein. »Ich will nicht stören«, sagte er, legte sie neben Talers Computer und ging mit pantomimischer Übertreibung auf Zehenspitzen hinaus.

Der Frühlingssturm hatte in Knupps Garten seine Spuren hinterlassen. Das junge Laub der neuen Apfelbäume sah mitgenommen aus, die paar Blüten hatten ihre Blätter verloren, und die des lila Flieders waren zerzaust und so schwer vom Regen, dass ihr Gewicht die Zweige niederdrückte.

Es regnete noch immer, aber es war ein stiller Frühlingsregen geworden. Wie zum Ausklang des schweren Gewitters, dessen fernes Donnergrollen jetzt versöhnlich klang.

Taler kletterte über Beifahrersitz und Pfütze aus dem Wagen, leerte den Briefkasten und eilte zur Haustür.

In der Wohnung war es frisch. Er hatte Schlafzimmer- und Küchenfenster einen Spalt offen gelassen, und die Gewitterluft hatte die Wohnung ausgekühlt.

Er schloss die Fenster, setzte sich vor Lauras Computer und öffnete ihr letztes Foto vom Gustav-Rautner-Weg. Er vergrößerte das Moped am rechten Bildrand bis knapp zu dem Punkt, an dem die Pixel sichtbar wurden.

Es war schwarz oder dunkelblau und besaß einen Gepäckträger, auf den etwas geklemmt war, das wie eine Sporttasche aussah. Man sah gut die Hälfte des Hinterrades und einen Teil des Auspuffs und der Kettenverkleidung. Vom Fahrer war der Rücken und ein Teil des Helmes sichtbar. Seine Windjacke von unbestimmter Farbe schien offen zu sein, denn der Fahrtwind wehte sie ein wenig nach hinten. Er hatte einen Integralhelm auf, dessen Visier geschlossen zu sein schien und auf dessen dunklem Untergrund schwach etwas Helles zu erkennen war. Ein Logo oder ein Bild. Vielleicht war es gelb.

Weil das Fahrzeug von der Seite aufgenommen war, konnte er das Kennzeichen nicht sehen, aber auf der Verkleidung der Kette sah er Buchstaben. Es waren drei: ein kleines c, ein kleines i und ein kleines a.

C I A? Was hatte das zu bedeuten?

Die gedrungenen Kleinbuchstaben hatten oben und unten kleine Abschlussstriche, sogenannte Serifen, die Schrift war folglich eine Antiqua. Zwei Fachausdrücke, die er von Laura gelernt hatte.

Weshalb kam ihm das Wortbild vage bekannt vor?

Er ging in die Küche, bereitete seine Tomatensauce aus Zwiebeln, Knoblauch, *pelati*, Basilikum und Olivenöl zu, wartete, bis die ersten Blasen platzten und sich der Duft ausbreitete, von dem er hoffte, er werde sein Gedächtnis unterstützen, kehrte in Lauras Arbeitszimmer zurück, legte eine brennende Zigarette für sie in den Aschenbecher und sah dem blauen Rauchfaden zu, wie er grazil zu der niedrigen Decke stieg.

An manchen Tagen war Lauras Aschenbecher voller Zigaretten, die sich ohne ihr Zutun verzehrt hatten. Wie hellgraue Larven lagen sie strahlenförmig um das Zentrum versammelt, während Laura selbstvergessen zeichnete. In diesen Momenten war ihr Gesicht ganz weich, und ihre Lippen waren in ständiger Bewegung.

Peter hatte gelernt, sie in diesem Zustand nicht zu stören. Es war gefährlich wie das Wecken einer Schlafwandlerin.

Auf ihrem Tisch neben dem Computer lag noch immer der dünne Stapel Post, den er dem Briefkasten entnommen hatte. Das meiste war Werbung, trotz des Werbestoppers, der an seinem Briefkasten klebte. Eine Rechnung seiner Krankenkasse war dabei und die Heizkostenabrechnung der Hausverwaltung.

Zuunterst lag ein Briefumschlag, der weder nach Werbung noch nach Rechnung aussah. Er war gelb, hatte das Format eines halben Briefbogens und trug die getippte Anschrift »Peter Taler persönlich«.

Er enthielt eine Anzahl Schwarzweißfotos, hart kopiert und hochglanzgetrocknet. Jedes zeigte ein Stück der Fassade vom Gustav-Rautner-Weg vierzig, im Zentrum das Blumenfenster von Talers Wohnzimmer. Auf jedem waren die Umrisse einer Gestalt zu erkennen – Peter Taler auf seinem Posten.

Die Fotos waren frontal mit einem Teleobjektiv aufgenommen.

Taler ging ins Wohnzimmer und sah aus dem Fenster. Ganz oben im Giebel von Knupps Haus befand sich ein kleines, kreisrundes Dachbodenfenster. Es lag nur wenig über Talers Augenhöhe. Er holte den Feldstecher und richtete ihn auf das Bullauge. Das Loch war schwarz und leer. Doch plötzlich entstand eine Bewegung. Ein kurzes Aufleuchten, wie ein Reflex auf einem spiegelnden Gegenstand. War es ein Objektiv?

Taler hielt das Fernglas weiter auf das Ziel gerichtet. Er war sich jetzt sicher. Das Fensterchen war offen.

Wie zur Bestätigung wurde es bewegt, fing das Dämmerlicht des Regenabends ein, reflektierte es kurz in Talers Richtung – und war zu.

Das milchige Industrieglas der Scheibe machte aus dem schwarzen Loch einen blinden Fleck.

Taler setzte sich an Lauras Computer und öffnete die Fotos. Auf einem der vier, die er gemacht hatte, war das Bullauge schwarz und leer. Auf dem von Laura stand es halb offen.

Als hätte Knupp es im Moment der Aufnahme gerade schließen oder öffnen wollen.

Knupp beobachtete ihn also. Beobachtete, wie Taler ihn beobachtete. Fotografierte ihn sogar dabei.

Weshalb? Wollte er ihm bloß zeigen, dass er sehr wohl wusste, dass er unter Talers Beobachtung stand? Oder wollte er ihm einfach demonstrieren, dass er, Knupp, der Beobachter war, nicht der Beobachtete?

Der Duft aus der Küche war intensiver geworden. Aber er hatte sich noch mit einer anderen Note vermischt, einer, die Taler nur allzu gut kannte.

Er rannte in die Küche und riss das Fenster auf. Aus der kleinen Pfanne mit der Tomatensauce stieg Rauch. Taler wickelte ein Geschirrtuch um die rechte Hand, nahm die Pfanne vom Herd, hielt sie unter den Hahn und drehte das Wasser auf. Eine Dampfwolke zischte gegen die Decke.

Er füllte die Pfanne mit Wasser und schüttete etwas Spülmittel dazu, um den schwarzen Bodensatz aufzuweichen. Dann ging er ins Wohnzimmer.

Der Dämmerungsschalter hatte die Straßenbeleuchtung eingeschaltet. Knupps Garten lag in einem geheimnisvollen Zwielicht. Aus einem Fenster im Erdgeschoss drang schwach gelbes Licht. Es regnete wieder. Oder noch? Taler hatte nicht darauf geachtet.

Seit wann wurde er von Knupp beobachtet? Erst, seit dieser bemerkt hatte, dass Taler ihn observierte? Oder schon länger? Hatte er es bereits getan, als Laura noch lebte? Das halboffene Bullauge auf ihrem Foto sprach dafür. Ein Dachbodenfenster machte man nicht ohne Grund auf und zu. Schon gar nicht, wenn einem eine Hüftgelenksarthrose das Treppensteigen erschwerte.

Weshalb hatte der Alte ihm die Fotos geschickt? Konnte

es etwas anderes bedeuten, als dass er mit ihm in Kontakt treten wollte? Hatte er ihm etwas zu sagen? Zu gestehen? Hatte er etwas beobachtet, das er der Polizei verschwieg?

Taler machte sich ein Salamibrot, holte ein Bier aus dem Kühlschrank und setzte sich aufs Sofa, ohne Licht zu machen.

Als er eine Viertelstunde später mit einem zweiten Bier aus der Küche kam, stellte er sich ans Fenster und starrte in die regennasse Dunkelheit.

Die Scheinwerfer eines Autos näherten sich. Als sie Knupps Garten streiften, glaubte er, dort eine Gestalt gesehen zu haben.

Taler erwachte schweißgebadet. Im Zimmer war es stickig. Eine Kaltfront musste den Thermostat dazu gebracht haben, die Zentralheizung in Gang zu setzen. Der altmodische Heizkörper, der so nahe war, dass er ihn vom Bett aus berühren konnte, war heiß.

Er stand auf und ging zum Blumenfenster. Bis auf ein paar Pfützen war die Straße trocken. Eine Hochnebeldecke machte das frühe Morgenlicht grau und flach.

Das Bullauge an Knupps Giebel war geschlossen. Aus dem Kamin stieg Rauch.

Und wieder war etwas anders.

In der Küche stand das Fenster noch immer offen. Taler schloss es und schaltete die Espressomaschine ein. Er fröstelte in seinem durchgeschwitzten Pyjama.

Er ging zum Stativ im Wohnzimmer und schoss ein Vergleichsfoto.

Später, als er in seinen Wagen stieg, sah er Knupp neben dem Komposthaufen. Er machte sich am Häcksler zu schaffen.

Er stempelte eine Dreiviertelstunde vor dem offiziellen Arbeitsbeginn ein, um seine gestrige Verspätung wiedergutzumachen. Und auch, um ungestört die Fotos zu vergleichen, die er auf einem USB-Stick mitgebracht hatte.

Er brauchte lange, um den kleinen Unterschied zu finden. Das lag daran, dass er ihn in Knupps Garten suchte. Dabei befand er sich diesmal in dem Nachbargarten, der an das Gemüsebeet angrenzte. Dort hatte ein Buchs gestanden, jetzt war er weg.

Peter öffnete Lauras Foto und fand bestätigt, was er vermutet hatte: Der Buchs fehlte. War Knupp die Gestalt im Garten gewesen, die die Scheinwerfer des Wagens kurz beleuchtet hatten? War er damit beschäftigt gewesen, im Nachbargarten den ursprünglichen Zustand wiederherzustellen?

Es klopfte, und gleichzeitig wurde die Tür geöffnet. Kübler platzte mit den Rechnungen herein, die in der Morgenpost gewesen waren. Noch ehe Taler das Foto auf dem Bildschirm verschwinden lassen konnte, legte er das Bündel auf den Schreibtisch und sah ungeniert auf den Monitor.

»Für den Diaabend?«

Taler fiel keine Antwort ein, bevor der grinsende Kübler mit einem fröhlichen »Schön's Tägli« den Raum verließ.

Peter wandte sich wieder den beiden Bildern zu. Kein Zweifel, der Buchs war in dem Jahr nach Lauras Tod gepflanzt worden. Er war noch klein und auch für den etwas behinderten Knupp einfach zu entfernen gewesen. Jetzt war ihm auch klar, was dieser so früh am Morgen gehäckselt hatte.

Er begann die neuen Rechnungen abzustempeln. Früher empfand er diese Tätigkeit als demütigend. Immerhin besaß er den Fachausweis des Finanz- und Rechnungswesens. In anderen Firmen erhielt der Mitarbeiter, der für die Buchungen zuständig war, die Belege bereits vorgestempelt und musste nur noch die Rubriken ausfüllen. Und in der Regel war dieser ein Hilfsbuchhalter. Ein Fachausweisinhaber war, wenn überhaupt, nur für die Visierung der Buchungen zuständig.

Aber Feldau & Co. hatte die letzte Bauflaute zum Vorwand genommen, die Finanzabteilung abzubauen. Das hatte unter anderem dazu geführt, dass Höherqualifizierte auch gewisse niedrigere Aufgaben übernehmen mussten.

Seit der Katastrophe war ihm das egal. Er besaß keinen beruflichen Ehrgeiz mehr. Viel hatte er auch davor nicht besessen, jedenfalls nicht in diesem Beruf, den er nur aus Protest gelernt hatte. In seinem wahren Beruf hatte er schon Ehrgeiz. Aber leider keinen Erfolg.

Peter Taler wäre gerne Schauspieler geworden. Schon als kleiner Junge war das sein Traum gewesen. Aber seine Eltern, beides Akademiker, hatten für diesen Berufswunsch wenig Verständnis, dafür umso mehr Ironie übriggehabt. Um sie zu strafen, hatte er dafür gesorgt, dass er nicht aufs Gymnasium kam, und nach der Sekundarschule eine kaufmännische Lehre und anschließend eine berufsbegleitende Ausbildung zum Buchhalter absolviert. Buchhalter! Das Gegenteil von dem, was er sein wollte.

Sobald er volljährig war, bewarb er sich an mehreren Schauspielschulen und wurde von allen abgelehnt. Schließlich nahm er Privatunterricht bei Brigitte von Feldbach, einer alten Schauspielerin, die sich mit Sprechunterricht für Manager und Politiker und abgelehnte Schauspielschüler über Wasser hielt.

Er wurde oft zu Castings eingeladen, denn er besaß eine gewisse Ähnlichkeit mit Henry Fonda, und er versuchte auch, seinen schlaksigen Gang nachzuahmen. Aber zu mehr als ein paar Statistenrollen in Provinztheatern, Fernsehproduktionen und Werbespots hatte es nie gereicht. Doch selbst als er von Brigitte von Feldbach während eines Rückfalls in ihre Alkoholkrankheit bescheinigt bekam, er besitze »absolut kein Scheißtalent«, hatte er weitergemacht. Erst als er sich in Laura verliebte und diese ihm gestand, ihr sei ein guter Buchhalter lieber als ein schlechter Schauspieler, gab er seinen Traum auf. Er pflegte seine Ähnlichkeit mit Henry Fonda weiterhin, konzentrierte sich aber sonst auf seinen Protestberuf. Hatte sogar ein klein wenig Spaß daran und war kurz vor seinem ersten größeren Karriereschritt, als die Welt zusammenbrach.

Taler hatte nun alle Belege gestempelt und begann, sie einzubuchen. Es war eine Arbeit, die es ihm erlaubte, seine Gedanken schweifen zu lassen. Bald war er bei seinem Nachbarn Knupp und der Frage, wie er auf die Zusendung der Fotos reagieren sollte.

5

Die Türklinke ließ sich nicht runterdrücken. Peter Taler musste über die Gartentür greifen und sie von innen öffnen. Er wusste, dass ihn der Alte beobachtete, aber er sah nicht zu den Fenstern, er ging zielstrebig auf die Haustür zu.

A. u. M. Knupp-Widler stand auf dem Schild unter der Klingel. Er drückte auf den Knopf und erschrak über das schrille Klingeln.

Nichts geschah.

In dem kleinen bernsteingelben Fensterchen, das auf Augenhöhe in die Haustür eingelassen war, hing ein Bastherz. Eine unerwartete Begrüßung für die Besucher dieses mürrischen, feindseligen Mannes.

Taler klingelte wieder. Nichts.

Neben der Tür war ein eiserner Fußabstreifer montiert. Jemand hatte damit die Erdklumpen von den Sohlen entfernt.

Gerade als er ein drittes Mal klingeln wollte, ging die Tür auf. Knupp stand ihm gegenüber.

Taler hatte ihn zwar schon oft durch den Feldstecher gesehen, aber er war ihm noch nie so nahe gekommen. Er sah viel jünger aus, als seine Haltung und sein Humpeln es aus der Distanz vermuten ließen.

Sein Gesicht war eigenartig starr und seine Haut ungewöhnlich glatt für einen Zweiundachtzigjährigen. Das Haar war tiefschwarz, und er trug offensichtlich ein Haarteil. Das Auffälligste war sein Bart. Er betonte als feine Linie den noch erstaunlich kantigen Kiefer und verband sich mit einem dünnen Oberlippenbart. Er war schwarzgefärbt und umgeben von nachwachsenden weißen Stoppeln.

Die etwas operettenhafte Aufmachung passte nicht zur übrigen Erscheinung des Mannes.

Unter den ebenfalls gefärbten Augenbrauen musterten ihn die leicht zusammengekniffenen Augen.

Knupp hatte noch kein Wort gesagt. Jetzt trat er beiseite und ließ ihn herein.

Taler deutete auf die Fotos, die er in der Hand hielt. Knupp nickte und winkte ihn herein.

Der Korridor war mit einem abgetretenen olivgrünen Spannteppich ausgelegt. An einer schmiedeeisernen Garderobe hing die ausgebeulte Tweedjacke, die Knupp meistens trug, und ein lila Damenmantel. Im Schirmständer, der ebenfalls aus Schmiedeeisen und passend zur Garderobe war, standen ein Damen- und ein Herrenschirm. Neben der Garderobe hing ein Spiegel und diesem gegenüber ein gerahmtes Poster, das den Kilimandscharo zeigte.

Es duftete nach Kaffee.

Knupp führte ihn ins Wohnzimmer und deutete auf einen Stuhl am Esstisch. Taler setzte sich, und Knupp nahm ihm gegenüber Platz.

Über die ganze Länge der hochglänzenden Tischplatte verlief ein geklöppelter Tischläufer. Knupp hatte die Hände übereinandergelegt, als wollte er mit der einen das Zittern der anderen verhindern.

Taler legte die Fotos auf den Tisch und fächerte sie auf wie Spielkarten.

»Weshalb beobachten Sie mich?«

»Weil Sie mich beobachten. Und Sie?«

»Aus dem gleichen Grund.«

Knupp schüttelte den Kopf. »Sie beobachten mich, weil Sie glauben, ich hätte etwas mit dem Tod Ihrer Frau zu tun.«

»Haben Sie?«

Wieder schüttelte Knupp den Kopf.

»Aber Sie wissen etwas darüber.« Taler ließ es wie eine Feststellung klingen. Er zog Lauras letztes Foto aus der Brusttasche, faltete es auf und schob es zu Knupp hinüber. »Wissen Sie etwas über dieses Moped?«

Knupp beugte sich über die Stelle, die Taler ihm zeigte. »Nein«, murmelte er.

»Als sie das Foto machte, standen Sie an diesem Fenster.« Er deutete auf das halboffene Giebelfenster.

Der alte Mann ging nicht darauf ein. Er stand auf. »Ich habe Kaffee gemacht. Ach nein, Sie trinken ja um diese Zeit lieber Bier.«

Während er draußen war, sah sich Peter die Fotos genauer an. Tatsächlich, auf einem davon sah die Gestalt im Fenster aus, als trinke sie aus einer Flasche.

An der Wand in Tischnähe stand eine Anrichte. Ihre Ablagefläche war mit der gleichen auf Hochglanz polierten Platte belegt wie der Tisch. Auch sie trug einen geklöppelten Tischläufer. Darauf stand eine Früchteschale mit ein paar Äpfeln und Bananen, flankiert von zwei Ständern mit unbenutzten Kerzen. An der Wand dahinter, zu beiden Seiten einer gemächlich tickenden Pendeluhr, ein paar gerahmte Fotos, die meisten schwarzweiß und mit einem gewissen fotografischen Anspruch aufgenommen. Bis auf zwei zeigten sie die gleiche Frau in verschiedenen Lebensphasen. Sie hatte ein breites Gesicht mit weit auseinanderliegenden hellen Augen. Auf den ersten Fotos mochte sie Mitte zwanzig sein, auf den letzten Anfang fünfzig. Auf allen lachte oder lächelte sie.

Eine fröhliche, liebenswürdige Frau, die schlecht zu diesem griesgrämigen Mann passte.

Zwei der Fotos zeigten sie mit ihm. Eines, sehr formell, Kostüm und Anzug, Blumenstrauß und Blume im Knopfloch, sah nach den fünfziger Jahren aus, vielleicht das Verlobungsfoto. Auf dem anderen stand das gleiche Paar vor einem mit Zebramuster bemalten Landrover. Knupp trug bereits seinen seltsamen Bart.

»Viel zu früh. Wie Ihre.« Knupp war zur Tür hereingekommen und hatte gesehen, wohin Taler schaute. Er trug ein Tablett mit einer Tasse Kaffee, deren Inhalt auf dem Weg aus der Küche übergeschwappt war. Eine Flasche Bier lag noch ungeöffnet daneben.

»Woran?«, fragte Taler.

Knupp stellte das Tablett auf den Tisch, öffnete das Bier und setzte sich. »An etwas Vermeidbarem.« Es klang nicht so, als wolle er das Thema weiter erörtern.

Taler nahm das Bier. Haflingerbräu, seine Marke. Ein Zufall, wollte er hoffen.

Er setzte die Bierflasche an die Lippen und trank einen

Schluck. Knupp blies in seinen Kaffee und sah seinen Gast abwartend an. Er saß mit dem Rücken zum Fenster, und die Abenddämmerung machte seine Gesichtszüge etwas undeutlich.

Peter Taler sah an ihm vorbei in den Garten mit den Apfelbäumen. Über der Hecke auf der anderen Straßenseite war das dreistöckige Haus zu sehen, in dem er wohnte. Im Blumenfenster des dritten Stocks ging das Licht an. Frau Feldter, die Flugbegleiterin, war zu Hause.

Endlich unterbrach Taler die Stille. »Was sagen Ihre Nachbarn dazu, dass Sie in der Nacht ihre Pflanzen klauen?«

Knupp antwortete nicht, aber Taler konnte die Spur eines Lächelns erraten.

»Warum haben Sie das getan?«

Auch dazu schwieg der alte Mann.

»Weil er neu ist, nicht wahr? Weil er nicht existierte, als Ihre Frau noch lebte.«

Die Silhouette von Knupps Kopf bewegte sich auf und ab.

Nach einer Pause sagte Taler: »Das macht sie auch nicht wieder lebendig.«

Knupp stand auf, zog die Vorhänge zu und schaltete eine Stehlampe an. Ihr Lichtkegel erhellte einen Polstersessel, auf dem eine Zeitung lag. Der übrige Raum wurde durch das bisschen Helligkeit, das durch den Stoff ihres bestickten Schirms drang, kaum erhellt.

Er griff nach der Zeitung auf dem Sessel und legte sie vor Peter Taler auf den Tisch.

Auf der Titelseite war ein Foto von Roy Black mit einem Hinweis auf einen Nachruf auf den Sänger auf Seite zwölf.

Er war zwei Tage zuvor in seiner Fischerhütte tot aufgefunden worden. Die Zeitung trug das Datum vom 11. Oktober 1991.

Knupp nahm die leere Kaffeetasse und Talers ausgetrunkenes Bier, humpelte aus dem Zimmer und kam kurz darauf mit zwei neuen Flaschen zurück. Er stellte sie auf den Tisch und setzte sich wieder.

Taler studierte die Titelseite. Es fiel ihm nichts Besonderes auf. Als er auf die zwölfte Seite blättern wollte, sagte Knupp: »Nein. Nicht blättern. Auf keinen Fall blättern. Die Zeitung muss ungelesen bleiben. Es war schwer genug, eine ungelesene zu bekommen.«

Knupp legte sie wieder genau so hin, wie sie dagelegen hatte, und strich sie sorgfältig glatt. Danach setzte er sich wieder an den Tisch, prostete Taler flüchtig zu und trank einen Schluck, indem er mit der linken Hand die rechte stützte, um sie am Zittern zu hindern.

»Verstehen Sie die Zeit?«

»Die Zeit?«

»Verstehen Sie sie?«

»Sie vergeht. Mehr weiß ich nicht.«

»Schon falsch. Sie vergeht nicht.«

Ich habe recht gehabt, dachte Taler, der Mann ist verrückt.

»Aber Sie sind nicht der Einzige, der das nicht versteht. Auch ich habe die Zeit erst vor ein paar Jahren verstanden.«

»Und was genau haben Sie verstanden?«

Knupp trank einen Schluck. »Die Zeit vergeht nicht, alles andere vergeht. Die Natur. Die Materie. Die Menschheit. Aber die Zeit nicht. Die Zeit gibt es nicht.«

Ruhig und geduldig trug er seine bizarre Theorie vor wie ein greiser Lehrer einer neuen Klasse einen alten Stoff.

»Dieses ständige Werden und Vergehen hat nur einen einzigen Zweck: Es täuscht vor, dass die Zeit verstreicht.«

Knupp wartete ab, bis sein Schüler ihm den Gefallen tat zu nicken. Dann fuhr er fort.

»Die Apfelbäume. Nehmen Sie die Apfelbäume, Sie wissen ja, welche.«

Peter nickte.

»Weil sie wachsen, weil sie dieses Jahr größer sind als letztes, glauben wir, es sei Zeit vergangen. Dabei sind nur die Apfelbäume gewachsen. Wenn sie aufhören würden zu wachsen, bliebe auch die sogenannte Zeit stehen. So einfach.«

Er trank sein Bier aus. »Die Veränderung schafft die Illusion von Zeit. Die Wiederholung ist ihr Tod. Ein Tag, an dem alles gleich ist wie am Vortag, wäre der Beweis, dass es in Wirklichkeit die Zeit ist, die ausbleibt. Und ein Tag, an dem alles gleich ist wie an einem Tag vor Jahren, erst recht.«

Er wartete einen Moment, bis er den Eindruck hatte, Taler sei ihm gefolgt. Dann fuhr er fort: »Es gibt nur ein Indiz dafür, dass die Zeit vergeht: die Veränderung. Die Zeit ist wie eine Krankheit. Man erkennt sie nur an ihren Symptomen. Wenn die weg sind, dann ist auch die Krankheit weg.«

Knupp trug beide Bierflaschen in die Küche und kam mit zwei neuen zurück. Er stellte sie sorgfältig auf die Untersätze auf dem Tisch und setzte sich.

»Wenn uns jemand vor einer Viertelstunde fotografiert hätte, als die Flaschen noch voll waren, und jetzt wieder, wo sie wieder voll sind, und die Fotos vergleichen würde,

würde er glauben, es seien nur Sekunden vergangen. Wenn wir uns anstrengen würden, ganz genau gleich zu sitzen wie auf dem ersten Bild, wäre keine Zeit vergangen. Wir könnten uns so in den Augenblick vor einer Viertelstunde zurückbegeben.«

Er nahm sein Bier vom Tisch. »Auf dieselbe Art können wir uns auch Tage, Monate, Jahre zurückversetzen.«

Knupp trank einen Schluck, stellte die Flasche wieder ab und fügte hinzu: »Daran arbeite ich.«

Auch Taler nahm jetzt einen Schluck, aus Verlegenheit und um die Zeit wieder in Gang zu bringen. »Sie arbeiten sozusagen an der Abschaffung der Zeit?«

Knupp wiegte den Kopf hin und her. »Nicht an deren Abschaffung. An deren Überlistung.«

Taler sah ihn ungläubig an.

»Wissen Sie, was die Buddhisten sagen? Die Buddhisten sehen die Zeit nicht als etwas kontinuierlich Fließendes, sondern als ein Aufeinanderfolgen von lauter Einzelmomenten. Ich finde, das kommt der Sache schon ein bisschen näher. Wie ein Filmstreifen. Eine Reihe von Standbildern. Die Bewegung entsteht, wie gesagt, nur dadurch, dass diese Standbilder verändert werden. Ohne diese Veränderungen gäbe es die Idee der Zeit nicht.«

Knupps zitternde Hand nahm die Bierflasche vom Tisch. Er trank einen Schluck und fuhr fort:

»Wenn Sie zwei solcher Momentaufnahmen übereinanderlegen und sie sind absolut deckungsgleich, dann haben Sie die Zeit überlistet. Dann haben Sie sie außer Kraft gesetzt, das müssen Sie zugeben.«

Taler wusste nicht, weshalb er sich auf diese Diskussion

einließ. Vielleicht hatte es etwas mit seinem ständigen Umgang mit Zahlen zu tun. »Eine Filmkamera macht vierundzwanzig Bilder pro Sekunde. Da dürfte es einfach sein, zwei deckungsgleiche herzustellen. Eine Vierundzwanzigstelsekunde lang kann die Welt stillstehen.«

»Sekunden, Minuten, Stunden – alles Erfindungen, um uns vorzumachen, die Zeit sei etwas Messbares und dadurch Existentes. Ich sage Ihnen, es ist egal, in welchem Abstand Sie die deckungsgleichen Momentaufnahmen machen. Wenn Sie es schaffen, ist die Zeit außer Kraft gesetzt.«

Immer noch sprach Knupp mit der Ruhe und Sicherheit des Wissenden. »Wenn es Ihnen gelingt, die Momentaufnahme eines beliebigen Tages exakt zu rekonstruieren, dann haben Sie die Zeit für diesen Moment aufgehoben und befinden sich in diesem.«

»Und was ist mit den Faktoren, die man nicht beeinflussen kann? Das Wetter, zum Beispiel.«

»Ein bisschen Wetterglück braucht es ab und zu im Leben«, räumte Knupp ein.

Taler war sich nicht sicher, ob er nicht doch auf den Arm genommen wurde. Aber der Alte fuhr ganz ernst fort:

»Ich habe mir natürlich alle Einwände tausendmal überlegt. Auch den, dass, selbst wenn es gelänge, einen vergangenen Tag zu klonen, diese Wahrnehmung eine subjektive wäre.«

»Und? Was sagen Sie dazu?«

»Wahrnehmungen sind immer subjektiv.«

Taler schüttelte ungläubig den Kopf. Er deutete auf seine Armbanduhr. »Ich sehe hier sechzehn nach acht. Und Sie?« Er hielt ihm das linke Handgelenk unter die Nase.

Knupp zuckte gleichgültig mit den Schultern. »Sie können sie auch auf sechzehn nach elf stellen.«

»Und wenn es eine Sonnenuhr wäre?« Talers Frage klang halb gereizt, halb amüsiert.

»Sehen Sie, jetzt sind wir wieder bei der Veränderung. Der Stand der Sonne verändert sich, und wir messen diese Unterschiede und glauben, es sei die Zeit, die sich verändere.«

Die Bierflaschen waren wieder leer, und Knupp trug sie in die Küche.

Peter Taler ärgerte sich, dass er sich mit einem offensichtlich Gestörten auf diese Diskussion eingelassen hatte. Aber vielleicht half eine Annäherung an Knupp dennoch, die Fragen zu Lauras rätselhaftem Tod zu beantworten.

Als sein Gastgeber mit zwei frischen Flaschen zurückkam, nahm Taler den Faden wieder auf: »Und wie geht das praktisch? Auf der ganzen Welt alles so wiederherstellen wie am Tag X?«

Knupp hatte sich darauf konzentriert, mit seinen schwer kontrollierbaren Händen eine der Flaschen zu öffnen. Jetzt sah er erstaunt auf.

»Ich rede nicht von der ganzen Welt. Ich rede von hier, Gustav-Rautner-Weg Nummer neununddreißig.« Er wandte sich wieder dem Flaschenöffner zu und wiederholte kopfschüttelnd: »Auf der ganzen Welt!«

»Und wie machen Sie es mit der Jahreszeit?«

Knupp hatte den Kronkorken der ersten Flasche entfernt. »Ich warte ab. Jeder Tag wiederholt sich nach einem Jahr.«

»Aha, ein Jahr. Jetzt reden Sie doch in Zeitbegriffen.«

»Damit Sie es verstehen.« Er streckte die Linke aus, Handfläche nach oben. »Hier haben wir den Tag X. Alles ist minutiös vorbereitet, nur das Datum stimmt nicht.«

Peter Taler betrachtete die Hand. Sie schien ihm etwas weniger zu zittern.

»Aber hier nähert sich das Datum. Sehen Sie.«

Knupps Rechte, Handfläche nach unten, kam mit kleinen Hüpfern auf die Linke zu.

»Es nähert sich und nähert sich und – peng! –«, die beiden alten Hände schmiegten sich aneinander, »erreicht es und verschmilzt für einen Augenblick mit dem Tag X.« Knupp sah seinen Gast herausfordernd an.

»Es gibt keine identischen Tage. Die Stellung der Planeten ändert sich ständig.« Für Peter Taler war dies der Todesstoß für die absurde Theorie. Aber Knupp tat es mit einem Lächeln ab.

»Am Gustav-Rautner-Weg Nummer neununddreißig befinden sich keine Planeten.«

Er löste die vereinten Hände voneinander und nahm sich die zweite Flasche vor.

Taler sah schweigend zu, wie Knupp sie tatterig öffnete. »Und das?«, fragte er unbarmherzig und deutete mit dem Kinn auf die zitternden Hände.

»Dafür gibt es Hosentaschen«, war die störrische Antwort des Alten.

Doch Taler gab nicht auf. »Und dagegen?« Er fuhr sich mit beiden Händen übers Gesicht.

Knupp verstand sofort. Er ging hinaus und kam mit einem Foto von sich zurück. »Da. Neunzehnhunderteinundneunzig.«

Taler betrachtete das Bild. Der Mann darauf sah tatsächlich nicht viel jünger aus als der ihm gegenüber.

Knupp deutete auf seine Stirn: »Oberes Facelifting«, deutete auf Wangen und Hals: »Unteres Facelifting«, dann auf seine Augendeckel: »Lidlifting. Verstehen Sie? Plus Botox. An die zehntausend Franken habe ich investiert.« Er reichte Taler eine Flasche und prostete ihm zu. »Auf den Tag X.«

»Welcher ist es?«, fragte Taler.

»Der elfte Oktober neunzehnhunderteinundneunzig.«

»Weshalb gerade der?«

»Es ist der Tag, von dem ich die meisten Fotos besitze. Kommen Sie.«

Knupp führte ihn in das Nebenzimmer. Ein schwerer Schreibtisch mit einem Drehstuhl, dessen Sitzfläche mit dickem grauem Filz gepolstert war, stellte das wichtigste Möbelstück des Raumes dar. Darüber eine Pinwand voller Notizen und Fotos. Auch die Tischplatte war übersät mit Zetteln und Dokumenten. Sie waren nach einem undurchschaubaren System geordnet, jeder Stapel beschwert mit bemalten und lackierten Steinen. »Schülergeschenke«, kommentierte Knupp mit schiefem Lächeln.

Auch hier hingen künstlerische Schwarzweißbilder und gerahmte Fotos von Knupps verstorbener Frau in verschiedenen Phasen ihres Lebens.

Die Wände auf beiden Seiten des Fensters waren bedeckt mit gerahmten Ehrenmeldungen und gravierten Scheiben und Tellern. Preise von Schießwettbewerben und Schützenfesten. Ein vom Boden bis zur Decke reichendes Holzgestell diente ausschließlich den Schießtrophäen, die sich nicht an die Wand hängen ließen: Becher, Skulpturen, Pokale, Schnitzereien.

»Nur das Wichtigste«, erklärte Knupp, »der Rest steht auf dem Dachboden.«

Knupp ging zum Vitrinenschrank neben dem Fenster, dessen Scheiben innen mit einem gefältelten weinroten Tuch bespannt waren. Er öffnete eine Tür, nahm zwei Ordner heraus und brachte sie zum Schreibtisch.

»Am elften Oktober neunzehnhunderteinundneunzig habe ich eine Leica ausprobiert, die mir ein Bekannter zum Kauf angeboten hatte. Sechs Filme habe ich verbraucht. Über zweihundert Fotos an einem Tag.«

Die Ordner enthielten eine Sammlung Schwarzweißfotos, jeweils vier auf einen gelochten Halbkarton geklebt und nummeriert. Es waren Stillleben aus Haus und Garten – eine Klöppelarbeit auf einem Sessel, eine Zeitung neben einer leeren Kaffeetasse, ein Setzholz neben Blumenzwiebeln. Da waren Gesamtansichten, Teilansichten von Zimmern, Teppichen, Vorhängen. Peter erkannte das Wohnzimmer, in dem sie jetzt waren, den Korridor, den Garten. Und er sah andere Räume, die zum Haus gehörten.

Im zweiten Ordner waren Fotos von Knupps Frau. Porträts in unterschiedlichem Licht und Schnappschüsse, auf denen sie übermütig lachte, abwinkte oder ihr Gesicht verdeckte.

»Fast fünfzig. Würde man ihr nicht geben.«

Knupps Stimme hatte sich verändert. Taler schaute ihn an und sah, dass er lächelte.

»Das war ein schöner Tag«, sagte er versonnen.

»Und den möchten Sie wiederhaben.«

»Und alle neuen, die ihm folgen werden.«

Sie gingen zurück ins Wohnzimmer, aber Taler trank die Flasche im Stehen leer. »Lassen Sie es mich wissen, wenn Sie es geschafft haben.«

Jetzt stand auch Knupp auf. »Sie werden es erfahren.«

6

In dieser Nacht lag Peter Taler lange wach. Er hatte die seltsame Atmosphäre in Knupps Haus nicht abschütteln können, sie hatte sich in seiner eigenen Wohnung breitgemacht. Wohin er blickte, sah er die Zeichen von Lauras Gegenwart. Ihre Sammlung komischer Schirme neben der Garderobe, der Stapel sorgfältig auf ein einheitliches Format gefalteter Kaschmirschals auf der Hutablage, die Post-its mit Telefonnummern und Gedächtnisstützen am Garderobenspiegel, ihre Kosmetika auf dem Schminktisch im Schlafzimmer, ihre Kleider in ihrem Teil des Kleiderschranks, ihr Hirsekissen auf ihrer Seite des Bettes. Ihr ganzes unverändertes Arbeitszimmer. Ihre ganze unverminderte Gegenwart.

Bis jetzt hatte er diese Zeichen als Versuch betrachtet, Lauras Fehlen die Endgültigkeit zu nehmen. Als seine Art, den Tatsachen nicht ins Auge blicken zu wollen. Aber nach dem Abend bei seinem Nachbarn sah er diese Spuren mit anderen Augen. Machte er das Gleiche wie der alte Knupp? Versuchte auch er, die Veränderung aufzuheben? Und damit die Zeit?

Er war nach den vier Bier auf leeren Magen – mit einem weiteren hatte er sich zuvor noch in der Wohnung Mut zu dem Besuch gemacht – ein wenig angetrunken nach Hause gekommen. Auf eine unangenehm dumpfe Art – wie immer, wenn er den Moment verpasste, von Bier auf Rotwein umzusteigen. Er hatte sich ein letztes Fläschchen genehmigt und vergeblich versucht, die unwirkliche Stimmung zu vertreiben, die er von Knupps Haus mitgebracht hatte.

Dann hatte er sich ins Bett gelegt und war sofort eingeschlafen. Als er erschrocken erwachte, weil er glaubte, verschlafen zu haben, war es erst kurz nach zwei.

Seither lag er wach. Seine Gedanken kreisten um Knupp. Abgesehen von dessen Manie, der Zeit ein Schnippchen zu schlagen, klang und wirkte er nicht verrückter als die meisten Leute, die Taler kannte. Auch die Möglichkeit, der alte Mann könnte etwas mit Lauras Tod zu tun haben, kam ihm nach dieser Begegnung höchst unwahrscheinlich vor.

Als es ihm dann doch gelang einzuschlafen, geriet er in den Strudel wilder Träume. Immer kam Knupp vor. Knupp als junger Mann, Knupp als Schwerinvalider, Knupp als Fotograf, Knupp als Gärtner. Auch seine Frau kam vor, Knupps ständig fröhliche Frau.

Einmal schreckte er aus dem Schlaf, weil er nackt mit ihr im Bett lag. Sie fasste ihm lächelnd zwischen die Beine, und ihr Mann fotografierte.

Er stand auf und ging ins Bad. Das Gesicht, das ihm im Spiegel entgegenblickte, sah fremd aus. Die linke Gesichtshälfte war zerknittert, das Auge halb geschlossen, der Mundwinkel nach unten gezogen, als wäre es beim Erwachen erstarrt.

Taler schnitt ein paar Grimassen zur Lockerung der Gesichtszüge und ging zurück ins Bett.

Wieder suchten ihn die Träume heim. Laura in Knupps

Wohnzimmer mit einer Klöppelarbeit auf dem Schoß. Er sprang auf sie zu, nahm sie in die Arme und küsste sie. Sie küsste zurück, und als sie beide Atem holten, lachte sie und – war Knupps Frau.

Taler erwachte mit einem Schrei. Es war kurz nach fünf. Er trank von seinem Mineralwasser und zwang sich, tief und regelmäßig zu atmen.

Laura klingelte. Er wusste jetzt, dass es um Leben und Tod ging. Sie klingelte wieder, in immer kürzeren Abständen. Peter wollte zur Tür eilen, doch sosehr er sich auch anstrengte, er kam nicht vom Fleck.

Er erwachte, weil jemand laut weinte, und merkte, dass er es war.

Es klingelte noch immer. Bis er die Gegensprechanlage erreicht hatte, antwortete niemand mehr. Er eilte zum Fenster und sah gerade noch das Moped mit dem gelben Anhänger losfahren.

Der Briefträger! Dann musste es kurz vor halb acht sein.

Zehn Minuten später setzte er sich mit noch feuchten Haaren und unrasiert hinters Steuer. Der Motor lief bereits, als ihm der Briefträger einfiel. Er stieg noch einmal aus und holte die Abholungseinladung aus dem Briefkasten.

Sie war adressiert an Frau Laura Wegmann Taler.

Bevor er wieder einstieg, sah er zu Knupps Garten hinüber. Der Alte stand zwischen seinen beiden Apfelbäumen. Peter winkte ihm zu. Knupp nickte. Langsam und nachdrücklich, als wäre etwas eingetroffen, das er hatte kommen sehen.

Ohne die neue Baustelle hätte er es noch knapp geschafft. Aber die Kipphydraulik eines Lastwagens, der soeben eine dampfende Ladung Teer abgeladen hatte, war defekt. Der Fahrer versuchte zuerst, den Schaden zu beheben, und es dauerte lange, bis er sich entschloss, den Lastwagen mit hochgekippter Mulde aus dem Weg zu manövrieren.

Erst jetzt sah Taler das Firmensignet auf der Fahrertür: »Feldau & Co. Hoch- und Tiefbau«. Sein eigener Arbeitgeber.

Mit einer guten halben Stunde Verspätung stempelte er ein. Aber er schaffte es noch, bevor Kübler die Post brachte, und auch Gerber hatte nach Auskunft der Telefonistin noch nicht nach ihm gefragt.

Mit schwerem Kopf und fahrigen Händen saß er vor dem Bildschirm und versuchte, sich auf die Arbeit zu konzentrieren. Der Abend bei Knupp, die Nacht voller Albträume und das böse Erwachen durch das Klingeln des Briefträgers saßen ihm in den Knochen.

Lauras Präsenz in der letzten Nacht war durch die geheimnisvolle Post an sie noch greifbarer geworden. Wer schickte jemandem ein Paket, der schon über ein Jahr tot war?

Bis morgen musste er warten, bis er zur Post gehen und das Rätsel lösen konnte. Wenn die Zeit nicht existiert, dachte er, weshalb verstreicht sie dann jetzt so quälend langsam?

Knupp würde vielleicht sagen, es liege an seiner eigenen Langsamkeit. Die Dinge veränderten sich zu wenig schnell, auf dem Bildschirm blieb minutenlang alles gleich, seine Hände lagen reglos neben der Tastatur, sein Atem ging träge, wie bei einem Schlafenden. Er lieferte die Indizien, dass Zeit vergehe, in einer zu niedrigen Kadenz.

In der Mittagspause des nächsten Tages ging er zur Post. Sie war voller Leute, die auf das Aufleuchten ihrer Nummer warteten. Peter Taler zog die Hundertvierzehn, zweiunddreißig Kunden kamen vor ihm an die Reihe. Er mischte sich unter die Wartenden und sah, wie diese, bei jedem Klingelzeichen zuerst auf die Anzeige und dann auf seine Nummer.

Erst knapp die Hälfte der Nummern vor ihm war aufgerufen worden. Peter ging hinaus an die frische Luft und betrachtete den Verkehr und die Passanten. Die meisten sahen aus wie Berufstätige, die in ihrer kurzen Mittagspause so viel wie möglich erledigen wollten. Wie er.

Ein Jugendlicher kam auf einem Moped angefahren, schaltete den Motor aus und parkte das Gefährt neben dem Fahrradständer. Der Schriftzug auf dem Kettenschutzblech kam Peter bekannt vor: »ciao«, in einer gedrungenen Antiqua. Das Moped, das auf Lauras letztem Foto aus dem Bild fährt, zuckte es ihm durch den Kopf. Die ersten drei Buchstaben – *cia* – hatte er erkennen können.

Er nahm sich vor, Giovanni Marti, den Detektiv, darauf aufmerksam zu machen.

Die Veränderung hatte die Zeit tatsächlich schneller vergehen lassen. Als er in die Schalterhalle zurückkam, wurde gerade seine Nummer aufgerufen. Er ging zum Schalter, wies sich aus, bezahlte die Nachnahme von neunzehn Franken dreißig und bekam das Paket ausgehändigt. Der Absender war ein Buchantiquariat.

Taler konnte seine Neugier nicht zügeln. Er ging zu einem der Stehpulte, die zum Ausfüllen von Formularen bereitgestellt waren, und öffnete das Paket.

Es enthielt ein Buch. *Der Irrtum Zeit* von Walter W. Kerbeler.

Dem Buch war eine Ansichtskarte beigelegt, ein Schwarzweißfoto des Rheinfalls mit dem Schloss Laufen aus dem Jahr 1925.

Auf der Rückseite stand in einer regelmäßigen altmodischen Handschrift:

Sehr geehrte Frau Wegmann,

ich freue mich, Ihnen nun endlich *Der Irrtum Zeit* zustellen zu können. Ich verstehe nicht, weshalb ein Buch, für das eine derart große Nachfrage besteht, nicht mehr nachgedruckt wird.

Mit freundlichen Grüßen
Louise Neuschmid
Antiquariat Librorum
Nelkengasse 64

Es handelte sich offenbar um eine schwer lesbare Abhandlung darüber, dass die Zeit eine Illusion sei. Der Autor hatte dem Werk das Motto vorangestellt: »Noch nie ist etwas in der Vergangenheit geschehen und noch nie etwas in der Zukunft.«

Laura sollte diese wissenschaftlich-philosophische Abhandlung bestellt haben? Seine unbeschwerte Laura? Die ihm vorwarf, er bringe es nicht fertig, im Hier und Jetzt zu leben? Die ihn auslachte, wenn er im Mai die Sommerferien planen wollte? Die nie pünktlich war, weil Pünktlichkeit die Mutter aller Burnouts sei? Seine leichtlebige Laura wollte sich ernsthaft mit Fragen nach Zeit und Ewigkeit befassen?

Zuerst fand er die Vorstellung absurd. Aber in Anbetracht von Lauras Widerspruchsgeist hätte ihr ein Buch, das bewies, dass es die Zeit nicht gab, sehr gelegen kommen können. Vielleicht hatte sie es nur zum Zweck bestellt, ihm die Theorie unter die Nase zu reiben, wenn er sie wieder einmal mit seiner *Überpünktlichkeit* nervte.

In seinem Büro waren die Fenster geöffnet, und es roch nach Putzmitteln. Eine junge Frau im Overall der Reinigungsfirma war dabei, den Schrank seines früheren Bürokollegen sauber zu machen. Auf dem verwaisten Schreibtisch stand wieder ein Computer. Bernoulli, der IT-Mann der Firma, saß davor. Beide nickten Taler flüchtig zu und fuhren mit ihrer Arbeit fort.

»Was geht hier vor?«, fragte Taler.

Die Putzfrau lächelte. »Nicht Deutsch.«

Bernoulli sagte: »Bin gleich fertig.«

»Womit?«

»Arbeitsplatz konfigurieren für deine neue Kollegin.«

»Ach so, stimmt«, murmelte Taler. Er wollte nicht, dass Bernoulli merkte, dass man es nicht einmal für nötig befunden hatte, ihn zu informieren. Er tat, als würde er arbeiten, und wartete, bis die beiden gingen.

Sobald er wieder allein war, nahm er das Buch aus der Mappe und googelte nach dem Autor Walter W. Kerbeler.

Die Suche führte ihn in die seltsame Welt der Zeitzweifler, Zeitleugner und Zeitabschaffer. Von Aristoteles, für den es weder die Vergangenheit noch die Zukunft gab, über Einstein, dessen Relativitätstheorie die Gegenwart und damit auch Vergangenheit und Zukunft in Frage stellte, bis zu den Anhängern der Gravimotion, die sagten, Zeit existiere nicht, weil sie nicht physisch erfahrbar sei.

Walter W. Kerbeler war 1988 gestorben. Sein Hauptwerk, *Der Irrtum Zeit*, war bereits 1976 erschienen und von der Fachwelt nicht ernst genommen worden. Es wurde einige Male von verschiedenen, immer etwas sonderbaren Verlagen in kleinen Auflagen nachgedruckt, erschien nach seinem Tod (»als verbitterter Mann«, wie es in einer kurzen Biographie hieß) im Verlag einer Gruppe von Anhängern seiner Theorie in mehreren Übersetzungen und war seit einer Spaltung dieser *Kerbelianer* kurz vor der Jahrtausendwende vergriffen.

Das war nicht die Welt seiner realitätsverbundenen Laura. Das war die Welt des verschrobenen Albert Knupp. Konnte es sein, dass sie mit ihm Kontakt gehabt hatte?

Taler verwarf den Gedanken. Nicht, dass er undenkbar gewesen wäre, aber Laura hätte ihm bestimmt davon erzählt.

Die Nelkengasse war eine kurze Sackgasse am Rande der Altstadt. Keine Passantenlage, nur der Zugang zu den schmalen Wohnhäusern und zu ein paar Geschäften mit niedrigen Mieten. Eines mit esoterischen Nippes, eines mit Bastelartikeln, eines mit Modelleisenbahnen. Das Antiquariat Librorum lag in dem querstehenden Haus, das die Gasse abschloss. Vor seinen beiden Schaufenstern standen

Schütten mit abgegriffenen Taschenbüchern für einen Franken oder fünfzig Rappen, je nach Zustand.

»Suchen Sie etwas Bestimmtes, oder möchten Sie sich einfach ein wenig umschauen?«, fragte eine Frau von einer Leiter herab. Sie hatte flammendrotes Haar, musste weit über siebzig sein und sah zu zerbrechlich aus, um noch auf Leitern zu steigen.

»Ich brauche eine Auskunft«, antwortete Peter, »es geht um dieses Buch, Frau Neuschmid hat es mir geschickt.«

»Ich bin Frau Neuschmid.« Sie kletterte umständlich herunter und kam näher. Ihre zarte Haut hatte eine Unmenge winziger Fältchen, sie trug schwungvolle Lidstriche und hatte die Lippen verschwenderisch mit Dunkelrot nachgezogen.

Sie warf einen Blick auf das Buch. »Das habe ich nicht Ihnen geschickt, das ging an eine Kundin.«

»Laura Wegmann, ich weiß, meine Frau.«

Sie sah ihn forschend an. »Eine hübsche Frau. Sehr ungewöhnlich. Die Sommersprossen und hellgrünen Augen bei diesem schwarzen Haar und dunklen Teint.«

Taler nickte und spürte, wie ihm die Tränen kamen.

»Was ist mit ihr? Haben Sie sich getrennt?«

Er konnte nicht gleich antworten, weil seine Stimme versagt hätte. Er holte Luft, biss sich auf die Lippen und hielt die Hand wie nachdenklich an den Mund. So, wie er es bei all den vielen Gelegenheiten tat, bei denen ihn die Tränen übermannten.

»Ich weiß«, sagte Frau Neuschmid einfühlend, »Trennungen tun weh.«

Peter Taler nickte. Antworten konnte er nicht.

»Lassen Sie sich Zeit.« Sie wandte sich diskret ab, bis Taler sich wieder im Griff hatte. »Sie ist tot«, gelang es ihm zu sagen.

Frau Neuschmid erstarrte. »Um Himmels willen! Sie sah so gesund aus.«

»Ermordet.« Taler kannte die Wirkung dieser brüsken Antwort. Aber die Wut, die sie jedes Mal in ihm auslöste, half ihm für einen Moment über die Trauer hinweg.

Die Frau berührte seinen Unterarm und schwieg.

»Erschossen«, fügte Peter hinzu.

»Von wem?«

Er machte eine hilflose Handbewegung.

»Man weiß es nicht?«

»Ich werde es herausfinden.«

Frau Neuschmid nickte, als hätte sie nicht die geringsten Zweifel. Sie ließ seinen Arm los und fragte: »Und die Auskunft, die Sie von mir wollten?«

»Ich wusste nicht, dass Laura sich für solche Fragen interessiert, wie sie das Buch behandelt. Hat sie etwas dazu gesagt?«

»Gesagt? Nein, sie kam herein und fragte nach dem Buch. Ganz gezielt.«

»War sie schon früher bei Ihnen?«

»Sie kam seit Jahren. Sie suchte Bildvorlagen. War sie nicht Zeichnerin?«

»Illustratorin.«

»Genau. Das hat sie mir einmal gesagt. Wissenschaftliche Illustrationen, nicht wahr?«

Taler nickte. »Aber zum Thema ›Zeit‹ hat sie davor noch nie etwas gesucht?«

»Nein, daran würde ich mich erinnern.«

»Warum?«

»Junge Leute interessieren sich nicht für das Thema. Es sind die älteren. Ich habe Stammkunden, für die ich alles beiseitelegen muss, was das Thema betrifft. Deshalb habe ich mich ja auch gewundert über den Suchauftrag Ihrer Frau.«

»Ist es denn normal, dass Sie das Buch einfach per Nachnahme zustellen, wenn Sie es gefunden haben?«

»Wenn der Preis innerhalb des festgelegten Budgets liegt, dann schon. So lautet die Abmachung.«

»Kommt es oft vor, dass es so lange dauert, bis Sie ein gesuchtes Buch gefunden haben?«

»O ja. Manchmal dauert es noch länger.«

»Länger als ein Jahr?«

»Das nicht. Aber so ein halbes schon.«

Peter sah sie verwundert an. »Bei Laura hat es aber über ein Jahr gedauert.«

»Nein, nein, da irren Sie sich. Ein paar Monate vielleicht. Höchstens sechs.«

Taler schüttelte den Kopf. »Frau Neuschmid«, sagte er, »Laura ist schon über ein Jahr tot.«

Sie überlegte. »Ganz unmöglich«, sagte sie schließlich, »es war kurz vor Weihnachten. Da bin ich mir sicher.«

»Das ist nicht möglich, Frau Neuschmid.« Es klang nachsichtig. Er hatte keine Lust, sich auf eine Diskussion einzulassen.

Sie schüttelte den Kopf und sagte, mehr zu sich als zu ihm: »Woher ihr jungen Leute immer so genau zu wissen glaubt, was möglich ist und was nicht.«

Peter gab auf. »Vielleicht haben Sie recht, es könnte auch weniger lang her sein.« Er drückte ihre knochige Hand und bedankte sich für die Auskunft.

»Andererseits«, lächelte sie, »ich und die Zeit ...«

7

Auf dem zweiten Schreibtisch stand ein Blumenstrauß. Peter Taler schloss die Fenster, denn es war ein kühler Morgen, und setzte sich an seinen Bildschirm. Er wollte von der neuen Bürokollegin bei der Arbeit angetroffen werden.

Der gestrige Abend war der erste seit Lauras Tod, den er nicht damit verbracht hatte, aus dem Fenster zu starren. Er wusste ja jetzt, was an jenem Abend anders gewesen war, und es gab Wichtigeres zu tun. Er musste Lauras geheimes Leben erforschen.

Er hatte sich mit Barbara Vollger, Lauras Freundin, mit der sie die letzten Stunden verbracht hatte, für den nächsten Tag zum Mittagessen verabredet. Von ihr wollte er erfahren, ob sie sich für die Theorie der nicht existierenden Zeit interessiert hatte. Und sei es auch nur, um ihm damit einen Streich zu spielen.

An diesem Abend durchsuchte er Lauras Computer nach dem Stichwort *zeit*. Das Resultat war ein Ordner mit dem Namen Hochzeit. Er enthielt eine Gästeliste, mehrere Versionen der Tischordnung, die Tischkärtchen und verschiedene Entwürfe der Heiratsanzeige. Einer davon hatte zu einer Auseinandersetzung geführt. Er zeigte, in Lauras fotorealistischer Technik illustriert, eine Gottesanbeterin beim Verspeisen des Männchens nach der Paarung. Peter hatte nie herausgefunden, wie ernst ihr der Vorschlag wirklich war. Schon damals hatte er den Verdacht gehabt, sie habe ihn nur so verbissen verteidigt, weil er sie mit seiner spontanen und humorlosen Ablehnung dazu gebracht hatte. Inzwischen war er sich ganz sicher.

Die übrigen Dokumente im Ordner waren Hochzeitsfotos. Sie waren das Geschenk eines Mitschülers aus der Kunstgewerbeschule, der sich inzwischen als Fotograf einen Namen gemacht hatte. Darunter seine beiden Lieblingsfotos von Laura. Auf dem einen tanzte sie mit bis über die Knie geschürztem Hochzeitskleid auf dem Tisch neben einer älteren Dame – einer Tante, soweit er sich erinnerte –, die mit der Linken ihr Dessert und mit der Rechten ihr Gesicht vor Lauras hochgeworfenem rechten Bein schützte. Auf dem anderen hatte sie ihren Kopf auf seine Schulter gebettet und schlief wie ein übermüdetes Kind. Beides war seine Laura: die burschikose, übermütige, selbstsichere Frau. Und das anschmiegsame, stille, schutzbedürftige Mädchen.

Er war früh zu Bett gegangen und hatte nach einer Stunde voller Gedanken an sie eine Schlaftablette genommen.

Am nächsten Morgen hatte er auf dem Sims von Knupps Wohnzimmerfenster die schwarze Katze aus einem Tellerchen fressen sehen.

Kurz vor neun klopfte es, und Perluccis Sekretärin führte Talers neue Bürogenossin herein.

»Darf ich vorstellen: Herr Taler, Ihr Bürokollege«, sagte sie strahlend.

Er stand auf und gab ihr die Hand. »Betty Zehnder, freut mich«, sagte sie. Die Mischung aus Scheu und Neugier in ihrem Blick sagte ihm, dass man sie über seine Tragödie aufgeklärt hatte. Sie war eine kleine, etwas füllige Frau, höchstens Mitte zwanzig. Sie hatte ein hübsches Gesicht, das bald etwas matronenhaft sein würde, und trug, wie es zurzeit viele junge Frauen in aller Unbefangenheit taten, ein verwirrend tief ausgeschnittenes Kleid.

Es entstand eine kleine Verlegenheitspause, die Taler mit »herzlich willkommen« beendete.

»Danke«, antwortete Frau Zehnder und schenkte ihm ein Lächeln.

Sie freute sich artig über den Blumenstrauß, die zehn Gratis-Chips für die Kaffeemaschine und das Versprechen, dass sie sich mit allen Fragen ungeniert an unseren langjährigen Herrn Taler wenden dürfe, »nicht wahr?«. Damit ließ Perluccis Sekretärin sie mit Taler allein.

Frau Zehnder legte ihr Handy auf den Schreibtisch und nahm etwas Gelbes aus der Handtasche. Sie zeigte es Taler. »Spongebob. Mein Maskottchen.« Es sah aus wie ein viereckiger Schwamm mit Armen und Beinen, Glotzaugen und einem Zahnlückengrinsen. »Ohne ihn läuft bei mir nichts.«

Das Ding besaß einen Saugnapf am Rücken. Frau Zehnder benetzte ihn mit der Zunge und pappte ihn auf den Bildschirm. »Na dann.«

Sie begann, die Papiere zu studieren, die man für sie bereitgelegt hatte. Organisationshandbuch, Organigramm, Kontenpläne, Debitoren- und Kreditorenliste.

In der folgenden knappen Stunde vergaß Peter Taler

manchmal ihre Anwesenheit. Es war ihr Parfum, das sie ihm in Erinnerung rief. Es war nicht aufdringlich oder unangenehm, einfach ungewohnt. Es wirkte fremd in diesem Raum, wo er einen so großen Teil seines Lebens verbrachte.

»Darf ich Peter sagen?«

Die Frage kam so überraschend, dass er »okay« gesagt hatte, bevor er sich die Antwort überlegen konnte.

»Ich heiße Betty.«

»Okay«, sagte er wieder. Dabei hatten Laura und er sich immer lustig gemacht über die Okay-Sager.

»Peter, wenn du nicht darüber sprechen willst, verstehe ich das total.«

»Schon gut.«

»Ich habe gehört, was passiert ist. Der absolute Horror.«

Er spürte die Tränen und konnte nur nicken.

Er war vor Barbara im Blumenegg und bestellte ein Mineralwasser. Das Restaurant war beliebt bei den Angestellten der umliegenden Firmen wegen seiner raschen Bedienung, einfachen Menüs und günstigen Preise. Er hatte einen Tisch mitten im Raum bekommen, obwohl er telefonisch einen Randtisch bestellt hatte. Er mochte es nicht, wenn man ihm von allen Seiten auf den Teller schauen konnte, aber die Kellnerin sagte, wenn ein Randtisch frei gewesen wäre, hätte er einen Randtisch bekommen.

Barbara traf außer Atem mit fast zwanzig Minuten Verspätung ein und begrüßte ihn mit: »Ich hoffe, du hast schon bestellt.«

Taler hatte sie nie besonders gemocht. Sie kannte Laura viel länger, und es hatte ihn immer gestört, dass sie mehr über sie wusste als er. Einmal im Monat hatten die beiden Freundinnen zusammen einen Frauenabend verbracht. Und wie oft sie gemeinsam zu Mittag aßen, wusste er nicht, ihre Arbeitsplätze lagen in der gleichen Gegend.

»Hattest du keinen schlechteren Tisch für uns?«, fragte sie die Kellnerin. Und diese antwortete mit einem spöttischen Seitenblick auf Taler: »Wenn ich gewusst hätte, dass er für dich ist.«

Sie bestellten einen großen Salatteller, weil das am schnellsten ging und Peter schon bald wieder zurück ins Büro musste. Dann endlich konnte er die Frage stellen, die ihn beschäftigte.

»Hat Laura jemals mit dir über die Zeit gesprochen?«

»Die Zeit? Klar, wie sie vergeht. Älter werden. Frauen reden über solche Dinge.«

»Nicht so. Das Phänomen Zeit, meine ich. Die Frage, ob es sie überhaupt gibt, et cetera.«

Wenn Barbara lachte, war sie eine schöne Frau. Sonst hatte sie etwas heruntergezogene Mundwinkel, was ihr einen verbitterten Ausdruck verlieh.

»Gibt es Leute, die daran zweifeln?«

Taler nickte. »Und zwar nicht die Dümmsten. Albert Einstein, zum Beispiel.«

Die Kellnerin brachte die riesigen Salatteller. Rote Bohnen, Gurken, Karotten, Kartoffeln, verschiedene Blattsalate. Bevor Barbara zu essen begann, bekräftigte sie: »Laura nicht.«

»Gestern war ein vergriffenes Buch zu diesem Thema in der Post. Es war an Laura adressiert. Sie hatte in einem Buchantiquariat einen Suchauftrag aufgegeben.«

»Das kann ich nicht glauben.«

»Ich war dort. Die Besitzerin hat es mir bestätigt. Sie kannte sie.«

»Vielleicht hat sie sich für die Illustrationen interessiert«, schlug Barbara vor.

»Das Buch ist nicht illustriert.« Peter Taler begann jetzt auch von seinem Salat zu essen. Nach einer Weile sagte er: »Der Nachbar direkt gegenüber, der Alte im Einfamilienhaus.«

Barbara nickte.

»Der glaubt auch nicht an die Zeit. Er versucht, alles wieder in den Zustand zu versetzen, wie er vor dem Tod seiner Frau war.«

»Wie?«

»Zum Beispiel die Pflanzen in seinem Garten. Er reißt sie aus und ersetzt sie durch jüngere.«

»Klingt nach einem schweren Dachschaden.«

Barbara aß mit Appetit, Taler stocherte lustlos in seinem Salat herum.

»Sie hat ihn nie erwähnt, oder?«

»Den Alten? Nie.«

»Vielleicht hat sie Kontakt mit ihm gehabt. Vielleicht hat er ihr den Floh mit der Zeit, die es nicht gibt, ins Ohr gesetzt.«

»Das hätte sie doch erzählt.«

»Das dachte ich auch.«

»Eben.«

Sie aßen schweigend.

»Sie hat das Haus fotografiert. Am Tag vor ihrem Tod. Ich habe das Bild in ihrer Kamera gefunden. Vielleicht hat sie bemerkt, dass er seine Apfelbäume ausgewechselt hat.« Er zog einen Ausdruck des Fotos aus der Brusttasche, faltete ihn auf und legte ihn neben ihren Teller.

Barbara sah ihn an, ohne ihre Mahlzeit zu unterbrechen. Sie hob die Schultern. »Halt ein Foto.«

»Einen Moment lang dachte ich, es sei ihr um das Moped gegangen.« Er deutete mit dem Finger darauf.

Barbara legte das Besteck auf den nun leeren Teller und hielt das Foto nahe vors Gesicht.

»Aber jetzt, seit diesem Buch, habe ich wieder das Gefühl, es habe mit dem Verrückten von gegenüber zu tun.«

»Und was meint die Polizei?«

»Die schließen ihn als Täter aus. Zu zittrig, zu gehbehindert.«

»Aber du bist anderer Meinung.«

»Dass er der Täter ist, glaube ich auch nicht. Aber er hat etwas damit zu tun. Oder er weiß etwas darüber. Da bin ich fast sicher.«

Barbara nahm es schweigend zur Kenntnis.

Peter schob den halbvollen Teller zur Seite.

»Nimmst du auch einen Kaffee?«

Er sah auf die Uhr und schüttelte den Kopf. »Keine Zeit.«

Sie lächelte. »Siehst du, es gibt sie doch.«

Der graue Nissan, der sich schon eine ganze Weile vor ihm befand, stellte sich als der von Keller heraus, seinem Nachbarn vom ersten Stock. Er bog in seinen Parkplatz ein, Taler in den daneben.

Um die Begegnung zu vermeiden oder so kurz wie möglich zu halten, tat Taler so, als suche er etwas im Handschuhfach. Bei einem verstohlenen Kontrollblick stellte er fest, dass Keller offensichtlich das Gleiche machte.

Er stieg also aus – und Keller hatte zur gleichen Zeit den gleichen Entschluss gefasst. Die Begegnung vor den Briefkästen wurde unvermeidlich.

Keller ging ihm seit Lauras Tod aus dem Weg. Als würde er es ihm übelnehmen, dass er das Haus mit diesem Vorfall belastet hatte.

Und Taler mied Keller, weil er von diesem gemieden wurde.

Der Nachbar hatte den Briefkasten schon offen, als Taler sich zu ihm gesellte.

»Was keine Rechnung ist, ist Werbemüll«, sagte Keller. Sein Standardkommentar für die seltenen Begegnungen am Briefkasten.

Keller nahm die Post in eine Hand und verschloss das Türchen mit der anderen.

Taler machte jetzt seinen Briefkasten auf. Die gleichen Werbesendungen, die Keller in der Hand hatte, aber keine Rechnung. Nur ein brauner unfrankierter Umschlag. Er war von Hand adressiert. In einer sauberen, altmodischen Handschrift.

Keller, der höflich darauf gewartet hatte, die paar Meter zur Haustür gemeinsam mit seinem Nachbarn zurückzulegen, sagte »na dann« und ging.

Taler beachtete ihn nicht. Mit dem Zeigefinger riss er den Umschlag auf. Er enthielt zwei Fotos. Beide zeigten die Stelle, wo er gerade stand. Und auf beiden war – einmal scharf, einmal verwischt – Laura zu sehen.

Knupp öffnete die Haustür und winkte ihn herein. Taler folgte ihm ins Wohnzimmer und setzte sich auf den angebotenen Stuhl am Esstisch.

»Bier?«, fragte Knupp.

Er lehnte ab, verschränkte die Arme und wartete.

Aber auch der alte Mann schwieg.

Er sah verändert aus. Der schwarze Bart war frisch getrimmt, die weißen Stoppeln, die den merkwürdigen Kontrast zu dem unnatürlichen Schwarz gebildet hatten, waren weg. Das Toupet war besser in die verbliebenen Haare integriert. Knupp war beim Friseur gewesen.

»Haben Sie noch mehr davon?«, fragte Taler schließlich.

Knupp ließ die Frage unbeantwortet.

»Was wollen Sie?«

Der Alte sah auf seine übereinanderliegenden zitternden Hände. Dann hob er das Gesicht und sah Taler in die Augen. »Hilfe.«

»Hilfe? Von mir?«

»Ich von Ihnen, Sie von mir.«

»Und wobei sollen wir uns helfen?«

»Beim Gleichen. Beim Wiedersehen mit unseren Frauen.«

Talers erster Reflex war es, aufzustehen und zu gehen. Aber dann fragte er doch: »Und wie wollen Sie das bewerkstelligen?«

»Ich dachte, Sie hätten es verstanden.«

»Apfelbäume neu pflanzen?«

Die Frage klang spöttisch, aber Knupp ließ sich nicht provozieren. »Unter anderem.«

»Vergessen Sie es. Die Zeit kann man nicht zurückdrehen.«

Knupp schüttelte nachsichtig den Kopf. »Man braucht sie nicht zurückzudrehen. Es gibt sie nicht.«

Taler stieß einen resignierten Seufzer aus. »Wobei soll ich Ihnen also helfen?«

Knupp öffnete das Stahlband seiner Armbanduhr und schob sie zu Taler hinüber. Es war ein klobiger Chronometer einer unbekannten Marke mit schwarzem Zifferblatt und schwarzweißen Zeigern. »Konzentrieren Sie sich auf den Sekundenzeiger.«

Peter sah den schlanken Zeiger über die Sekundenmarken gleiten.

»Sehen Sie die Gegenwart? Nein, Sie sehen sie nicht. Sie ist immer schon vorbei. Auch wenn Sie die Sekunden halbieren, durch zehn teilen, durch hundert, tausend. Auch wenn Sie Millionstel, Milliardstel daraus machen – immer schon vorbei.«

Taler löste den Blick von dem rastlosen Zeiger und sah zu dem alten Mann hinüber.

»Sie können die Sekunden unendlich teilen und trotzdem die Gegenwart nicht festhalten – und wissen Sie, warum? Weil es sie nicht gibt. Nicht gibt, nicht gegeben hat und nicht geben wird. Gegenwart, Vergangenheit, Zukunft: alles Mumpitz. Die Zeit existiert nicht.«

Knupp sah ihn herausfordernd an.

Schließlich sagte Peter Taler: »Daran glaube ich nicht.«

Wie um das Thema abzuschließen, antwortete Knupp: »Laura tat es.« Er stand auf und ging hinaus.

Taler folgte ihm in die Küche. Dort stand er vor dem Kühlschrank und entnahm ihm zwei Fläschchen Bier.

»Was wissen Sie von Laura?«, herrschte Taler ihn an. Er

hatte sich vor dem einen Kopf kleineren Mann aufgebaut und versperrte ihm den Weg.

»Lassen Sie mich vorbei. Ich erzähle es Ihnen bei einem Bier.«

Peter Taler machte Platz und folgte ihm zurück ins Wohnzimmer. Noch bevor sie sich wieder an den Tisch gesetzt hatten, fragte er: »Hatten Sie Kontakt zu Laura?«

Knupps zitternde Hand führte das Bier an die Lippen. Erst nachdem er einen Schluck getrunken hatte, kam die Antwort. »Wir haben manchmal ein wenig geplaudert. Über den Gartenzaun.«

Auch an Tagen, an denen Laura nicht zu Hause arbeitete und in den Verlag ging, hatte sie andere Arbeitszeiten als Peter. Es war also möglich, dass sie mit dem Nachbarn ab und zu ein paar Worte gewechselt hatte, ohne dass er dies mitbekam. Sie war sehr kontaktfreudig. »Und dabei haben Sie sich über philosophische Fragen unterhalten?«

»Nein, nein. Über alltägliche Dinge. Das Wetter, den Garten, Pflanzzeiten. Laura interessierte sich ja für die Anthroposophie und die biologisch-dynamische Landwirtschaft.«

»Hat sie das gesagt?«

»Ich habe sie einmal auf ihre Einkaufstasche angesprochen, weil da Demeter draufstand.«

Das stimmte, Laura hatte, wenn möglich, biologisch eingekauft. Aber daraus abzuleiten, dass sie sich für Anthroposophie interessierte, war Unsinn. »Und über die Anthroposophie sind Sie auf das Phänomen Zeit gekommen.« Taler legte so viel Sarkasmus wie möglich in seine Stimme.

Aber Knupp ging nicht darauf ein. »Nein, das war bei einer anderen Gelegenheit. Eines Morgens ging sie vorbei, und als ich Anstalten machte, ein wenig zu tratschen, sagte sie, sie hätte keine Zeit. Ich antwortete: ›Die Zeit existiert nicht.‹ Sie lachte, aber ein paar Tage später kam sie darauf zurück. Sie wollte wissen, wie ich das gemeint hätte. Ich erklärte ihr das Gleiche wie Ihnen.«

Peter schwieg betroffen. Konnte das sein? Schon möglich, dass Laura den Ehrgeiz gehabt hatte, den verschlossenen, unfreundlichen Nachbarn aus dem Busch zu locken. Aber wenn es ihr gelungen wäre, hätte sie es bestimmt stolz erzählt.

Oder hatte sie es ihm vielleicht doch verschwiegen? Wie damals, als sie sich in einen Kurs für ein Computer-Illustrationsprogramm eingeschrieben hatte, ohne sich vorher mit ihm abzusprechen? Er hatte es nur zufällig erfahren, als er mit ihr das Menü für den kommenden Freitag – Freitag war sein Kochtag – besprechen wollte. »Ach«, sagte sie obenhin, »am Freitag habe ich Kurs.«

Es stellte sich heraus, dass sie drei Monate lang jeden Freitagabend von sieben bis zehn an diesem Lehrgang teilnehmen würde. Als er sie fragte, weshalb sie eine so wichtige Entscheidung nicht mit ihm gemeinsam treffe, hatte sie geantwortet, es sei ja eine berufliche, und er interessiere sich ohnehin nicht für ihren Beruf.

Es war eine ihrer letzten ernsthaften Auseinandersetzungen gewesen und gipfelte in Lauras Vorwurf, dass sie immer mehr aneinander vorbeilebten und er schuld daran sei. Sie hatten den Streit drei Tage schwelen lassen, was gegen eine ihrer wichtigsten Eheregeln verstieß, nämlich sich stets vor dem Schlafengehen zu versöhnen. Auch das, behauptete Laura, sei ein Anzeichen für dieses Auseinanderleben.

Taler hatte die Sache ad acta gelegt, ohne sie auszudiskutieren – er hasste Ausdiskutieren –, und Laura war auch nicht mehr darauf zurückgekommen. Sie besuchte einfach von nun an diesen Weiterbildungskurs, jeden Freitagabend, bis zu ihrem Tod.

Vielleicht, dachte Taler, hatte sie ihre Gartenzaunbekanntschaft mit Knupp verschwiegen, weil sie dachte, er interessiere sich auch für ihr Privatleben nicht mehr.

»Machen Sie sich nichts daraus«, tröstete ihn Knupp, »bei allen Paaren gibt es ein Leben, von dem der andere nichts weiß.« Als hätte er Talers Gedanken erraten.

»Und warum haben Sie sie fotografiert?«

»Ich beobachte und dokumentiere die Veränderungen in diesem Ausschnitt der Welt. Das gehört zu meinem Experiment.«

»Welchem Experiment?«

»Dem Zeitexperiment.«

»Aha.«

»Ich versuche, kongruente Fotos zu schießen. Nicht mit Serienbildschaltung, das ist einfach. In größeren Abständen. Immer größeren.«

»Und wenn es gelingt, glauben Sie, die Zeit sei stehengeblieben.«

»Sie haben es noch immer nicht begriffen. Wenn es gelingt, ist bewiesen, dass es die Zeit nicht gibt.«

»Und? Ist es Ihnen schon mal gelungen?«

»Mein Rekord ist vierundzwanzig Stunden. Kommen Sie.«

Knupp ging ihm voraus in den Korridor und von dort mühsam die Treppe hinauf in einen Raum, dessen Fenster auf der Rückseite des Hauses lag. Von dort aus sah man auf die Villa Latium, deren Eingang in der Parallelstraße des Gustav-Rautner-Wegs lag. Die Krone einer Birke verdeckte die Hälfte der Sicht auf die Fassade.

»Mein Vermessungszimmer«, sagte Knupp.

An einer Wand des Zimmers stand ein Zeichentisch, wie ihn früher die Bauzeichner benutzten. Daneben eine altmodische Leinwand, auf die man von einem angejahrten Projektor auf einem hochbeinigen Gestell Bilder projizieren konnte.

Die anderen Wände waren tapeziert mit Fotos. Serien aus demselben Blickwinkel, von Hand datiert und mit Filzstiftmarkierungen, die auf kaum sichtbare Unterschiede hinwiesen. An einer Wand hing ein Leuchtkasten, wie ihn die Radiologen benutzen. In Steckschienen hingen Negative. Auf einem Arbeitstisch in der Raummitte befand sich ein zweiter Leuchtkasten. Zu diesem führte ihn Knupp.

Er schaltete das Licht des Kastens an, nahm zwei nebeneinanderliegende Negative und versuchte, sie mit seinen flatternden Händen übereinanderzulegen.

»Helfen Sie mir«, sagte er schließlich.

Taler legte die Negative übereinander. Knupp reichte ihm eine Lupe. »Sehen Sie, hier.«

Die Negative schienen tatsächlich deckungsgleich. Keine Linie, Schattierung und Form wich von der darunterliegenden ab.

Knupp gab ihm zwei Papiervergrößerungen der Negative. Sie zeigten das Mehrfamilienhaus Gustav-Rautner-

Weg vierzig, das Haus, in dem er wohnte. Auf dem einen stand das Datum 17.3., 09:15, auf dem anderen 18.3., 09:15.

»Vierundzwanzig Stunden ohne das kleinste Indiz, dass Zeit vergangen wäre.«

Zum ersten Mal hatte Taler den Eindruck, Knupps Stimme habe ein wenig von ihrem Gleichmut verloren.

»Und jetzt das!« Der alte Mann war aufgeregt. »Kurz nach der älteren dieser Aufnahmen ist Ihre Frau aufgetaucht.« Er reichte Peter Taler ein weiteres Foto. Es zeigte den gleichen Bildausschnitt, aber jetzt war Laura im Bild. Sie stand neben dem Briefkasten und hatte dessen Tür geöffnet. Peter erkannte das Foto – es war das schärfere der beiden, die im Umschlag gesteckt hatten. Es trug das Datum 17.3., 09:17.

Knupp gab ihm ein zweites Bild. Es war das zweite aus dem Umschlag. Laura stand am selben Fleck, aber sie war durch eine Bewegungsunschärfe etwas verwischt. Das Datum war – der 18.3., 09:17.

Taler sah von dem Bild auf. »Das Datum kann nicht stimmen.«

»Warum nicht?« Knupp klang wie ein Lehrer, der nach der Begründung einer richtigen Antwort fragte.

»Laura ist auf beiden Bildern gleich angezogen. Aber sie trug nie zweimal hintereinander dasselbe. Nicht einmal denselben Mantel.«

»Stimmt. Nie. Das ist auch mir aufgefallen. Was heißt das also?« Wieder dieser schulmeisterliche Ton.

»Ganz einfach«, sagte Taler. »Die Bilder sind am gleichen Tag aufgenommen.«

»Ja und nein. Ich habe genau Protokoll geführt.« Knupp schlug in einem schwarzen Notizbuch nach und deutete auf den Eintrag. »Ich habe die zweite Aufnahme mit Laura exakt vierundzwanzig Stunden nach der ersten gemacht. Zwei Minuten nach der deckungsgleichen ohne Laura.«

Er griff nach zwei Kontaktbögen, die auf dem Tisch lagen, und reichte sie Peter. »Das sind Kontakte der Filmstreifen, bevor ich sie geschnitten habe. Sie sind datiert, und die beiden deckungsgleichen habe ich angekreuzt. Achten Sie auf die nachfolgenden Aufnahmen.«

Taler richtete die Lupe auf die Serie mit Laura, vier Aufnahmen im Ganzen. Die letzte, bevor Laura im Bild auftauchte, war die erste deckungsgleiche, nach den vier Bildern mit Laura folgten andere Motive – der Garten, die Straße bei anderem Licht, eine Nachtaufnahme mit Straßenbeleuchtung.

Der zweite Kontaktbogen zeigte inmitten verschiedener Motive die Serie des Briefkastens, darunter das deckungsgleiche, und gleich danach die bewegungsunscharfe, gleich gekleidete Laura und danach wieder andere Bilder, offensichtlich zu anderen Tageszeiten aufgenommen.

Taler verglich noch einmal sorgfältig die beiden Fotos mit der gleichen Laura.

Es musste ein kühler Tag gewesen sein. Sie trug ihren großkarierten, schwarzgelben Wollmantel und den schwarzen Kaschmirschal mit den großen weißen Tupfen. Ihr Haar war unter dem enganliegenden, ebenfalls schwarzen Hut versteckt, den sie immer tief in die Stirn gezogen hatte. Unter dem Mantelsaum schauten die schwarzen Stiefel mit den hohen Absätzen heraus. Über der linken Schulter straffte sich der Trageriemen ihrer großen abgenutzten Lieblingshandtasche.

Die Kleidung auf dem zweiten Bild unterschied sich in nichts vom ersten.

»Wissen Sie, was das bedeutet? Ich habe die Bilder zu verschiedenen sogenannten Zeitpunkten aufgenommen. Aber weil ja die Zeit nicht existiert, nur die Veränderung, und zwischen diesen beiden Momenten keine Veränderung sichtbar ist, ist es derselbe Moment geblieben. Deswegen, verstehen Sie?« – Knupp hob die Stimme – »*deswegen* ist Laura natürlich auf beiden Fotos zu sehen. Auf dem zweiten etwas verwischt, weil ich wohl ein paar Sekundenbruchteile später ausgelöst hatte.«

Peter Taler sah die Fotos an und versuchte angestrengt, sich zu konzentrieren und diese Logik zu erfassen. Er kam sich vor wie in den ersten Jahren des Mathematikunterrichts, bevor bei ihm, wie sein Lehrer es nannte, endlich der Knoten geplatzt war.

Knupp half ihm. »Versuchen Sie kurz zu akzeptieren, dass es keine Zeit gibt. Es gibt nur Veränderungen. Wenn diese alle ausbleiben, steht das, was wir Zeit nennen, still. Einverstanden?«

Taler ließ es durchgehen.

»Jetzt einen Schritt weiter: Wir wählen einen beliebigen vergangenen Zeitpunkt und versetzen alles, was sich seither verändert hat, wieder in den ursprünglichen Zustand. Dann müssen wir uns doch physisch an diesem Zeitpunkt befinden. Logisch?«

»Logisch schon, aber wie wollen Sie die Veränderungen rückgängig machen?«

Knupp sah ihn herausfordernd an. »Mit Ihrer Hilfe.«

Peter Taler schüttelte ungläubig den Kopf. »Ich soll Ihnen helfen, den Zustand des... Welcher Tag war es?«

»Der elfte Oktober neunzehnhunderteinundneunzig.«

»Ich soll Ihnen also helfen, den Zustand des elften Oktober neunzehnhunderteinundneunzig wiederherzustellen. Und wenn das gelingt, sehen Sie Ihre Frau wieder.«

»Das ist meine große Hoffnung.«

»Und ich?«

»Sie wissen dann, wie's geht. Sie machen in Ihrer Wohnung alle Veränderungen seit Lauras Tod rückgängig.«

»Ich habe nichts verändert.«

»Umso besser. Alles, was Sie von Ihrem Fenster aus sehen, versetzen Sie in den Zustand des besagten Tages zurück. Ich habe jedes Detail dokumentiert. Wir helfen Ihnen, den Moment wiederherzustellen, an dem Sie dem Schicksal eine andere Wende geben können.«

»Wir?«

»Martha und ich. Kommen Sie.« Knupp löschte das Licht im Vermessungszimmer und führte ihn hinunter ins Wohnzimmer. »Bier?«, fragte er. Als Taler ablehnte, setzte er sich zu ihm an den Tisch und fing an zu erzählen.

»In den Sommerferien neunzehnzweiundneunzig – ich war Primarlehrer, wir mussten uns nach den Schulferien richten – fuhren wir nach Kenia. Wir hatten lange geschwankt zwischen Nepal und Kenia. Martha hatte begonnen, die Bücher des Dalai Lama zu lesen, und interessierte sich für Tibet. Ich, der Hobbyfotograf, träumte von einer Fotosafari. Und, wie meistens in solchen Fällen, setzte ich mich durch. Wir flogen nach Kenia.

Eine Woche fuhren wir mit einer lauten Reisegruppe in zebragestreiften vw-Bussen herum und fotografierten alle die gleichen Motive. Danach, als kleine Wiedergutmachung, verbrachten wir noch einige Strandtage in der Nähe von Mombasa.

Einen Monat nach unserer Rückkehr klagte Martha über Kopf- und Muskelschmerzen. Weil sie dazu noch Fieber hatte, legte sie sich ins Bett und verarztete sich mit den bewährten Grippemitteln. Es dauert, scherzte sie, entweder sieben Tage oder eine Woche.

Nach einer Woche waren die Symptome nicht weg, sondern schlimmer geworden. Sie ging zu unserem Hausarzt. Der untersuchte sie, verschrieb ihr fiebersenkende und schmerzstillende Medikamente und nahm Blut ab.

In der Nacht begann der Schüttelfrost, Martha hatte über vierzig Grad Fieber. Ich holte den Hausarzt aus dem Bett, und der empfahl Essigsocken. Aber am nächsten Morgen machte er einen Hausbesuch. Er hatte inzwischen die Resultate der Blutanalyse bekommen. Die Diagnose lautete auf Malaria tropica. Er wies Martha in die Stadtklinik ein.

Ein paar Stunden nach der Einweisung verschlechterte sich ihr Zustand. Sie war verwirrt, wusste nicht, wo sie war, erkannte mich nicht, schlief nur noch und fiel schließlich ins Koma.

Martha wurde auf die Intensivstation gebracht. Sie musste künstlich beatmet werden, an hundert Apparate angeschlossen und schließlich …«

Knupp brach die Schilderung ab. Er hatte jetzt Tränen in den Augen und breitete hilflos die Arme aus.

»Ich weiß«, murmelte Peter Taler. Auch er kämpfte mit den Tränen.

»Verstehen Sie jetzt«, fragte Knupp, als er seine Stimme wieder unter Kontrolle hatte, »weshalb ich noch mal zurückmuss?«

»Was würden Sie anders machen? Früher in die Klinik? Besserer Moskitoschutz?«

»Nach Nepal statt nach Afrika«, antwortete der alte Mann grimmig. Er stand auf, humpelte zum Fenster und sah hinaus.

Taler nutzte die Gelegenheit und stand ebenfalls auf. »Gute Nacht.«

Knupp zog die Vorhänge zu und wandte sich um. »Helfen Sie mir?«

Peter schüttelte den Kopf. »Tut mir leid.«

Der Alte ging zum Tisch zurück und setzte sich. »Sie kennen ja den Weg«, sagte er nur.

Taler blickte sich nicht um, als er zu seinem Haus zurückging. Erst als er in seiner dunklen Wohnung stand, sah er vom Blumenfenster aus hinüber.

Zwischen den beiden Hälften des Wohnzimmervorhangs war ein dünner Streifen Licht zu sehen.

Den ganzen folgenden Tag ging ihm Knupps Plan nicht aus dem Kopf. Er fragte sich, ob der Alte wirklich an seine Theorie glaubte oder ob er nur versuchte, damit seiner Verzweiflung zu entkommen. Vielleicht war ja beides okay.

Aber nicht nur die Gedanken an den alten Knupp lenkten ihn von seiner Arbeit ab. Auch Betty trug ihren Teil dazu bei. Alle paar Minuten kam sie mit einer Frage, die sie sich eigentlich selbst hätte beantworten können. Sie gehörte zu den Menschen, die es nicht aushielten, in Gegenwart eines anderen nicht zu sprechen.

Auch das war eines der tausend Dinge, die Taler seit Lauras Tod so vermisste: dieses stundenlange schweigende Beisammensein. Keiner von beiden hatte sich verpflichtet gefühlt, zu reden, wenn ihm nicht danach war. Zusammen schweigen können, hatte Laura einmal bemerkt, zeuge von größerer Harmonie, als miteinander zu sprechen.

Betty überbrückte Talers Schweigen mit SMS-Nachrichten und langen Handygesprächen. Zur Mittagspause frischte sie Parfum und Make-up auf und fragte: »Kommst du mit?«

Taler lehnte ab und nutzte ihre Abwesenheit, um ein wenig in der befremdlichen Welt der Zeitzweifler zu surfen.

Den Nachmittag verbrachte er – immer wieder unterbrochen von Betty – mit Kreditorenbuchhaltung. Die Rechnungen, deren Bezahlung er auslöste, betrugen in der Summe über vierhundertachtzigtausend. Es war eine Arbeit, die ihm in all den Jahren, in denen sie zu seinem Pflichtenheft gehörte, immer noch ein gewisses Wohlbehagen bereitete.

Nach Büroschluss fuhr er bei Juanitos vorbei und kaufte eine Auswahl Tapas – Hackfleischbällchen in scharfer Tomatensauce, Tortilla mit *chorizo* und Sardinen in *aioli.*

Als er auf seinen Parkplatz einbog, hatte er das Gefühl, er hätte in Knupps Fenster eine Bewegung gesehen. Er leerte den Briefkasten. Der enthielt neben dem üblichen Müll einen braunen Briefumschlag. Noch bevor er die Handschrift sah, wusste er, von wem er war.

Diesmal hielt er sich zurück und öffnete den Umschlag

erst in der Wohnung. Er enthielt ein einziges Foto. Gleiches Motiv: Talers Hauseingang. Aber am Straßenrand, dort, wo der Weg zum Eingang begann, war ein Moped aufgebockt. Bei der Haustür stand eine Gestalt. Sie trug einen Helm mit aufklappbarem Visier.

8

Knupp hatte ihn erwartet. Noch bevor Peter Taler geklingelt hatte, öffnete er die Tür und ließ ihn wortlos eintreten. Es roch nach gedämpften Zwiebeln, und aus der Küche drang das Brutzeln einer Pfanne. »Kommen Sie, sonst werden die Zwiebeln schwarz.«

Knupp ging an den Herd und bewegte die Zwiebeln mit einer Bratschaufel. »Setzen Sie sich.« Er deutete auf einen Stuhl am Küchentisch. Auf der braunweiß gesprenkelten Linoleumtischplatte stand eine Teigschüssel mit geriebenen Kartoffeln. Daneben eine benutzte Reibe und ein Unterteller mit Speckwürfeln.

Knupp holte ein Bier aus dem Kühlschrank und reichte es Taler. Doch da dieser keine Anstalten machte, es ihm abzunehmen, stellte er es auf den Tisch.

»Essen Sie mit? Speckrösti.«

»Was wissen Sie über den Mopedfahrer?«

Knupp zuckte mit den Schultern, holte die Speckwürfel vom Tisch und wischte sie vom Teller zu den Zwiebeln.

»Ich kann auch zur Polizei gehen. Vielleicht antworten Sie denen lieber.«

Der Duft nach gebratenem Speck vermischte sich mit dem nach gedünsteten Zwiebeln. »Die Polizei ist der Meinung, dass ich kein verlässlicher Zeuge bin.«

Taler änderte den Ton. »Weshalb haben Sie mir das Foto geschickt, Herr Knupp?«

»Ich dachte, es könnte Sie interessieren.«

»Natürlich tut es das. Vor allem, weil Sie vorgaben, nichts über das Moped zu wissen. Von wann stammt die Aufnahme?«

»Ich weiß es nicht genau. Jedenfalls lebte Ihre Frau noch.«

»Natürlich wissen Sie es genau. Sie führen Buch über Ihre Fotos.«

»Da müsste ich nachsehen.« Knupp holte die Schüssel mit den geriebenen Kartoffeln vom Küchentisch und schaufelte sie in die Eisenpfanne. Dann begann er, die Kartoffeln mit den Zwiebeln und dem Speck zu mischen.

»Dann sehen Sie nach.« Taler fügte ein schneidendes »Bitte« hinzu.

»Später.« Der Alte fuhr fort, seelenruhig seine Rösti zu mischen.

Taler trank nun doch einen Schluck von seinem Bier.

Er sah Knupp dabei zu, wie er mit der Bratschaufel die Kartoffelmischung zu einem Fladen tätschelte und an seinem Rand etwas beifügte, das er aus zwei Bechern gelöffelt hatte. »Halb Kochbutter, halb Schweineschmalz. Wird am besten.«

Er setzte einen Deckel auf die Bratpfanne, reduzierte die Hitze, nahm das angefangene Bier, das auf dem Fenstersims stand, und setzte sich zu ihm. »Sie brauchen also meine Hilfe«, stellte er fest.

Jetzt begriff Taler. »Sie helfen mir, wenn ich Ihnen helfe. Sehe ich das richtig?«

»Richtig.«

Taler dachte nach. »Einverstanden«, sagte er dann. »Ich helfe, so gut ich kann. Also, was wissen Sie über den Mopedfahrer?«

»Nicht so schnell. Wer garantiert mir, dass Sie mir wirklich helfen, wenn Sie es wissen?«

»Versprochen.«

Knupp stand auf und ging zum Herd. Er rüttelte die Pfanne und setzte sich wieder zu Taler. »Sie helfen mir ein wenig, ich verrate Ihnen ein wenig, Sie helfen mir wieder ein wenig und so weiter.«

»Und wer fängt an?«

»Ich.«

»Also: Was wissen Sie über den Mopedfahrer?«

»Nein, Sie sind am Zug. Ich habe den Anfang schon gemacht. Ich habe Ihnen das Bild gegeben.«

Taler seufzte. »Dann sagen Sie mir eben, was ich tun soll.«

»Zuhören.«

Knupp ging wieder zum Herd. Er nahm die Pfanne von der Platte, hielt den Deckel fest, drehte das Ganze um hundertachtzig Grad und hob die Pfanne ab. Die Rösti lag jetzt auf dem Deckel, mit der gerösteten Seite nach oben. Knupp ließ sie zurückgleiten, deckte sie zu, stellte die Pfanne wieder auf die Platte und kam zurück an den Tisch.

»Vor etwa zwei Jahren habe ich den Beschluss gefasst, alles hier in den Zustand des besagten elften Oktober neunzehnhunderteinundneunzig zurückzuverwandeln. Sie wissen, weshalb, und Sie werden über kurz oder lang Ihre Zweifel ablegen.

Das erste Problem besteht in der exakten Bestandsaufnahme des damaligen Status quo. Ich musste eine Methodik entwickeln, wie ich die Dinge nicht nur optisch, sondern messbar rekonstruiere. Ich musste ein System finden, wie ich die Fotos von damals ausmessen und die Ergebnisse auf die Gegenwart übertragen kann.

Die größte Herausforderung dabei sind die Pflanzen. Wenn ich endlich Größe und Form rekonstruiert habe, muss ich mich auf die Suche nach einem möglichst gleichen Exemplar machen, muss das voraussichtliche Wachstum miteinbeziehen und den Beschnitt so genau planen, dass der Wuchs am Tag X dem Vorbild entspricht.«

»Unmöglich«, murmelte Taler.

»Sie haben recht. Aber es gibt ein Phänomen, das wir Zeitnihilisten den Homoeomeria-Faktor nennen. Homoeomeria ist lateinisch – oder griechisch – und bedeutet Ähnlichkeit der Teile. Je größer diese ist, desto höher wird die Wahrscheinlichkeit ihrer totalen Angleichung. Sie müssen sich einen alten Pinselstrich vorstellen, den Sie mit neuer Farbe übermalen. Je sorgfältiger Sie dabei vorgehen, desto höher wird die Wahrscheinlichkeit, dass der alte und der neue Strich miteinander verschmelzen und eins werden.«

Peter Taler hatte dafür nur ein Kopfschütteln übrig. Doch Knupp ließ sich nicht irritieren: »Selbst wenn der Homoeomeria-Faktor zu klein bleibt, gibt es eine andere Hoffnung. Erinnern wir uns an das Beispiel des Filmstreifens.« Der alte Lehrer verfiel wieder in seinen Dozententonfall. »Die vierundzwanzig Bilder pro Sekunde unterscheiden sich oft kaum und manchmal gar nicht. Wenn wir akzeptieren, dass es keine Zeit gibt, sondern nur Veränderung, dann müssen wir auch einräumen, dass wir uns ohne Veränderung am gleichen Punkt befinden. Und das bedeutet: mit wenig Veränderung fast am gleichen Punkt. Also?«

Knupp sah Taler triumphierend an.

»Auch wenn es uns nicht gelingt, den seit dem elften Oktober neunzehnhunderteinundneunzig unveränderten Zustand wiederherzustellen, so werden wir es doch schaffen, dessen kaum veränderten Status zu rekonstruieren. Es wird fast alles fast wie damals sein. Und da gehe ich mal davon aus, dass es das, was uns am wichtigsten ist, auch betrifft.«

Er ging wieder an den Herd, rüttelte die Bratpfanne, deckte sie mit einem großen Teller zu, nahm zwei Bier aus dem Kühlschrank und setzte sich wieder.

»Wenn das alles stimmen würde, würde es alles, was wir zu wissen glauben, auf den Kopf stellen«, wandte Taler ein. Und maliziös fügte er hinzu: »Weshalb verheimlicht uns die Wissenschaft das alles?«

»Weil sie nicht daran glauben will.«

»Und weshalb nicht?«

»Eben, *weil* es alles, was wir zu wissen glauben, auf den Kopf stellt.«

Taler nickte vielsagend. »Aber Sie und ich, wir sollen daran glauben.«

Zum zweiten Mal zeigte Knupp sein trauriges Lächeln. »Was bleibt uns denn anderes übrig?«

Beide überbrückten die Stille mit einem Schluck Bier. Dann sammelte sich Knupp für den praktischen Teil: »Ich habe die Vorarbeiten gemacht. Ich habe Versuche angestellt und geforscht. Ich habe Pflanzen getrimmt, verformt, ausgewechselt. Über zwei Jahre habe ich an der Methodik gearbeitet, Rückschläge ertragen und Entdeckungen gemacht. Schon vor über einem Jahr war mir klar geworden, dass ich es nicht allein schaffen würde. Dass ich zu dem Punkt kommen würde, wo ich Hilfe brauche. Aber bis dahin wollte ich allein weiterarbeiten. Das Feld vorbereiten für den zweiten Mann.«

»Und dieser zweite Mann bin ich.«

»Richtig. Kartieren alles Organischen und Beweglichen, Lokalisieren und Beschaffen des Ersatzes, Recherchen nach mehr Bildmaterial zur Bestimmung von Farben, historische Nachforschungen, Gespräche mit Nachbarn et cetera. Dazu brauche ich Ihre Hilfe.« Knupp hielt die zitternden Hände in die Höhe. »Und dabei, dabei müssen Sie mir auch helfen. Feinarbeiten sind mir unmöglich geworden. Sie werden mir bei der minutiösen Rekonstruktion der Details zur Hand gehen müssen.«

Er trank einen weiteren Schluck, wie um Peter Taler Gelegenheit für eine Zwischenfrage zu geben. Aber Taler stellte keine.

»Wir haben genau siebenundneunzig Tage Zeit.« Knupp ging wieder zum Herd. Er zog einen Topfhandschuh an, hielt den Teller, mit dem die Pfanne zugedeckt war, fest und wendete die Rösti.

Goldbraun und dampfend lag sie da. Er deckte sie mit einem zweiten Teller zu und stellte sie zur Seite.

In die noch heiße Bratpfanne gab er etwas Kochbutter und schlug sechs Eier hinein.

»Wir fangen morgen an. Am frühen Nachmittag, falls Sie vorher noch Ihre Samstagseinkäufe machen müssen. Wir arbeiten nach Bedarf an den Wochenenden und jeweils am Abend, nach Ihrem Arbeitsschluss. Besser, als aus dem Fenster zu starren.«

Vom Herd her war jetzt das Brutzeln der Spiegeleier zu vernehmen. »Und was darf ich meinerseits als Erstes an Hilfe erwarten?«, erkundigte sich Taler, noch immer etwas ironisch.

Knupp hob den Teller von der Rösti, stellte ihn daneben, halbierte sie und ließ die Hälfte daraufgleiten. Peter hörte die Bratschaufel in der Eisenpfanne kratzen und sah, wie Knupp angestrengt versuchte, drei zusammengewachsene Spiegeleier auf die eine Hälfte der Rösti zu zirkeln. Sie glitten ihm von der Schaufel und fielen in die Pfanne zurück.

Taler stand auf und übernahm die Spiegeleier.

»Sehen Sie, wir haben das Zeug zu einem guten Team«, stellte Knupp fest. »Wir essen im Wohnzimmer, kommen Sie.«

Peter folgte ihm mit den Tellern. Der Tisch war zu seiner Überraschung für zwei Personen gedeckt. In der Mitte stand eine entkorkte Flasche Antinori.

»Sie bleiben ja normalerweise nicht beim Bier. Ich habe ihn geöffnet, damit er atmen kann. Antinori, nicht wahr?«

»Woher wissen Sie …«

Knupp hielt den kleinen Finger seiner Linken in die Höhe und deutete mit dem rechten Zeigefinger darauf. »Von ihm.« Er wünschte guten Appetit und ließ es sich schmecken.

»Also, wenn ich Ihnen morgen helfe, was wird Ihre Gegenleistung sein?«

Der Alte ließ sich Zeit mit seinem Bissen. »Besseres

Bildmaterial vom Moped und seinem Fahrer. Negative«, gab er schließlich zur Antwort.

Peter gab sich damit zufrieden und begann jetzt auch zu essen. Die Rösti war hervorragend.

Knupp begann die Zusammenarbeit mit seinem Assistenten mit einer Führung durch das Haus. Sie fing auf dem Dachboden an.

Man gelangte hinauf über eine Treppe, die sich aus einer Klappe in der Decke ausfahren ließ. Das Hinaufklettern fiel Knupp sichtlich schwer.

Zwei Drittel des Dachbodens waren belegt von Schachteln einer Umzugsfirma, die schon längst Konkurs gemacht hatte, von Waschkörben voller Bücher, Zeitschriften und ausgedienten Haushaltsgegenständen, ein paar Möbelstücken und einer Reihe schiefer Mottenschränke.

Auf dem restlichen Drittel war Platz geschaffen worden für ein Podest aus Brettern, die auf Backsteinen lagen. Darauf war ein Stativ aufgebaut, auf das eine Kamera montiert war. Daneben, auf einem Stuhl, lagen zwei Objektive, eines davon ein starkes Teleobjektiv.

Das Stativ stand nahe an dem Bullauge, das sich unter dem Giebel befand. Knupp lud Taler ein, hinaufzusteigen und das Verbundglasfenster zu öffnen. Fast genau gegenüber und praktisch auf gleicher Höhe sah er das Blumenfenster seiner Wohnung.

Sie kletterten wieder hinunter in die erste Etage. Dort lag das Arbeitszimmer mit den Leuchtkästen und den Wänden voller Fotos, das Taler schon kannte. Daneben befand sich ein weiteres Zimmer, das, weil die Ehe kinderlos geblieben war, Marthas Refugium gewesen war, wie Knupp es nannte.

Er öffnete die Tür und machte Licht. Sie betraten einen kleinen weißen Raum mit einem Biedermeiersofa, einem passenden runden Tisch und einer Vitrine. Die Läden waren geschlossen. »Ich will nicht, dass das Weiß vergilbt«, erklärte er.

Das Weiß bestand aus einem Sammelsurium von Stick-, Häkel-, Klöppel-, Tüll- und Strickarbeiten. Kein Stück Textil, das nicht irgendeine Verzierung aufwies. Die Schirme der Tisch- und Deckenlampe waren mit Tüllspitze und Häkelei verziert. Selbst der goldene Buddha auf der Kommode trug eine Spitzenschärpe.

»Martha war eine sehr fachkundige Sammlerin von Textilkunst«, erklärte Knupp. Er ließ seinen Blick im Raum und seine Gedanken in der Vergangenheit schweifen, bis er sich losriss und geschäftsmäßig hinzufügte: »Hier gibt es kaum etwas zu tun, ich habe nichts angerührt.« Er schloss die Tür vorsichtig, als wollte er Marthas Geist nicht stören, und führte Taler ins Bad.

Auch hier viele Spitzen, Tressen und Bordüren. Auf dem Glasregal unter dem Badezimmerspiegel eine Anzahl Kosmetikartikel für Frauen. Von Knupps Toilettensachen keine Spur.

Im Schlafzimmer waren die Vorhänge zugezogen. Eine Alabasterlampe hing an drei dicken goldenen Kordeln und tauchte den Raum in honiggelbes Licht. Bett, Nachttischchen, Kleiderschrank und Spiegelkommode – ein Ensemble im gleichen Stil. Das Doppelbett war mit einem weißen Spitzenüberwurf bedeckt, und auf der Marmoroberfläche der Kommode lagen Kamm, Bürste und Parfumzerstäuber, ein Set mit harmonierenden Silbermotiven.

Auch an diesen Wänden gerahmte Kunstfotos von Landschaften und internationalen Sehenswürdigkeiten. Und ein formelles Foto von Albert und Martha Knupp-Widler als Brautpaar.

Auf einem der gepolsterten Stühle lag, sorgfältig zusammengefaltet, ein pistaziengrünes Damennachthemd mit von Brüsseler Spitzen eingefasstem Dekolleté.

Taler machte Anstalten, den Raum wieder zu verlassen. Er war ihm zu persönlich. Er wollte nicht so tief in die Privatsphäre seines Nachbarn eindringen.

Doch Knupp sagte: »Hier schlafe ich.« Er deutete in die Richtung des Fensters. Erst jetzt sah Taler das Feldbett, das dort auf der abgewandten Seite des Ehebetts aufgestellt war. Eine geblümte Steppdecke war darauf ausgebreitet. Auf dem Boden neben dem Kopfende lagen ein paar Bücher und ein Reisewecker.

»Das große Bett kann ich seit damals nicht mehr benutzen.«

»Seit einundzwanzig Jahren haben Sie das Bett nicht mehr benutzt?«, fragte Taler ungläubig.

»Sie etwa?« Knupp war überrascht. »Sie schlafen noch in demselben Bett?«

Peter nickte.

Knupp nahm es kommentarlos zur Kenntnis und ging voraus, um die Führung fortzusetzen.

»Gehen wir einen Stock tiefer, das Erdgeschoss kennen Sie ja«, sagte er und öffnete eine Tür neben dem Hauseingang. Eine steile, gewundene Treppe führte in den Keller hinunter. Im Vorraum standen ein auf Ölbetrieb umgerüsteter Kohlenheizkessel und eine alte Werkbank.

Die Tür zur Waschküche stand offen. Eine ausgediente, mit angelaufenem Kupfer verkleidete Wäscheschleuder befand sich neben einem großen verzinkten Waschtrog unter der halboffenen Kellerluke. An der freien Wand stand eine angejahrte Waschmaschine, deren lindgrüner Lack an vielen Stellen beschädigt war. Daneben quollen aus einem Plastikkorb ungewaschene Wäschestücke. Acht Wäscheleinen waren durch den Raum gespannt. An einer trockneten ein paar Hemden.

Der zweite Raum war ein Keller mit Kiesboden. Ein grob gezimmertes Regal für Äpfel und Kartoffeln füllte die längere Wand aus. An der kürzeren gab es ein einfaches Weingestell mit ein paar Flaschen. Eine Korbflasche mit dem von Hand geschriebenen Etikett »Essig« stand neben einem rostigen Flaschenabtropfständer, auf dem leere Weinflaschen steckten. Die Luft war modrig, eine Kellerlampe mit emailliertem Blechschirm sorgte für trübes Licht.

Der frühere Kohlekeller war zu einem Fotolabor umgerüstet worden. Knupp öffnete die Tür und führte Taler in einen kleinen, schwarz gestrichenen Raum. An die Wand war eine nach allen Seiten schwenkbare Bürolampe geschraubt. Ihr Schirm war viereckig und größer als normal. Er war vorne geschlossen bis auf eine doppelt verglaste Öffnung. Darin steckte ein Negativ, das zwischen die zwei Gläser geklemmt war.

»Meine Camera obscura«, sagte Knupp, »erklär ich Ihnen ein andermal.« Er schloss die Tür hinter sich. Einen Moment standen sie im Finstern.

Ein rotes Licht ging an. Knupp hatte durch eine weitere Tür den nächsten Raum betreten. Taler folgte ihm. Es roch nach Chemikalien.

Seine Augen gewöhnten sich an die schwache Beleuchtung. Nun konnte er einen Vergrößerer erkennen, ein paar Schalen, eine Trockenpresse, ein Regal mit Fotopapier, Laborwerkzeug, Beuteln und Dosen mit Fotochemikalien. An einer Wand gab es ein Spülbecken, darunter standen Kunststoffbehälter zum Entsorgen der gebrauchten Bäder.

Knupp streckte sich nach den Negativstreifen, die an einer Leine unter der Decke hingen, und nahm einen herunter. Er hielt ihn gegen die rote Lampe, zählte die Bilder, legte den Streifen auf einen kleinen Filmschneider, schnitt ein Negativ raus, schob es in einen kleinen halbdurchsichtigen Umschlag und steckte ihn ein. »Für Sie. Später.«

Sie verließen die Dunkelkammer und gingen hinauf in Knupps Arbeitszimmer. Er lud Taler ein, auf einem Stuhl Platz zu nehmen, den er an seinen Schreibtisch gerückt hatte. Er selbst nahm auf dem Drehstuhl Platz und öffnete einen Ringordner.

»Am besten zeige ich Ihnen zuerst, wie wir vorgehen.« Er schlug die erste Seite mit dem handschriftlichen Titel »Garten, Ost« um. Auf das nächste Blatt war ein Foto geklebt mit der Legende »Jap. Zwergahorn, 11.9.91«.

Es folgten mehrere Fotos aus dem gleichen Winkel mit dem gleichen, jetzt aber um einiges größeren Ahorn. Ein Stab mit Maßeinteilung auf einem kleinen Stativ stand an verschiedenen Stellen neben dem Bäumchen. Auf der ge-

genüberliegenden Seite hatte Knupp auf durchsichtigem Pauspapier die Konturen des größeren Baumes durchgepaust und die Maße aus dem Foto übertragen. Daneben die Konturen des kleineren Baumes mit den aus Höhen und Breiten des größeren rekonstruierten Maßen.

»Ein Test. Viel zu ungenau. Muss man alles mit der Camera obscura überprüfen. Aber dazu muss man zu zweit sein.«

Dann folgte eine Sammlung von offensichtlich in Baumschulen und Gartencenters aufgenommenen Fotos, neben allen der Maßstab. Bis auf eines dieser Fotos waren alle durchgekreuzt. Am Schluss das Bild desjenigen kleinen Ahorns, der an die Stelle des größeren gepflanzt worden war, neben seinem Zwilling aus dem Jahr einundneunzig. Die Ähnlichkeit war frappant.

Erst jetzt fiel Taler auf, dass das neue Bäumchen das Datum von Lauras Todestag trug. Bevor er Knupp darauf aufmerksam machen konnte, sagte dieser: »Ja, ich weiß, das Bild habe ich am selben Tag gemacht.«

»Und trotzdem wollen Sie nichts beobachtet haben?«

Knupp sah ihm kurz in die Augen und wandte sich dann wieder seinem Aktenordner zu. »Bei den Apfelbäumen musste ich den Fluchtstab verlängern.«

Der Stab war jetzt durch einen zweiten verlängert. Die Bäume waren auf die gleiche Art fotografiert, vermessen und durchgepaust. Es folgten mehrere Seiten der in Baumschulen und Gartencenters fotografierten jüngeren Bäume, die als Ersatz in Frage kamen.

»Eine fast unmögliche Aufgabe. Bis tief in die Ostschweiz bin ich gereist, sogar über die Grenze nach Deutschland.

Nicht nur Größe und Form mussten stimmen, auch die Sorte.«

Auf den Pauspapieren waren hier auch die einzelnen Äste konturiert und die Stammdicke eingetragen. Bei beiden Bäumen hatte Knupp auf der Zeichnung Äste durchgestrichen, die dann *in natura* auch tatsächlich abgesägt worden waren, wie den Schlussfotos zu entnehmen war. Sie trugen das Datum von vor ein paar Tagen, als Taler zum zweiten Mal das Gefühl gehabt hatte, etwas sei anders.

»Ich glaube, das ist bis jetzt das einzig Brauchbare. Mal sehen, ob es der Camera obscura standhält.«

Den ganzen Nachmittag verbrachten sie damit, Knupps Vorarbeiten zu sichten. Die Pflanzen, die schon neu gesetzt waren, die, die er schon vermessen hatte, und die, denen beides noch bevorstand.

Aus der Bestandsaufnahme ergab sich eine Liste der Gegenstände, die nicht mehr vorhanden waren und wiederbeschafft werden mussten. Ein paar Positionen waren bereits gestrichen.

Es gab ein eigenes Dossier mit Vergrößerungen von Details – Beschädigungen an der Fassade, Farbschäden an den Fensterläden, fehlenden Zaunstaketen – die repariert und wieder in den ursprünglichen Zustand zurückgebracht werden mussten.

Es begann schon zu dämmern, als Knupp einen letzten Ordner aus dem Aktenschrank holte. »Probleme« stand darauf. Er enthielt Fotos, auf denen bestimmte Stellen mit gelbem Fettstift eingekreist waren. Unter anderem die Birken im Nachbarsgarten hinter dem Haus; die immergrünen Büsche neben dem Plattenweg, der zu Talers Hauseingang führte; die Autos auf dem Parkplatz gegenüber, unter anderem Talers Citroën; die Graffiti an der Fassade und die verwahrlosten Geräte auf dem Kinderspielplatz des südlichen Nachbarhauses. Und praktisch alles vor und an dem verunstalteten nördlichen Nachbarhaus und -garten.

»Und wie wollen Sie sie lösen, diese Probleme?«

»Mit Ihrer Hilfe.«

Taler schwieg und fragte sich, ob er seine Zusage, Knupp bei seinem grotesken Experiment behilflich zu sein, nicht lieber jetzt gleich zurücknehmen sollte.

Knupp schien seine Gedanken zu erraten: »Betrachten Sie es doch so: Entweder es hilft Ihnen, Lauras Mörder zu finden. Oder Laura selbst.« Er griff in die Tasche und überreichte Peter das Briefchen mit dem Negativ.

9

Taler ging direkt in Lauras Arbeitszimmer, zündete ihre Zigarette an und schaltete Computer und Scanner ein. Er brauchte eine Weile, bis er sich mit dem Programm und dem Negativadapter zurechtgefunden hatte, aber das Resultat war ein gestochen scharfes Bild von Moped und Fahrer. Er zog es auf den Bildschirm neben das von Laura.

Kein Zweifel: Es war ein Ciao, das dort vor dem Haus stand. Der Schriftzug auf der Kettenverkleidung war der gleiche, und einen Gepäckträger besaß es auch. Nur war hier keine Sporttasche draufgeklemmt. Das Foto war schwarzweiß, aber nichts sprach dagegen, dass die Farbe des Mopeds schwarz oder dunkelblau sein könnte.

Das Gesicht des Fahrers war nicht zu sehen. Er hatte zwar das Visier des Helms hochgeklappt, aber das Gesicht war so weit abgewandt, dass in der Helmöffnung nur die Rundung der Wange oder des Backenknochens zu sehen war. Wenn Taler den Ausschnitt auf das Maximum vergrößerte, war in der unteren Hälfte des Gesichtsausschnitts ein dunkler Schatten zu sehen. Es könnte sich um einen Bart handeln. Oder um das Innenpolster.

Der Helm trug ein Signet oder eine Verzierung. Aber da auf Knupps Foto die linke, auf Lauras aber die rechte Seite des Helms zu sehen war, konnte er nicht sagen, ob es sich um denselben handelte. Am ehesten gab die Jacke des Mannes einen Hinweis. Es war ebenfalls eine Windjacke, und sie schien die gleiche Länge zu haben.

Der Motorradfahrer stand so, dass er die Türklingeln verdeckte. Möglicherweise las er die Namen auf den Schildern, vielleicht klingelte er auch gerade.

Und falls er geklingelt hatte? Was war danach passiert? War ihm geöffnet worden? War jemand an die Tür gekommen? War er unverrichteter Dinge wieder gegangen? Und falls ja, hätte man dann nicht sein Gesicht sehen müssen? Und hätte Knupp es nicht fotografiert?

»Sie helfen mir ein wenig, ich verrate Ihnen ein wenig, Sie helfen mir wieder ein wenig und so weiter.«

Natürlich. Das Negativ war wie ein Gruß aus der Küche, ein kleiner Appetitanreger.

Er hängte das Foto an eine E-Mail und adressierte sie an Wachtmeister Marti. Doch dann überlegte er es sich anders. Er musste Marti am Draht haben, ihn über das neue Indiz unterrichten, es ihm schicken und nicht auflegen, bevor der Polizist den Empfang bestätigt und das Bild angesehen hatte. Sonst ging es unter.

Er adressierte die E-Mail an sich selbst. Am Montag würde er seinen Plan vom Büro aus umsetzen.

Taler holte die Tapas aus dem Kühlschrank und öffnete die Deckel der Kunststoffbehälter, damit sie schneller Zimmertemperatur annahmen. Er machte eine Flasche Wein auf – sein Bierpensum hatte er schon bei Knupp erreicht –, schenkte ein Glas voll und stellte sich damit ans Fenster des dunklen Wohnzimmers.

Die Straßenbeleuchtung brannte jetzt, in ihrem weißen

Lichthof glitzerten Regenfäden. Bei Knupp war es dunkel, wahrscheinlich hielt er sich in seinem Vermessungszimmer auf. Oder in der Dunkelkammer.

Das Haus hatte sich verändert, seit er es von innen kannte. Es war, als würde er nicht mehr nur bis an die Fassade sehen, als könnte er hineinschauen. Er wusste jetzt, wie es dort drinnen roch, und konnte die eigenartige Atmosphäre fühlen, die dort herrschte. Ein Raumschiff während der Startvorbereitungen zu einer Reise mit unbekanntem Ziel.

Taler ging zurück in Lauras Zimmer und räumte auf, wie jedes Mal, wenn er dort etwas verändert hatte. Er stellte die Ordnung wieder her, die sie hinterlassen hatte. Der mit Telefonnummern übersäte Karoblock kam wieder rechtsbündig neben die gelben Klebenotizen zu liegen, die sie nach Prioritäten zu einer senkrechten Bahn exakt ausgerichtet hatte. Er legte die Computermaus zurück auf die linke Seite der Tastatur, trug den weißen Aschenbecher mit dem Signet des Hotels Lutetia in Paris in die Küche, warf die beiden verglühten Zigaretten in den Müll, wusch den Aschenbecher, brachte ihn zurück in Lauras Zimmer und stellte ihn auf seinen Platz in der Mitte des quadratischen Tischs, wo sie ihn von allen vier Seiten hatte erreichen können.

Er machte im Grunde nichts anderes als der alte Knupp auf der anderen Straßenseite. Nur tat er es nicht in der Hoffnung, auf diese Weise zu dem verhängnisvollen Tag zurückkehren zu können. Taler tat es, weil er auch nach über einem Jahr nicht bereit war, zur Tagesordnung überzugehen. Er wollte alle Lügen strafen, die sagten, das Leben gehe weiter.

Er sah sich noch einmal im Zimmer um, und als er sicher war, dass sich alles an seinem Platz befand, löschte er das Licht und schloss die Tür.

In der Küche richtete er die Tapas auf zwei Tellern an, trug sie ins Wohnzimmer und deckte den Tisch. Auch eine der Traditionen, die er Laura zu Ehren aufrechterhielt. Nie hätte sie aus Kunststoffbehältern gegessen. Und nie kam es vor, dass sie in der Küche aß. Nicht einmal das Frühstück. Für sie gehörte es zu Kultur und Lebensqualität, sich zum Essen an einen gedeckten Tisch zu setzen. Und so war es und blieb es auch für ihn.

Er setzte sich an den Tisch, schenkte Wein nach und aß im schwachen Licht der Straßenlaterne, das von draußen hereindrang.

Die Fenster von Knupps Haus waren noch immer dunkel. Unter keinem Vorhang, durch keine Jalousieritze drang ein Lichtstreifen hervor. Machte der Alte vielleicht das Gleiche wie er? Saß er an seinem Tisch und begnügte sich mit dem Licht der Straßenbeleuchtung, die sich in den Pfützen und auf den nassen Dächern der vier geparkten Autos spiegelte? Hatte Frau Gelphart recht? War er auf dem besten Weg, auch so ein Kauz wie Knupp zu werden?

Taler machte Licht, setzte sich in den Polstersessel und nahm Lauras Buch von dem Glastischchen, das daneben stand. *Der Irrtum Zeit* von Walter W. Kerbeler.

Der Band war zerlesen. Auf vielen Seiten hatte jemand Eselsohren als Buchzeichen hinterlassen. Ganze Seiten waren markiert, die Zeilen vieler Abschnitte waren unterstrichen, es wimmelte von Randbemerkungen, Sternchen, Querverweisen und Ausrufezeichen.

Meistens hatte der Leser einen spitzen Bleistift benutzt, aber manche Passagen hatte er aufgeregt mit rotem Farbstift hervorgehoben:

»Materie können wir anfassen, das beweist, dass sie existiert. Die Schwerkraft oder das Sonnenlicht können wir zwar nicht anfassen, aber sie sind dennoch existent, weil sie auf Materie wirken. Die Schwerkraft lässt Dinge zu Boden fallen, die Sonnenstrahlen wärmen unsere Haut.«

Oder: »Materie, Schwerkraft oder Sonnenstrahlen können wir wahrnehmen und deswegen auch beschreiben. Die Wahrnehmung und die Beschreibung sind die Voraussetzungen dafür, dass etwas real ist, also in der Wirklichkeit existiert.«

Oder: »Haben Sie sich noch nie gewundert, weshalb die Uhren, die uns die Zeit angeben, nicht auch von der Zeit betrieben werden, sondern von Federn, Zahnrädern oder Batterien?«

Oder: »Die Zeit kontrolliert weder die Dauer unseres Lebens noch unseren Alterungsprozess, der erwiesenermaßen von biologischen Vorgängen gesteuert wird, wie zum Beispiel der Zellteilung.«

Sogar mit Rot *und* Blau war die folgende Schlussfolgerung markiert: »Es existiert also keine irgendwie geartete Wechselbeziehung zwischen unserer Zeitauffassung und irgendeinem physischen Phänomen. Folglich können wir Zeit nicht physisch wahrnehmen und sie deshalb auch nicht beschreiben. Die Zeit erfüllt keinen Aspekt der zwei Bedingungen, mit denen sie ihre physische Existenz beweisen könnte.«

Dieser letzte Satz war zusätzlich zu den zweifarbigen

Unterstreichungen mit einem halben Dutzend Ausrufezeichen garniert.

In diesem abgegriffenen Buch zu stöbern kam Taler vor, wie am Fenster zu stehen und zu sehen, ohne gesehen zu werden. Er beobachtete heimlich diesen unbekannten Leser, den diese Lektüre so bewegt hatte. Wer war er? Was hatte er für Gründe, an der Existenz der Zeit zweifeln zu wollen? Waren es ähnliche wie die von Knupp? Oder die von ihm selbst?

Beim Weiterblättern stieß Taler immer wieder auf die Wiederholung der Argumente, die er bereits von Knupp kannte. Das, was wir als Zeit betrachten, sei nur die Methode, Veränderung zu messen. Aber es sei nicht die Zeit, die die Bewegung verursache, den Sprinter vom Start ins Ziel bringe, die Haare grau und die Blätter bunt werden lasse. Die Veränderung, das einzige Indiz für die Existenz der Zeit, werde nicht von ihr verursacht. Und sei damit der Beweis für ihre Inexistenz. Wie Knupp kam auch Walter W. Kerbeler zu dem Schluss, dass, wo keine Veränderung stattfinde, auch keine Zeit existiere.

Und wie Knupp ging er so weit zu behaupten, dass – weil eben Zeit nicht existiere – jede beliebige vergangene Situation wiederhergestellt werden könne. Die Schwierigkeit bestünde nur darin, die inzwischen geschehenen Veränderungen rückgängig zu machen.

Es folgte ein größeres Kapitel mit Experimenten, ähnlich wie die von Knupp, mit denen Kerbeler seine These untermauerte. Deckungsgleiche Fotos von Stillleben mit unterschiedlichen Daten und eidesstattlichen Erklärungen von Zeugen, dass die Bilder tatsächlich an den besagten verschiedenen Tagen aufgenommen worden waren. Das Bildmaterial war wenig überzeugend, da von schlechter Qualität.

Doch dann stieß Peter Taler auf den Fall, der ihn zum ersten Mal an seinen Zweifeln zweifeln ließ: das Buttonpond-Experiment.

James Lee Buttonpond war ein Sägereiarbeiter aus Doland, Ohio. Am 27. November 1967 wurde ihm bei einem Unfall an der Kreissäge der rechte Arm knapp über dem Ellbogen abgetrennt. Drei Jahre später kam er per Zufall mit Dr. Jack Meltstone in Kontakt, der mit Kerbeler eine Art transatlantische wissenschaftliche Zusammenarbeit pflegte.

Meltstone und Kerbeler, der zufällig gerade für einen Studienaufenthalt in den USA weilte, beschlossen, mit Buttonpond einen Versuch zu machen.

Die Beweisstücke des Buttonpond-Experiments bestanden aus vielen Seiten schwarzweißer Kontaktkopien.

Die Basis war die Vergrößerung eines der Kontakte. Sie zeigte James L. Buttonpond auf der Veranda eines hellgestrichenen Holzhauses. Ein korpulenter Mann in Jeans und einem T-Shirt der Ohio State Buckeyes. Breit grinste er in die Kamera und hielt mit beiden Händen ein Spruchband hoch über den Kopf mit der Aufschrift: *»Champion 1966!!«* In einer etwas unbeholfenen Handschrift hatte jemand am unteren Bildrand *»Winner of the College World Series June 18 1966!«* geschrieben.

Darunter in der gleichen Größe ein Foto derselben Veranda aus demselben Blickwinkel. Es zeigte denselben Mann gleich gekleidet mit demselben Spruchband. Aber er konnte es nicht über seinem Kopf straffen, denn die Hälfte seines rechten Arms fehlte. Und das breite Lachen ebenfalls. Die Bildunterschrift lautete: »*James Lee Buttonpond, June 18 1970*«.

Dieses Foto bildete auch den Anfang einer langen Reihe von leicht vergrößerten Kopien ungeschnittener Filmstreifen, alle vom gleichen Sujet, aber ohne Buttonpond, dafür mit Kreisen und Pfeilen, die alle auf Unterschiede zum ursprünglichen Bild aufmerksam machten. Einmal stimmte der Winkel des Schaukelstuhls zum Objektiv nicht, ein andermal der Faltenwurf eines Vorhangs hinter einer Fensterscheibe oder die Position einer welken Topfpflanze auf einer der drei Stufen zur Veranda. Hier und da waren zwei Männer auf dem Bild, die mit Messbändern, Winkelmess- und Nivelliergeräten zugange waren. Ein paar der Bilder waren unscharf, unter- oder überbelichtet, und auf einigen war der einarmige Buttonpond zu erkennen, der mit ernster Miene eine Messlatte hielt. Alle Bilder trugen Negativnummern in chronologischer Reihenfolge.

So ging das über mehrere Seiten, bis plötzlich, mitten in der Bilderfolge, eines eingekreist war. Ein Pfeil führte von der Einkreisung zu einer Vergrößerung.

Dieselbe Veranda, dieselben Gegenstände, alles ohne Markierungen von Verschiedenheiten, denn es waren keine vorhanden.

Aber an etwa der gleichen Stelle wie auf dem Foto von 1966 war eine Gestalt zu erkennen. Sie war etwas verwischt oder vielleicht eher etwas durchsichtig, aber es gab keinen Zweifel: Es war, in einer etwas anderen Stellung, das Spruchband etwas gesenkt und das Grinsen etwas weniger breit – James Lee Buttonpond. Mit beiden Armen.

Auf die Dokumentation folgte ein langer Text, der – laut einer Fußnote – erst in der zweiten, ergänzten Auflage von *Der Irrtum Zeit* angefügt worden war. Er enthielt umständliche Beweisführungen, ausführliche Zeugenaussagen und wütende Entgegnungen auf die Zweifel der Fachwelt an der Echtheit des Buttonpond-Experiments.

Es war viel Zeit vergangen über der Lektüre. Die Weinflasche war leer, und die Geräusche, die manchmal aus den Nachbarwohnungen drangen, waren verstummt. Als Peter Taler vom Sessel aufstand, merkte er, dass er etwas unsicher auf den Beinen war. Er ging ans Fenster. Der Regen hatte aufgehört, und durch eine Lücke in der Wolkendecke waren ein paar Sterne zu sehen. Taler zog den Tüllvorhang beiseite und öffnete das Fenster.

Kühle Luft und der Duft nasser Gärten drangen ins Zimmer. Er stützte sich auf das Sims und atmete tief durch. Unter ihm sah er den quadratischen Betonvorsprung mit dem eingelassenen Rost vor dem Hauseingang. Dort hatte Laura gelegen. In der Vertiefung jenes Fußabstreifers hatte sich ihr Blut angesammelt.

Weiter vorne am Straßenrand bei den Briefkästen hatte sie gestanden, als Knupp sie fotografierte. Und vierundzwanzig Stunden später in denselben Kleidern wieder. Oder immer noch?

Wie James Lee Buttonpond vor fast fünfzig Jahren, als er noch beide Arme hatte. Und vier Jahre später mit beiden Armen wieder. Oder immer noch?

Die Stille der Nacht kam Peter Taler plötzlich bedrohlich vor. Er schauderte und schloss das Fenster.

10

Den Nachbarn des Gustav-Rautner-Wegs bot sich an diesem Sonntagmorgen ein seltsames Bild: Der eigenbrötlerische alte Knupp hantierte zittrig und umständlich mit einem antiken Theodoliten, unbeholfen assistiert von dem menschenscheuen jungen Witwer aus dem Haus gegenüber.

Knupp ging in der rechthaberischen Art zur Sache, die alten Männern eigen ist, wenn sie etwas besser können. Taler sah man an, dass ihm das Ganze peinlich war. Er fühlte sich beobachtet, obwohl an diesem frühen Sonntagmorgen kaum jemand auf den Beinen war.

Albert Knupp hatte sich für sein großes Projekt einen alten Theodoliten beschafft und sich das nötige vermessungstechnische Grundwissen selbst angeeignet. Er stand über das Gerät gebeugt, guckte durch das Zielfernrohr und dirigierte seinen Gehilfen mit gebieterischen Gesten herum. Ein wenig weiter links, ein bisschen nach rechts, einen Schritt zurück.

Er hatte Taler Sinn und Ziel der Aufgabe erklärt, wie ein pädagogisch fortschrittlicher Offizier seinen Soldaten eine Übung. Es ging darum, »an die bestehenden Polygonpunkte anzuschließen, um neue Fixpunkte im Garten zu bestimmen«.

Für Taler war das Unangenehme an dieser Arbeit, dass sich diese amtlichen Messpunkte auf der Straße befanden. Er musste mit Knupp das Stativ samt Theodolit über diesen millimetergenau zentrieren und horizontieren. Allein diese Arbeit kostete den tatterigen Geometer und seinen unerfahrenen Gehilfen über eine halbe Stunde.

Talers Hoffnung, nicht dabei beobachtet zu werden, wurde durch den Hauswart zunichtegemacht, den Mann seiner schwatzhaften Putzfrau. Er stand plötzlich hinter ihnen und fragte: »Was vermessen Sie da?« In einem Tonfall, als sei *Vermessen* ein schwerwiegender Verstoß gegen die Hausordnung.

»Polygonzug«, brummte Knupp.

Hauswart Gelphart gab sich keine Blöße und antwortete ebenso fachmännisch: »Dachte ich mir.«

Der Hauswart war noch in Sichtweite, als schon die nächsten Zaungäste aufkreuzten: das Ehepaar Keller, das eine Etage unter Taler wohnte. Es war sonntäglich gekleidet und bestimmt auf dem Weg zum Gottesdienst ihrer Freikirche. Ihrer Sekte, wie es Frau Gelphart giftig nannte.

Der Vermessungspunkt, über dem Knupp und Taler gerade den Theodoliten aufstellten, befand sich genau auf der Ausfahrt von Kellers grauem Nissan, und sie mussten den Platz räumen. Knupp tat es schimpfend und Taler mit der Versicherung, dass dies überhaupt kein Problem sei.

Er wolle es immer allen recht machen, hatte Laura ihm manchmal vorgeworfen. Das gehöre ins gleiche Kapitel wie sein Pünktlichkeitsfimmel. Lieber warte er zwanzig Minuten, als dass er zwei Minuten warten lasse. Er solle sich das abgewöhnen, sagte sie, er sei schließlich auch jemand.

Daran hatte Peter Taler nie gezweifelt. Er wusste, was hinter dieser vermeintlichen Schwäche steckte: Er wollte niemandem etwas schuldig sein. Keinen Gefallen, kein Geld, keine Zeit, nichts. Er hatte es nie geschafft, Laura den wahren Grund offenzulegen, denn sie hätte es für Überheblichkeit halten können. Wie er Laura kannte, war ihr im Zweifelsfall die Unterordnung doch noch lieber als die Überheblichkeit.

Er blieb auch den Kellers keine Minute schuldig. Dafür Knupp die mehr als zwanzig, die sie dazu brauchten, den Theodoliten wieder so einzurichten wie zuvor. Aber das war Taler egal. Knupp glaubte ja nicht an die Zeit.

Er war froh, als er mit seinem rotweißen Fluchtstab endlich in Knupps Garten in Deckung gehen und dort die Punkte anzeigen konnte, die den Alten interessierten: Sitzplatz, Zaun, Spalier, Wäschestange, Steingarten, Plattenweg.

Es war früher Nachmittag, als sie die Fixpunkte ermittelt hatten, die Knupp für den Grundriss des Vorgartens benötigte.

»Mittagspause«, befahl er. Er führte Taler ins Wohnzimmer, wo für zwei Personen gedeckt war, holte Mineralwasser, Aufschnitt und Salat aus der Küche und bat zu Tisch.

»Warum beauftragen Sie kein Vermessungsbüro?«, fragte Taler beim Essen.

Knupp kaute weiter an seinem Bissen und rieb als Antwort Daumen und Zeigefinger aneinander. »Wir brauchen das Geld für anderes«, erklärte er, als er geschluckt hatte.

Taler fragte nicht, wofür. Sie aßen schweigend zum bedächtigen Ticken der Pendeluhr.

»Meine alte Leica gibt es heutzutage auch digital. Die

alten Objektive passen noch immer. Das würde uns viel Zeit und die ganze Laborarbeit sparen.«

Taler begnügte sich damit zu nicken.

»Nur: Dazu bräuchte man einen Computer.«

Taler drapierte zwei Scheiben Fleischkäse auf ein Brot.

»Wie gut kennen Sie sich mit Computern aus?«

Taler sah auf. »Es geht.«

»Haben Sie einen?«

»Den von Laura.« Er hatte keine Lust, sich noch tiefer in die Sache hineinziehen zu lassen.

»Können Sie da helfen?«

»Vielleicht«, sagte Taler schließlich doch.

»Vielleicht reicht nicht, ich muss es sicher wissen, das Ding kostet ein paar Tausender.«

»Okay.«

»Danke.«

Taler blickte erstaunt auf. Es war das erste Danke, das er von Knupp gehört hatte.

Kurz vor vier überzog sich der Himmel mit schwarzen Regenwolken, und ein stürmischer Wind erschwerte ihnen die Arbeit. Aber Knupp machte keine Anstalten, Schluss zu machen. Sie waren dabei, Marthas mit allerlei Immergrünem bepflanzten und mit Muscheln geschmückten Steingarten einzumessen, und Knupp ignorierte verbissen die Böen. Erst als es in Strömen zu regnen begann, floh Taler unter das Vordach des Hauseingangs. Knupp montierte den Theodoliten von seinem Stativ ab und gesellte sich zu ihm. »Nur ein Platzregen«, behauptete er, »in ein paar Minuten ist es vorbei.«

Der Regen trommelte auf das Eternit des Vordachs, ließ die Blätter des Flieders hüpfen, überzog den Plattenweg mit einem Teppich aus aufspritzenden Wassertropfen, ließ das Regenfass unter dem Abflussrohr überlaufen und verschleierte die Nachbarhäuser.

»Das erinnert mich an die Nafurahi Lodge«, sagte Knupp. »Martha fühlte sich nicht wohl an diesem Tag, und wir blieben in der Lodge. Außer uns und dem Personal war niemand da. Wir saßen in der Bar, Martha hatte die Idee gehabt, mitten am Tag Gin Tonic zu bestellen. Sie, die schon von einem Schluck Wein beschwipst war. Wir saßen an einem kleinen Tisch an der Brüstung – die Bar hatte keine Fenster – und sahen auf das Wasserloch hinunter. Es war nicht viel los dort, ein paar Antilopen, Vögel, Hyänen. Und plötzlich fing es an zu regnen. So wie jetzt. Als hätte es immer geregnet und würde es immer regnen.«

Sie hörten dem Wolkenbruch zu.

»Nafurahi Lodge. Das ist Swahili. Wissen Sie, was das heißt, Nafurahi?« Knupp erwartete keine Antwort. »›Ich bin glücklich.‹«

Das Trommeln und Rauschen schwoll an. Knupp begann, mit einem Lappen den Theodoliten zu trocknen.

»Wir waren noch nie in Afrika«, sagte Peter Taler.

Knupp sah nicht von seiner Beschäftigung auf. Aber er sagte: »Nicht wahr, das passiert einem immer wieder.«

»Was?«

»So ein *noch,* zum Beispiel. ›Wir waren noch nie in Afrika.‹ Als könnten Sie es nachholen. Es will nicht in unsere Köpfe. Und es muss auch nicht. Das weiß ich jetzt.«

»Sie wissen es?«

»Ja. Es ist zwar ein neues Wissen, ich bin immer noch dabei, es mir ganz zu eigen zu machen. Aber ich mache Fortschritte. Alte Menschen lernen langsamer. Aber sie lernen noch immer.«

Das Regenwasser kam stoßweise aus dem grüngestrichenen Rohr und bildete das einzige unregelmäßige Geräusch in dem monotonen Rauschen.

»Manchmal ertappe ich mich dabei, dass ich ins Zeitdenken zurückfalle. Schade, denke ich zum Beispiel, dass ich nicht früher darauf gestoßen bin und so viel Zeit verloren habe.« Knupp sah Taler an und lachte, wie über einen mittelmäßigen Witz. »Wie kann man etwas verlieren, das es gar nicht gibt?«

Taler lächelte nur schwach. »Ich wünschte, ich könnte auch daran glauben.«

»Glauben! Glauben ist für die Religionen. Glauben muss man an das, was nicht wissenschaftlich bewiesen ist. Gott, das Leben nach dem Tod, die Schöpfung. Hier geht es um Wissen, junger Mann. Wissenschaft.«

»Im Zimmer Ihrer Frau steht ein Buddha.«

»Ja. Sie war auf der Suche. Wenn ich das mehr respektiert hätte, wären wir nach Nepal und in den Tibet gereist und könnten uns das hier alles ersparen.« Einen Moment starrte er verloren in den verregneten Garten.

»An das Schicksal glauben Sie nicht? Manchen Leuten hilft es, daran zu glauben.«

»Früher half es mir auch. Aber tröstlicher als der Glaube an die Unabänderlichkeit des Schicksals ist das Wissen um seine Abänderlichkeit.«

Talers Themawechsel war etwas boshaft: »Apropos Abänderlichkeit: Angenommen, wir schaffen es, und am elften Oktober ist alles so wie neunzehneinundneunzig. Und dann schifft es so wie jetzt?«

Knupp zuckte mit den Schultern. »Das wird nicht passieren.« Und fügte hinzu, lauter, als es nötig gewesen wäre, um das Getöse zu übertönen: »Pech haben wir schon genug gehabt. Jetzt ist ein bisschen Glück fällig, verdammt nochmal.«

Knupp hatte sich geirrt, der Regen war keine Sache von ein paar Minuten. Er ließ zwar ein bisschen nach, aber er entwickelte sich zu einem beharrlichen Landregen.

»Ich fürchte«, sagte Taler, »wir müssen die Fortsetzung auf das nächste Wochenende verschieben.« Er gab sich Mühe, sich keine Erleichterung anmerken zu lassen.

Knupp winkte ab. »Sie meinen, auf morgen. Das hier ist keine Wochenendarbeit, die Zeit ist zu knapp. Sie müssen das als volle Freizeitbeschäftigung betrachten. Sie sind ja meistens so um sechs Uhr zu Hause, und die Sonne geht erst kurz vor neun unter.«

Beim Frühstück hörte er den Schlüssel in der Wohnungstür und kurz darauf Frau Gelpharts »Iiich biin's!«.

Es war sieben, eine ungewöhnliche Zeit für seine Putzfrau.

»Ich habe eine Verabredung um elf, da dachte ich, ich komme etwas früher.« Sie verschwand in der Küche, kam aber kurz darauf zurück und gleich zur Sache. »Es geht mich ja nichts an, aber was messen Sie da mit dem alten Knupp?« Nicht die Verabredung hatte sie so früh hierher geführt, es war die Neugier. Sie wollte Taler noch vor seinem Aufbruch ins Büro erwischen.

»Er hat mich gebeten, ihm zu helfen, den Garten umzugestalten.«

»Haben Sie ihn gefragt, weshalb er ihn umgestalten will?«

»Nein. Aber es hat mich beeindruckt, dass sich einer in seinem Alter noch an so langfristige Unternehmungen herantraut. Die meisten alten Leute resignieren.«

»Oder werden verrückt.«

»Ich glaube nicht, dass er verrückt ist. Er ist einfach ein wenig einsam.«

»Und da haben Sie gedacht, weil Sie auch ein wenig einsam sind …«

»Vielleicht.«

»Seien Sie nicht zu oft um ihn herum. Sonst werden Sie auch noch seltsam.«

Taler antwortete nicht. Er trank seinen Kaffee aus und wischte sich mit einer entschlossenen Geste den Mund ab, was bedeutete, dass für ihn das Thema erledigt war.

»Sie sind es jetzt schon ein wenig.«

»Seltsam?«

»Jeden Abend zu Hause, alles genau so lassen wie früher. Passen Sie auf. Sie haben das meiste noch vor sich. Sie sind ein junger Mann.«

»Ich bin zweiundvierzig.«

»Eben.«

Taler räumte das Geschirr zusammen und brachte es in die Küche. Frau Gelphart folgte ihm.

»Um den Garten umzugestalten, braucht es doch nicht die Vermessungspunkte des Stadtgeometers.«

Taler nahm sein Jackett von der Garderobe.

»Knupp will den Garten nicht umgestalten. Er will ihn wiederherstellen, sagt mein Mann. Millimetergenau so, wie er war, als sie noch lebte. So einer ist doch nicht ganz normal?«

Aus einer Eingebung, die ihm später noch nützlich sein sollte, antwortete Taler: »Er arbeitet an einem Projekt. Eine Art wissenschaftliche Studie über die Zeit und die Veränderung. Daraus wird dann später mal ein Film.«

Sie war überrascht. »Ein Film? In seinem Alter?«

»Ist doch bewundernswert.« Peter Taler zog sein Jackett an und verabschiedete sich.

Es regnete nicht mehr, aber die Luft war kühl und der Himmel grau.

Am Abend begegnete er zum ersten Mal Sophie Schalbert.

Taler suchte nach einem Markstein im Nachbargarten, einem großen Grundstück. Bevor in den fünfziger Jahren mehrere der Einfamilienhäuser darauf erbaut wurden, war es noch weitaus größer gewesen. Ein herrschaftliches Haus stand in dem parkähnlichen Garten, die Villa Latium.

Er kniete in der nassen Erde neben dem Komposthaufen. Zuoberst verrotteten Kohlblätter, Salatabfälle, Apfelschalen und verblühte Tulpen, und es roch nach Fäulnis und Verwesung. Er stocherte mit einem Erdschäufelchen zwischen den Brennnesseln herum.

Knupp stand jenseits des Zauns und gab Anweisungen. »Er muss dort irgendwo sein, ich habe auf dem Grundbuchplan nachgesehen.« Er sprach nur halblaut, obwohl er behauptet hatte, um diese Zeit sei dort niemand zu Hause.

An den Knien war die Nässe bereits durch Talers Hose gedrungen, und an den Stiefelsohlen hatten sich Lehmklumpen gebildet. Es hatte am späten Nachmittag noch einmal geregnet, und von der Birke tropfte es ihm in den Kragen.

Endlich stieß sein Schäufelchen auf Stein.

»Da!«, sagte Knupp.

Taler legte den Markstein frei. Er war quadratisch und hatte ein Loch in der Mitte, das den Punkt bezeichnete, den sie aus dem Nachbargarten zu Knupp übertragen mussten, um auch den Hintergarten vermessen zu können.

Sie waren gerade dabei, den Theodoliten über den Zaun zu schaffen, als eine Frauenstimme sagte: »Was machst du hier?«

Am Weg stand eine alte Frau. Sie hatte eine Schürze an, wie sie Frauen früher zur Hausarbeit benutzten, ging am Stock und trug einen Eimer mit Küchenabfällen. Sie war auf dem Weg zum Komposthaufen.

»Guten Abend, Sophie.« Knupp klang verlegen.

»Was machst du hier?«, wiederholte sie.

»Wir vermessen etwas.«

Erst jetzt nickte sie Taler zu und wandte sich wieder an Knupp. »Und was?«

»Du hast hier einen Vermessungspunkt, den wir zu mir übertragen wollen.«

»Der Punkt bleibt hier.«

»Nicht richtig übertragen, nur… theoretisch.«

»Auch dann schleicht man sich nicht einfach ein. Man klingelt und fragt, ob man etwas dagegen habe, wenn man in den Garten komme, um einen Punkt zu übertragen.«

»Ich wollte nicht stören.«

»Dann stör auch nicht länger.« Sie ging an ihm vorbei, kippte den Inhalt ihres kleinen Kübels in den Kompost und wandte sich wieder in ihre Richtung. »Ich warte hier, bis dein Helfer und dieses Ding wieder drüben sind.«

Sie hievten gemeinsam den Theodoliten zurück.

»Schönen Abend und nichts für ungut«, sagte Knupp.

»Mit der Birke hat das aber nichts zu tun, nicht wahr?« Ihre Frage klang misstrauisch.

»Nichts«, bestätigte Knupp, »gar nichts.«

Später fragte Taler: »Wer war das?«

»Sophie Schalbert. Wohnt allein mit ihrem gelähmten Mann in diesem Kasten. Sollten beide längst ins Heim.«

»Und was meinte sie mit der Birke?«

»Die Birke im ›Probleme‹-Ordner. Ich hatte es ihr vor einiger Zeit mal vorsichtig angedeutet, da wurde sie fuchsteufelswild.«

»Und wie wollen Sie das lösen?«

»*Wir* werden es lösen.«

Als es dunkel wurde, sagte Knupp: »Heute werden Sie etwas kosten, was Sie nie mehr bekommen.«

Taler hatte, wie an jedem Abend, nichts vor und folgte ihm ins Wohnzimmer. Knupp brachte zwei Schnapsgläser und eine Flasche. Sie war nur noch zu einem Viertel gefüllt mit einer farblosen Flüssigkeit. Mit breitem Pinselstrich aus grüner Farbe stand »GRST 09« darauf.

Knupp entkorkte sie feierlich, füllte die beiden Gläschen und prostete Taler zu.

Es war ein viel zu hochprozentiger Schnaps, der ihm den Atem verschlug.

»Raten Sie.«

»Irgendein Bauernschnaps.«

»Apfel. Gravensteiner 2009. Von da draußen.« Er zeigte zum Fenster. »Trinken Sie ihn mit Verstand. Was Sie hier sehen« – er hielt die Flasche in die Höhe – »ist alles, was davon übrig ist. Im Frühjahr nach dieser Ernte habe ich die Bäume ersetzt.«

Taler nippte noch einmal am Glas. »Und in diesem Frühjahr wieder. Weshalb?«

»Hatte mich verschnitten.«

»Verschnitten?«

»Ich wollte die neuen Bäume in die Form von damals schneiden. Aber es gelang mir nicht. Man muss dafür zu zweit sein. Einer sagt, wo, der andere schneidet.«

»Verstehe.«

»Sie werden der sein, der schneidet.« Knupp stand auf und verließ den Raum. Er kam mit zwei Fotos zurück. Sie waren auf transparente Folie gedruckt und zeigten einen der Apfelbäume aus dem Garten. »Das ist von einundneunzig. Und das hier von jetzt.« Knupp hielt sie gegen die Lampe und versuchte, sie genau übereinander zu legen, gab aber schnell auf. »Versuchen Sie es«, befahl er.

Es gelang auch Taler nicht.

»Über dreißig solcher Fotos habe ich gemacht. Und trotzdem habe ich es nicht geschafft. Gibt es dafür nicht ein Computerprogramm?«

»Wahrscheinlich schon. Es gibt für alles ein Computerprogramm.«

»Beschaffen Sie es.« Knupp hob sein Gläschen und leerte es, Taler tat es ihm nach. Als der Alte es erneut füllte, gingen ein paar Tropfen daneben. Er klaubte ein Taschentuch aus der Hosentasche und wischte sie auf. Unvermittelt sagte er: »Ihre Frau war wie meine. Auch auf der Suche.«

Das stimmte nicht. Im Gegenteil: Schon bei ihrer ersten Begegnung war Peter davon beeindruckt gewesen, wie genau Laura wusste, wer sie war und was sie wollte. Sie war eine gefestigte Persönlichkeit. Auch bei Fragen nach der Transzendenz wusste sie, wo sie stand. Sie hatten zwar kaum über diese Dinge gesprochen, aber ihm war klar, dass in ihrem Weltbild eine höhere Macht so selbstverständlich ihren Platz hatte, dass eine nähere Definition gar nicht erforderlich war. Aber statt Knupp zu widersprechen, fragte er: »Haben Sie je mit Laura über Ihr Experiment gesprochen?«

»Nein«, antwortete Knupp bedächtig. »Jedenfalls nicht explizit.«

»Wie dann?«

Knupp druckste ein wenig herum, bis er damit herausrückte: »Sie hat mich nach Literatur zu dem Thema gefragt, und ich habe ihr etwas genannt. Es gibt leider nicht viel. Und was es gibt, ist vergriffen.«

»Kerbeler.«

Knupp war erstaunt. »Sie kennen Kerbeler?«

»Laura hat das Buch antiquarisch bestellt. Es ist erst vor ein paar Tagen angekommen.«

»Haben Sie es gelesen?«

»Ein wenig.«

»Dann ist Ihnen bestimmt das Buttonpond-Experiment bekannt vorgekommen.«

»Allerdings.« Taler verzog das Gesicht.

»Sie zweifeln daran?«

»Weshalb hat es nicht mehr Aufsehen erregt? Es hätte doch eine wissenschaftliche Weltsensation sein müssen. Es stellt alles auf den Kopf.«

»Eben deshalb. Weil es alles auf den Kopf stellt. Niemand will, dass alles auf den Kopf gestellt wird, schon gar nicht die Wissenschaft. Galilei wurde gezwungen, zu dementieren, dass sich die Erde um die Sonne dreht.«

Taler nippte an seinem Schnaps.

»Die Wissenschaft hat Kerbeler und Meltstone so gründlich vernichtet, dass von den beiden nichts mehr übriggeblieben ist.«

Knupp machte eine Kunstpause. Dann sagte er: »Dass ein Antiquariat über ein Jahr braucht, um das Buch aufzutreiben, ist für mich der schlagende Beweis, dass das Experiment nicht gefälscht ist.«

Taler lächelte traurig. »Ein halbes, sagt die Ladenbesitzerin. Kurz vor Weihnachten hätte sie es bestellt.«

»Da war Ihre Frau doch längst tot.«

»Sie war sich ganz sicher.«

»Haben Sie sie gefragt, weshalb sie so sicher ist?«

»Nein.«

»Das sollten Sie tun.« Knupp schenkte sich den Rest Gravensteiner ein. »Vielleicht entschließen Sie sich dann doch noch, an das Buttonpond-Experiment zu glauben.«

11

Sein früherer Bürokollege hatte nach trockenem Schweiß gerochen. Taler hatte es in der ganzen Zeit, in der er mit ihm den Raum teilte, nicht geschafft, es ihm zu sagen. Laura hatte gesagt: »Stell dir einfach vor, er riecht nach Kreuzkümmel.« Und tatsächlich: Der Duft von Kreuzkümmel hatte viel gemeinsam mit dem Geruch von Schweiß. Aber geholfen hatte ihm die Erkenntnis nicht. Statt die Ausdünstung seines Kollegen erträglicher zu machen, hatte sie in Taler eine Aversion gegen Currys geweckt.

Seine neue Bürokollegin, Betty Zehnder, roch jeden Tag anders. In ihrem Schrank bewahrte sie eine ganze Sammlung Parfummüsterchen auf, von denen sie jeden Tag ein anderes ausprobierte. Wenn sie in die Mittagspause ging oder zu Perlucci oder Gerber bestellt wurde, frischte sie es auf.

An diesem Tag hing ein betäubend penetranter Duft in der Luft. Er schnupperte, und sie bemerkte es. *»Poison«*, erklärte sie, »von Dior.«

Taler wusste nicht, was er schlimmer fand: trockenen Schweiß oder Poison.

Betty hatte noch eine Eigenart, die sehr gewöhnungsbedürftig war: Sie telefonierte ihm vor.

Sie führte ihre Telefongespräche nicht mit ihren Gesprächspartnern, sondern für ihn als Publikum. Die geschäftlichen und die privaten. Besonders die privaten. Sie sagte Sätze wie: »Nasenkorrektur? Wo doch ihre Nase noch das Beste ist.« Dabei sah sie zu ihm herüber, und wenn sie ihn dabei überraschte, dass er es mitbekam, zwinkerte sie ihm zu.

Auch vertrauliche Gespräche – sie führte ständig vertrauliche Gespräche – waren für ihn bestimmt. Sie sprach zwar so leise in das mit der Hand abgeschirmte Handy, dass er kein Wort verstehen konnte, aber sie tat es so herausfordernd, dass er sich immer wieder dabei ertappte, wie er sich anstrengte, etwas zu verstehen. Obwohl ihm ihre Geheimnisse weiß Gott egal waren.

Betty hatte einen Freund, einen »Lover«, wie sie ihn nannte. Taler hatte ihn gesehen, als er sie in einem Mustang vor der Firma abholte. Ein mittelgroßer Mann in engem Anzug und mit einer tätowierten Schlange, die ihm aus dem Kragen über den muskulösen Hals bis knapp unter das Kiefergelenk kroch. Betty hatte ihn genötigt, auszusteigen, damit sie ihm Taler vorstellen konnte. Er war fast einen Kopf kleiner als Taler, hatte einen Händedruck wie ein Schraubstock und hieß Enzo. »Wenn du mal ein besonderes Auto brauchst, Peter«, lautete seine Begrüßung.

Von Enzo hatte Betty auch ihre Leidenschaft für Automobile. Sie begleitete ihn an den Genfer Autosalon, fuhr mit ihm zum Nürburgring und konnte mit technischen Daten von Sportwagen um sich werfen, von denen Taler noch nie gehört hatte – Porsche 918 RS Spyder, Audi e-tron, Mc Laren MP4-12C.

Ihre Arbeit erledigte sie mit einer beängstigenden Beiläufigkeit. Sie konnte ihm ihr Leben erzählen, telefonieren, Kaffee trinken oder Magazine durchblättern und dabei fehlerlos Belege erfassen oder Zahlungseingänge verbuchen, als handle es sich um ein besonders einfaches Kreuzworträtsel.

Als er an diesem Morgen sein Büro betrat, war sie schon da. Bisher hatte er versucht, vor ihr einzutreffen, um nicht auf seine kleinen Rituale zwischen Ankunft und Arbeitsbeginn verzichten zu müssen: Fenster aufreißen, ein paar Minuten in den Hof hinunterstarren, Jackett in den Schrank hängen, Computer starten, zum Kaffeeautomaten schlendern, vor dem Bildschirm den doppelten Espresso in kleinen Schlucken trinken und dabei die online-Zeitung überfliegen.

Aber diesmal hatte er sich verspätet. Poison erfüllte den Raum, das Fenster war zu – Betty war zugempfindlich, bereits drei Blasenentzündungen allein in diesem Jahr. Sie saß am Telefon und winkte ihm verschwörerisch zu, ohne ihren Satz zu unterbrechen.

Daher kürzte er sein Ankunftsritual ab und machte sich an die Arbeit.

Der Vormittag zog sich dahin. Kübler brachte die Post und machte seine halb anzüglichen Bemerkungen zu Betty. Sie ging wie immer darauf ein und verdrehte wie immer die Augen, sobald er die Tür hinter sich geschlossen hatte. Er würde unter einem Vorwand ein zweites, vielleicht auch ein drittes Mal kommen.

Um zehn ging Betty in die Pause. Er nutzte die Gelegenheit, um frische Luft hereinzulassen und Wachtmeister Giovanni Marti anzurufen.

»Ich habe neue Fotos von dem Mopedfahrer«, eröffnete er ihm.

Marti schien einen Moment zu brauchen, um zu verstehen, von welchem Mopedfahrer er sprach. Was Peter Taler in seinem Verdacht bestätigte, dass die Polizei den Fall ad acta gelegt hatte.

»Der Mopedfahrer auf Lauras Foto, Sie erinnern sich. Ich habe es Ihnen neulich gebracht. Ein Ciao, übrigens.«

»Ich weiß.«

»Ach.«

»Und das neue Foto?«

»Knupp hat es gemacht. Es zeigt das abgestellte Moped und den Fahrer bei den Türklingeln. Soll ich es Ihnen mailen?«

»Selbes Moped, selber Fahrer?«

»Ich kann es nicht mit Sicherheit sagen. Aber Ihre Spezialisten vielleicht. Ich schicke es Ihnen jetzt.«

Taler meinte, er hätte einen unterdrückten Seufzer vernommen.

»Und? Angekommen?«

Ein paar Sekunden später bestätigte Marti die Ankunft der Nachricht.

»Haben Sie das Bild vor sich?«

»Moment.« Marti hatte offenbar nicht die Absicht gehabt, es jetzt gleich anzusehen. Es dauerte wieder einen Augenblick, bis er sagte: »Hm, ja, könnte derselbe Mann sein. – Muss aber nicht. Danke für die Information, ich halte Sie auf dem Laufenden.«

»Ich Sie auch.«

Danach buchte Taler wieder Lieferantenrechnungen. Bis

zwölf Uhr hatte er die Verbindlichkeiten von Feldau & Co. auf etwas über siebenhundertzwanzigtausend erhöht. Er nahm den Umschlag mit dem Plan der Apfelbäume aus der Mappe, wünschte Betty guten Appetit und machte sich auf zu Bernoulli.

Der IT-Verantwortliche saß vor drei Bildschirmen und löffelte aus einem Plastikbehälter Salat aus Pasta, Gurken, Schinken und Mayonnaise.

»Hast du einen Moment?«, erkundigte sich Taler.

Der IT-Mann nickte und spülte den Hörnlisalat mit einem Schluck Cola runter. Taler bemerkte die Mayonnaise-Spur, die am Flaschenhals zurückblieb.

»Kennst du eine Software, die das kann?« Er hielt ihm die beiden transparenten Bilder des Apfelbaums hin. Er hatte sie am oberen Bildrand mit Klebeband zusammengeheftet.

Bernoulli nahm ihm das Blatt wortlos aus der Hand und studierte es. »Was ist das? Kunst?«

»Eine Art Vorher-Nachher eines Apfelbaums. Einundzwanzig Jahre später.«

»Wozu soll das gut sein?«

Die Frage brachte Taler kurz in Verlegenheit. Schließlich antwortete er: »Einfach so. Es muss doch nicht immer alles für etwas gut sein.«

Bernoulli sah ihn skeptisch an. Diese Weltsicht war ihm fremd. Er griff zum Hörnlisalat und stopfte sich den Mund voll. Taler wartete geduldig, bis er geschluckt hatte.

»Eine Software, mit der du Fotos überlagern kannst? Jedes anständige Fotoprogramm kann das.«

»Nenn mir das einfachste.«

Nach dem Besuch bei Bernoulli machte sich Taler auf den Weg zum Antiquariat Librorum.

Frau Neuschmid hatte einen Kunden, Taler musste warten. Es war ein kleiner Mann um die fünfzig in einem grauen Dreiteiler mit streng gescheiteltem kurzem Haar und einer randlosen Brille.

Er zeigte auf die Bücher in den Regalen, die ihm die alte Dame auf der Leiter herunterreichen sollte. Er musterte sie von allen Seiten, schlug sie auf, roch sogar kurz daran, und wenn sie ihm zusagten, legte er sie in eine der drei Aluminiumkisten, die neben ihm auf dem Boden standen. Inhalt oder bibliographische Angaben der Bücher schienen ihn nicht zu interessieren.

Frau Neuschmid hatte Peter Taler zugerufen: »Schauen Sie sich doch einfach etwas um, ich bin gleich bei Ihnen.« Aber es dauerte eine ganze Weile, bis der Mann bezahlt und mit den Worten »Herr Gut holt sie am Nachmittag ab, wie immer« das Geschäft verließ.

»Sieht aus wie ein Literaturprofessor, ist aber Innenarchitekt«, erklärte Frau Neuschmid. »Kauft immer Bücher zur Dekoration der Regale seiner Kunden. Es tut mir zwar in der Seele weh, aber man muss ja von etwas leben. Suchen Sie etwas Bestimmtes?«

»Ich komme nochmals wegen dieses Buches über die Zeit. Erinnern Sie sich?«

»Sie sind der Mann, dessen Frau… Oder war es die Freundin?«

»Sie sagten, dass sie kurz vor Weihnachten das Buch bestellt habe. Kurz vor Weihnachten war sie aber schon ein halbes Jahr tot.«

»Ich weiß. Es tut mir leid, dass mir das passiert ist. Ich habe ein schlechtes Zeitgefühl.«

»Sie sagten, Sie seien sich ganz sicher.«

»Ach, wissen Sie, in meinem Alter.«

»Weshalb waren Sie sich so sicher?«

Unter den dicken Lidstrichen blickten ihn ihre grünen Augen prüfend an. »Nehmen Sie die Zeit nicht so ernst. Es gibt sie nicht.«

Der schon halbbekehrte Peter Taler widersprach nicht. Er sagte nur: »Aber die Veränderung gibt es. Welche Veränderungen deuteten denn darauf hin, dass es kurz vor Weihnachten war, als Laura das Buch bestellte?«

Frau Neuschmid zögerte. »Wahrscheinlich hat mich mein Gedächtnis getäuscht.« Taler wartete, und als sie noch immer zauderte, nickte er ihr aufmunternd zu.

»Sie trug eine Pelzmütze, tief in die Stirn gezogen, es sah sehr hübsch aus. Ich fragte sie, ob das Nutria sei, sie antwortete, nein, es sei künstlich, aber es fühle sich an wie echt. Ich berührte das Fell, und tatsächlich: wie echt.«

Laura hatte wirklich so eine Mütze besessen. »Schiwago-Mütze« hatte sie sie genannt. »Die hat sie bis zum Frühling getragen.«

»Aber es war kurz vor Weihnachten. Ich habe immer einen Christbaum im Laden. Als sie das letzte Mal kam, war ich gerade dabei, ihn zu dekorieren. Ich stand auf der Leiter, und sie reichte mir die Kugeln herauf.«

»Das muss dann vorletzte Weihnacht gewesen sein.«

Frau Neuschmid schüttelte den Kopf. »Nein, vorletzte Weihnacht war ich im Spital. Oberschenkelhals. Dann muss es die vorvorletzte gewesen sein.«

Jetzt war er es, der den Kopf schüttelte. »Da hatte sie die Mütze noch nicht.«

Taler machte Licht und sah auf den Wecker. Es war ein Uhr dreißig, er hatte erst eine Stunde geschlafen. Er stand auf und machte sich einen Orangenblütentee, Lauras Rezept gegen Schlaflosigkeit. Er nahm ihn mit ins Schlafzimmer, stopfte sich ein Kissen hinter den Rücken und wartete, bis der Tee sich so weit abgekühlt hatte, dass er ihn trinken konnte.

Das Foto mit der leicht verschwommenen Laura bei den Briefkästen kam ihm wieder in den Sinn. Und Frau Neuschmid vom Antiquariat Librorum. Ihre Erklärung, warum sie so sicher sei, dass Lauras Besuch kurz vor Weihnachten stattgefunden habe, war plausibel. Jetzt, in diesem unwirklichen Zustand, in den ihn die Übermüdung und der Umgang mit Knupp versetzt hatten, kam ihm die Vorstellung, dass es keine Zeit gab, nicht mehr so unwahrscheinlich vor. Und wenn es keine Zeit gab, gab es auch das Jahr nicht, das seit Lauras Tod vergangen war.

Der Tee war jetzt so weit abgekühlt, dass er ihn trinken konnte. Peter löschte das Licht. Doch der Gedanke ließ ihn nicht zur Ruhe kommen.

Zeit und Raum. Wenn es die Zeit nicht gab, dann blieb der Raum. Und irgendwo in diesem musste sich Laura befinden.

»Nein danke«, sagte Peter Taler, als Knupp ihm ein Bier anbot. Er wollte dieses Gespräch mit ungetrübtem Verstand führen.

Er hatte nicht lange überlegen müssen, mit wem er über die Sache sprechen könnte. So ernüchternd die Erkenntnis auch war: Knupp war der Einzige weit und breit.

Er war, ohne sich umzuziehen, direkt nach Arbeitsschluss zu ihm hinübergegangen. Knupp stand in seiner Arbeitskleidung in der Tür. Taler ging an ihm vorbei in Richtung Wohnzimmer. »Ich muss mit Ihnen reden«, sagte er und ließ sich am Esstisch nieder. Noch bevor sich Knupp gesetzt hatte, fuhr er fort: »Ich habe Ihren Rat befolgt und die Frau im Antiquariat gefragt, weshalb sie so sicher sei, dass Laura kurz vor Weihnachten bei ihr war.«

Knupp setzte sich: »Und?«

Taler erzählte von der Schiwago-Mütze und den Christbaumkugeln.

Als er geendet hatte, sagte Knupp: »Klingt doch überzeugend, nicht?«

»Das dachte ich mir: Es überrascht Sie nicht.«

»Ein wenig schon, denn es ist selten. Aber es kommt vor.«

»Wie denn? Ich dachte, dazu müsse jede Veränderung rückgängig gemacht werden?«

Knupp seufzte. »Ich habe schon eine Erklärung, aber sie ist so simpel, dass sie unser Vorstellungsvermögen überfordert.«

»Wie lautet sie?«

»Wenn es keine Zeit gibt, dann gibt es auch keine Vergangenheit und keine Zukunft. Logisch?«

»Logisch.«

Knupp, wieder ganz in seinem Lehrerton. »Was folgern wir daraus? Richtig, alles, was geschieht, geschieht – fast hätte ich gesagt ›gleichzeitig‹, aber es müsste eher heißen

›unzeitig‹ oder ›zeitfrei‹. Erinnern wir uns an das Motto von Kerbelers Buch: ›Noch nie ist etwas in der Vergangenheit geschehen und noch nie etwas in der Zukunft.‹«

»Weiter«, drängte Taler.

»Die Frau hat gesagt, Laura sei oft gekommen. Vielleicht hat sie dabei einmal die Pelzmütze getragen. Vielleicht war die Ladenbesitzerin einmal dabei, den Christbaum zu schmücken. Aber weil es die Zeit nicht gibt, ist beides zeitfrei geschehen.«

Peter Taler versuchte, es sich vorzustellen, aber es überstieg sein Vorstellungsvermögen. »Man könnte es auch einfacher sagen: Frau Neuschmid ist eine alte Frau, und alte Menschen bringen manchmal Dinge durcheinander.«

Knupp lächelte. »Stimmt. Aber die Wahrheit ist: Je älter man wird, desto bedeutungsloser wird die Zeit. Auch wenn man nicht an ihre Inexistenz glaubt. Und von der Bedeutungslosigkeit zur Inexistenz ist es nur ein ganz winziger Schritt.«

12

Laura hatte sich oft über seine Ungeschicklichkeit lustig gemacht. Sie mit ihrem Zeichentalent, ihrer gestochenen Schrift und ihrer ruhigen Hand amüsierte sich über sein zeichnerisches Unvermögen und seine ungelenke Schrift.

Dass das Schicksal ausgerechnet ihn auserkoren hatte, dem zittrigen Mann als Zeichner zu dienen, hätte sie bestimmt sehr amüsiert.

Sie standen am Zeichentisch in Knupps Vermessungszimmer über ein großes Millimeterpapier gebeugt, und Knupp diktierte ihm Messdaten. Taler zählte angestrengt die Millimeter, verlor immer wieder die Orientierung und musste von neuem beginnen.

»Ich dachte, Sie seien Buchhalter«, maulte Knupp.

»Eben. Buchhalter, nicht Geometer.«

Es ging darum, einen Plan des Gartens zu zeichnen. Sie waren schon den ganzen Abend damit beschäftigt und hatten gerade mal die Grenzen des Vorgartens fertig. Nun waren sie dabei, die Fixpunkte einzutragen, die sie ausgemessen hatten: Sitzplatz, Zaun, Spalier, Wäschestange, Steingarten und Plattenweg.

Sobald diese Landmarken auf die Pläne von Vor- und Hintergarten eingetragen sein würden, wollte Knupp sie auf die Fotos von neunzehnhunderteinundneunzig übertragen. Erst dann konnte die eigentliche Rekonstruktion beginnen.

Obwohl ihm die Arbeit schwerfiel, machte sie ihm Spaß. Er hatte sich auch an die Ruppigkeit des alten Mannes gewöhnt. Nicht, weil er sich einredete, dieser meine es nicht so und sei im Grunde ein herzensguter Mensch. Er meinte es genau so, und dass er ein herzensguter Mensch war, bezweifelte Taler. Aber es hatte sich nun einmal so ergeben, dass dieser alte Kauz der Mensch auf der Welt war, den er am besten verstand.

Er gestand sich ein, dass ihn das Projekt faszinierte. Ob er daran glaubte oder nicht, war zur Nebensache geworden. Es füllte die Leere aus, die seit Lauras Tod sein ganzes Leben bestimmte. Es beendete die Lähmung und die Hilflosigkeit, die ihn seither befallen hatten. Die Hoffnung, den Täter zu erwischen, war nicht mehr das Einzige, was ihn am Leben hielt.

Am Ende dieses Abends, an dem er sich – immerhin mit annehmbarem Resultat – als Bauzeichner versucht hatte, steckte Knupp ihm einen Umschlag zu. Wie ein Pate seinem Patenkind einen kleinen Zustupf.

Noch bevor er seinen Hauseingang erreicht hatte, riss er das Kuvert auf. Es enthielt ein einziges Negativ in einer durchsichtigen Hülle.

Er scannte es und betrachtete das Resultat auf Lauras großem Bildschirm. Das Foto musste aus derselben Serie stammen wie das letzte, das Knupp ihm gegeben hatte: das bei den Briefkästen aufgebockte Moped, der Fahrer beim Haus. Aber hier war er der Kamera zugewandt.

Er war im Begriff, das Haus zu verlassen!

Der Ruck, mit dem Taler von Lauras Bürostuhl aufsprang, ließ diesen mit einem Knall gegen die Wand rollen. Er riss die Tür auf und begann, mit tief in den Hosentaschen vergrabenen Fäusten in der Wohnung herumzutigern.

Was bedeutete das? Wer hatte ihn eingelassen? Laura? Bestand eine Verbindung zwischen Laura und ihrem Mörder? Hatte sie ihn gekannt?

Er ging zurück zum Bildschirm.

Man sah das Gesicht. Er stand im Türrahmen, hielt mit der Rechten noch die Tür und fasste mit der Linken an das Visier, als wollte er es gerade runterklappen. Die Teile des Gesichts, die nicht von dem Integralhelm verdeckt waren – Augen, Nase und Oberlippe –, lagen zwar im Schatten der Verschalung, aber Taler konnte sie mit dem Bildverwaltungsprogramm so weit aufhellen, dass mehr zu erkennen war. Der Mann hatte einen breiten Nasenrücken und trug entweder einen Schnurr- oder Vollbart. Oder war einfach unrasiert. Er war dunkel- oder schwarzhaarig. Und eher jung.

Zum ersten Mal sah Taler auch die Windjacke von vorn. Es war wohl eine Army-Jacke mit Schulterpatten und vielen Taschen. Er trug sie offen, und man sah, dass er schlank war.

Er hatte Jeans an und ein beschriftetes Sweatshirt, man erkannte die Buchstaben A und W. Die Schuhe liefen spitz zu, und ihr Oberleder schien aus einem Stück zu sein. Stiefel oder Stiefeletten.

Das war zwar nicht viel, aber immerhin ergab es eine Personenbeschreibung: 20 bis 25 Jahre, dunkelhaarig, schlank, trug Integralhelm, Army-Jacke, Jeans, beschriftetes Sweatshirt und Stiefel oder Stiefeletten. Fuhr ein dunkles Moped der Marke Piaggio Ciao.

Die Größe? Klein war er nicht. Mittelgroß?

Taler ging zum Besenschrank und holte den Klappmeter aus dem Werkzeugkasten. Er eilte die Treppe hinunter zum Hauseingang und maß den Türrahmen.

»Guten Abend, Herr Taler.«

Es waren die Kellers vom ersten Stock. Taler hatte sie nicht kommen hören.

Er grüßte und ließ sie vorbei. Frau Keller roch nach einem schweren Parfum, das nicht so recht zu ihrem zarten, etwas unscheinbaren Äußeren passen wollte. Sie blickten auf sein Metermaß, kommentierten es aber nicht. Seit Taler regelmäßig mit Knupp bei mysteriösen Vermessungsarbeiten gesehen wurde, wunderten sich die Nachbarn über nichts mehr.

Die Höhe des Türrahmens betrug zwei Meter zehn. Taler maß den Mopedfahrer und verglich das Resultat mit der Höhe des Türstocks. Nach Abzug des Helms kam er auf fast einen Meter neunzig.

Er hängte das Foto an eine E-Mail, tippte die Personenbeschreibung als Nachricht dazu und adressierte sie an Marti.

Aber dann überlegte er es sich anders und löschte die Mail. Mit dieser Beschreibung, dachte er, kriege ich den selbst zu fassen.

Am nächsten Abend beendeten sie die Arbeit am Grundriss des Vorgartens und spannten für den Hintergarten ein neues Millimeterpapier auf das Zeichenbrett. Knupp konsultierte sein Notizbuch. »Ecke Geräteschuppen, Pfeiler Kompost, Plattenweg, Birke. Womit fangen wir an?«

»Mit der Birke«, schlug Taler vor. Ihre Krone überragte das Fenster des Vermessungszimmers und versperrte die Aussicht auf die Villa. »Wie hoch war sie denn vor zwanzig Jahren?«

Knupp zeigte auf eines der Fotos an der Wand. Taler ging näher heran. Es war eine Innenaufnahme. Das Stück einer Kommode war zu sehen, gegenüber ein Bettpfosten, in der Mitte ein Rosenstrauß in einer bauchigen Blumenvase auf einem Schreibtisch, der am Fenster stand. Beide Flügel standen offen. In der Unschärfe waren eine Baumkrone zu erkennen und eine Hausfassade zu erahnen.

Der Raum sah aus wie ein Zimmer in einer preisgünstigen Pension. Nach Bohnerwachs riechend und der Seife, die am Waschbeckenrand lag.

»Das war früher das Gästezimmer. Es ist leider das einzige Bild, das ich von der Birke habe.«

Taler studierte das Foto. »Auch damals schon ein großer Baum.«

»Kein Problem. In den Baumschulen findet man sie noch größer.«

Sie wandten sich wieder dem Zeichenbrett zu, Knupp nannte die Koordinaten, Taler trug sie ein.

»Erzählen Sie mir mehr von dem Mann auf dem Moped«, sagte Taler nebenbei. Als ginge es ihm darum, ein wenig Abwechslung in die Arbeit zu bringen.

»Da gibt's nicht viel zu erzählen. Er kam, klingelte, ging rein, kam wieder raus. Ende.«

»Von wann ist das Foto?«

»Ich würde sagen: März letzten Jahres.«

»Ich meinte eigentlich: genau.«

»Da muss ich nachsehen.«

»Danke.«

»Nachher. Wenn wir hier fertig sind. Sechsundvierzig Komma vier.«

Taler begann wieder zu zählen.

Als er zurück zu seiner Wohnung ging, sah er, dass im dritten Stock Licht brannte. Frau Feldter, die Flugbegleiterin, war zu Hause. Taler ging in seine Wohnung, holte die Ausdrucke der beiden Fotos mit dem Mopedfahrer und klingelte an ihrer Tür.

Es dauerte eine ganze Weile, bis er sah, wie sich der Türspion verdunkelte. Der Schlüssel wurde umgedreht und die Tür einen Spalt geöffnet.

Frau Feldter war offenbar schon im Bett gewesen. Sie trug einen Turban, und ihr Gesicht glänzte von einer nahrhaften Nachtcreme.

»Oh, verzeihen Sie, ich ahnte nicht ...«

»Ich dachte, es könne sich nur um etwas Dringendes handeln, um diese Zeit. Ich hoffe, das tut es.«

»Für mich schon. Es handelt sich um Lauras Tod. Immer noch.«

Sie öffnete die Tür. »Kommen Sie.«

Er trat ein. Sie schloss die Tür hinter ihm und blieb in der kleinen Diele stehen.

Frau Feldter trug einen bestickten Kimono, was ihr in Kombination mit der Nachtcreme etwas Geishahaftes verlieh. Auch die Gegenstände, die er von seinem Standort aus erkennen konnte, zeugten von ihrer Vorliebe für den asiatischen Lebensstil.

Er zeigte ihr die Fotos. »Ich muss herausfinden, wer das ist.«

»Moment.« Sie ließ ihn stehen. Als sie zurückkam, trug sie eine Brille, lächelte ihn verlegen an und nahm ihm die Fotos ab. »Ist das der …?«

Taler nickte grimmig. »Fast sicher.«

»Es ist natürlich schwierig, man sieht ja kaum etwas von ihm. Vielleicht hat er etwas gebracht oder abgeholt. Wissen Sie, wann das Foto gemacht wurde?«

»Am siebzehnten März, letztes Jahr. Einem Donnerstag.«

Diesmal ließ sie ihn etwas länger warten. Sie kam mit einem Computerausdruck zurück, der mit Leuchtstift markiert war. »Einsatzplan. Die hebe ich auf, seit ich diesen Job mache. Statt Tagebuch zu führen.« Sie fuhr mit ihrem roten Nagel eine Spalte herunter. »Da: fünfzehnter bis zwanzigster März – Sydney. Falls der zu mir wollte, hat er Pech gehabt. Die Fotos hat der Spanner von gegenüber gemacht, nicht wahr?«

»Ich glaube nicht, dass er ein Spanner ist. Aber es stimmt, er macht Fotos.«

»Ich weiß. Ein Freund von Ihnen?« Auch sie wusste Bescheid.

»Nicht gerade ein Freund. Ich helfe ihm ein bisschen. Er ist sehr allein.«

Taler bedankte sich und entschuldigte sich nochmals für die Störung.

»Nur weil Sie's waren«, antwortete sie. »Jedem öffne ich nicht um diese Zeit. Und in diesem Aufzug.«

Taler stand in der Finsternis des Dunkelkammervorraums. Die einzige Helligkeit kam von dem Licht, das durch das Negativ fiel. Es war zwischen zwei Gläser geklemmt und steckte in einer vierundzwanzig mal sechsunddreißig Millimeter kleinen Öffnung in einem viereckigen Kasten. Dieser war am Ende eines nach allen Seiten schwenkbaren Arms angeschweißt. Talers Aufgabe war es, diesen so lange zu kippen, heben, senken, drehen und sonst zu bewegen, bis die Projektion in der richtigen Position war und die Fixpunkte auf dem Bild mit denen auf dem Plan übereinstimmten.

In der Durchgangstür zur Dunkelkammer befand sich eine quadratische Öffnung, die mit einem dünnen schwarzen Blech verdeckt war, in dessen Mitte sich ein kleines Loch befand. Da mussten die Lichtstrahlen aus dem Negativ hindurch. Im nächsten Raum projizierten sie ein Bild auf das Millimeterpapier mit dem Gartengrundriss.

Dort drüben stand Knupp und rief Taler mit wachsender Gereiztheit seine Anweisungen zu: »Links, links, links, halt! Nach vorne kippen. Zu viel, zu viel. Nein, mehr.«

Taler wusste nicht, wie lange sie schon so herumprobierten, aber seine Hände wurden immer nervöser und waren schon bald so zittrig wie die des alten Mannes.

Das Negativ, das sie auf diese vorsintflutliche Art zu projizieren versuchten, stammte von dem legendären elften

Oktober neunzehneinundneunzig. Es war eine Ansicht des Gartens, und weil eine Camera obscura Bilder an die Wand warf, die von keinem Objektiv verfälscht waren, sollte es möglich sein, die Punkte auf dem Plan mit den Punkten auf dem Foto in Übereinstimmung zu bringen. Sobald dies gelungen war, konnte man alle Objekte des Fotos exakt auf den Plan übertragen, indem man ihre Konturen nachzog. Wenn man dann den gleichen Vorgang mit einer heutigen Fotografie vom gleichen Standpunkt aus wiederholte, hatte man die Veränderungen, die in den einundzwanzig Jahren geschehen waren. Erst danach konnte die Detailarbeit beginnen.

Doch zunächst musste es gelingen, das Negativ in die richtige Position zu manövrieren. »Ein Hauch nach oben. Nur ein Hauch. Zu viel! Viel zu viel! Ja, so. Stopp! Moment. Jetzt haben Sie wieder die Ebene verändert. Herrgott, ist denn das so schwer?«

»Dann machen Sie es doch selbst!«, giftete Taler zurück. Er nahm die Hände von dem improvisierten Projektor und schüttelte sie aus.

»Was ist?« Knupp klang besorgt.

»Ich sammle mich, verdammt nochmal.« Er holte tief Atem.

»Brauchen Sie eine Pause? Ein Bier? Ja, ein Bier, das macht die Hand ruhig. Mouchenwässerchen nennen wir Schützen es. Wissen Sie, was das ist, eine Mouche?«

Die Tür in der schwarzen Wand ging auf. Einen kurzen Moment erhellte die Projektion Knupps seltsames Gesicht mit dem von weißen Stoppeln umgebenen schwarzgefärbten Bärtchen.

»Eine Mouche ist ein Volltreffer. Mitten in die Mitte des Schwarzen. Darum Mouchenwässerchen.« Er knipste den Projektor aus und das Licht an. »Kommen Sie.«

Beim Bier im Wohnzimmer bemerkte Peter Taler: »Sie waren ein guter Schütze. All die Trophäen.«

»Lange ist's her.«

»Wann haben Sie das letzte Mal geschossen?«

Knupp hielt seine zitternden Hände in die Höhe. »Kurz vor dem da.«

»Wie lange haben Sie das schon?«

»Zwei Jahre oder so.«

Das Bier half. Talers Hand wurde ruhiger. Und er selbst etwas gleichgültiger. Es war nicht mehr so lebenswichtig, dass es gelang, und das machte das Gelingen einfacher.

Auch Knupp war entspannter. Seine Anweisungen hatten den gereizten Unterton verloren, was zu Talers Entspannung beitrug.

Bald hatten sie das Negativ in der gewünschten Stellung. Knupp öffnete vorsichtig die Tür, ließ seinen Gehilfen eintreten und schloss sie wieder.

Talers Augen gewöhnten sich an die Dunkelheit. Er erkannte die Umrisse des Negativs auf dem Millimeterpapier. Wie Knupp drängte er sich an die Wand der kleinen Dunkelkammer, damit sein eigener Schatten das Bild nicht störte.

Alles passte. Die Ecke der Steinplatte des Sitzplatzes lag auf der Markierung, die er eingezeichnet hatte. Die der Wäschestange stimmte auch überein. Und die von Sitzplatz, Zaun, Steingarten und Plattenweg auch.

Der Garten des elften Oktober neunzehnhunderteinundneunzig fügte sich exakt in den Grundriss, den er so mühevoll gezeichnet hatte.

»Sehen Sie da.« Knupp flüsterte. Als ob er das Bild stören könnte, wenn er laut sprach. Er deutete auf einen Strauch am Rand des Rasens. »Ein Liguster. Er ist kurz nach Marthas Tod eingegangen. Wurde erst braun, dann gelb, dann kahl. Ich hatte gehofft, er würde im nächsten Frühling wieder ausschlagen. Aber damit war nichts. Ich musste ihn ausgraben. Jetzt wissen wir ganz genau, wo er stand.«

Er zog sich aus dem Bild zurück, betrat es aber einen Augenblick später wieder. »Und hier, der Schlehdorn. Der stand also hier in der Hecke. Das wird nicht einfach werden, den zu pflanzen, wegen der Wurzeln des weißen Flieders. Und hier der Holunder. Aus seinen Blüten haben wir früher mit Wasser und Zucker eine Art Champagner gemacht. Einmal sind uns im Keller alle Flaschen explodiert.«

Bis spät in die Nacht übertrug Peter Taler unter den euphorischen Anweisungen des alten Mannes alle Pflanzen, Gartenmöbel und Gegenstände auf den Plan.

Als er kurz vor zwölf in die sternklare Nacht hinaustrat, war ihm, als trete er aus der Vergangenheit in die Gegenwart.

Der Nissan von Keller stand noch nicht auf seinem Platz, als Peter Taler am nächsten Abend von der Arbeit kam. Er parkte und blickte zu Knupps Haus hinüber. Er sah gerade noch, wie der Vorhang des Fensters von Knupps Arbeitszimmer zurückfiel. Taler holte die beiden Mopedfahrerbilder aus der Wohnung und klingelte im ersten Stock.

Frau Keller lächelte ihn reserviert an. »Ja, Herr Taler?«

»Guten Abend. Verzeihen Sie, ich störe nicht lange.«

Sie bat ihn nicht herein. Sie warf einen Blick Richtung Küche und wartete ab, was er ihr zu sagen hatte. Es roch nach Essen.

Taler hielt ihr die beiden Fotos hin. »Kennen Sie diesen Mann?«

Sie beugte sich lange über die Bilder und sagte dann: »Das könnte irgendwer sein. Man sieht ihn ja gar nicht.«

»Ich weiß. Aber wenn Sie ihn kennen würden, könnten Sie mir bestimmt sagen, wer es ist.«

»Weshalb müssen Sie es wissen?«

»Man hat den Täter noch immer nicht gefunden.«

»Und Sie glauben, das könnte er sein?« Sie lächelte ein wenig ungläubig.

»Ich weiß es nicht. Aber es ist eine Spur. Bis jetzt gab es nicht einmal Spuren.«

»Wie gesagt: Ich habe keine Ahnung, wer das sein könnte.« Sie sah wieder in Richtung Küche. »Bitte entschuldigen Sie mich, ich habe etwas auf dem Herd.«

»Natürlich. Verzeihen Sie. Schönen Abend.«

Sie wollte die Tür schon schließen, öffnete sie aber nochmals und fragte: »Woher ist das Foto?«

»Herr Knupp von gegenüber hat es gemacht.«

»Warum?«

»Hobby.«

Taler brachte die Fotos zurück in seine Wohnung. Die Neuen im Parterre brauchte er nicht zu fragen, aber Zeier, den früheren Nachbarn, der Laura gefunden hatte. Er würde Frau Gelphart nach seiner neuen Adresse fragen.

Er nahm eine Flasche Wein aus dem kleinen Gestell unter dem Küchenfenster – sein Beitrag zu dem Abendimbiss, den Knupp nun jeweils vorbereitete – und ging hinüber. Das Foto des Hintergartens wartete in der Camera obscura.

13

Es dauerte über zwei Wochen, bis Knupp und Taler alles kartiert hatten. Es handelte sich nicht nur um Knupps Vorder- und Hintergarten. Nach Knupps Theorie musste alles von der Grundstücksgrenze aus Sichtbare im Abstand von zwanzig Metern in den Zustand des Stichtages zurückversetzt werden. Das hieß, die zwanzig Meter des Hintergartens der Villa Latium; links und rechts die beiden Nachbarhäuser, also Gustav-Rautner-Weg siebenunddreißig mit dem verwahrlosten Spielplatz und die totalrenovierte Einundvierzig; schließlich vorne die Teerstraße mit den vier Parkplätzen sowie Zugang und Fassade der Nummer vierzig, wo Taler wohnte.

»Wie kommen Sie auf zwanzig Meter?«, wollte Taler wissen.

»Eine Annahme. Bei jeder Versuchsanlage muss man sich auf Annahmen festlegen«, lautete Knupps unbeirrbare Antwort.

Das seltsame Paar wurde ein vertrauter Anblick in den angrenzenden Nachbargärten, für deren Betreten Taler nach der ersten Erfahrung mit Frau Schalbert jedes Mal die Erlaubnis einholte.

Die Vermessungsarbeiten waren ihm immer noch lästig, aber er genoss die Stunden in der geheimnisvollen Camera obscura, in denen sie flüsternd die alten Fotos auf den neuen Plan übertrugen.

Die Rekonstruktion des Gartens der Villa Latium würde technisch keine besonderen Probleme bieten: Die meisten Pflanzen standen noch am selben Ort. Sie durch jüngere zu ersetzen war nur eine Frage des Geldes, und das schien für Knupp kein Problem zu sein.

Auch die Nummer siebenunddreißig der Scholters mit dem verlotterten Spielplatz verfügte über viele Fixpunkte, die sich in den vergangenen einundzwanzig Jahren nicht verändert hatten.

Aber das Haus einundvierzig, der aufgedonnerte Wohnsitz der Familie Hadlauber, war dafür ein umso größeres Problem: Außer der Substanz des Hauses war kaum ein Stein auf dem anderen geblieben. Der große, mit Platten ausgelegte Gartensitzplatz, der oberirdische Pool und eine Outdoor-Küche hatten die alten Fixpunkte ersetzt, und die meisten Pflanzen waren ausgetauscht worden. Knupp hatte sich bei der Vermessung nach langem Suchen für zwei Hausecken, einen Mirabellenbaum und die Graniteinfassung des Gartentors entschieden, die die neuen Besitzer aus unerfindlichen Gründen hatten stehen lassen.

Als Taler den Plan des Hadlauber-Grundstücks fertig hatte und all die Pflanzen sah, die neu gesetzt, und die Umbauten, die rückgängig gemacht werden mussten, wurde ihm wieder einmal die Unmöglichkeit des Vorhabens bewusst. »Und wie wollen Sie dafür die Einwilligung von Hadlauber bekommen?«, fragte er Knupp kopfschüttelnd.

»Die brauchen wir nicht. Das machen wir in den Herbstferien. Da sind die jedes Jahr in Kanada. Die Eltern der Frau leben dort.«

»Und danach? Wenn sie zurückkommen?«

»Egal. Dann ist der elfte Oktober vorbei.«

»Und wenn es nicht geklappt hat?«

»Dann ist es mir erst recht egal.«

Ende Juni konnten sie endlich mit der Einmessung der Pflanzen beginnen. Knupp hatte sich für sein altes Objektiv eine digitale Leica angeschafft, und Taler hatte Lauras Computer herübergebracht und im Vermessungszimmer aufgestellt.

An einem frühsommerlichen Wochenende begannen sie mit der Arbeit. Knupp hatte aus der großen Sammlung der Fotos vom elften Oktober eine Auswahl getroffen. Sie zeigte die Eibe in der Nähe des Hauseingangs, die immer schon früh im Schatten des Hauses lag.

Es ging darum, den Kamerastandort von damals herauszufinden. Sie hatten die Leica auf das Stativ montiert und versuchten, das Bild im Sucher mit dem auf dem alten Foto in Übereinstimmung zu bringen.

Der Vorgang war mindestens so kniffelig wie die Arbeit in der Camera obscura. Wenn die Fixpunkte am linken Bildrand stimmten, waren sie am rechten nicht richtig; wenn es unten aufging, war es oben verrutscht.

Sie hatten auf der Höhe des Stammes auf beiden Seiten des Buschs einen Fluchtstab aufgestellt, um für die Rekonstruktion einen Maßstab zu erhalten, und schossen Dutzende von Fotos.

Peter Taler lud die Ausbeute auf den Computer und sortierte die besten aus. Diese überlagerte er in Bernoullis Programm mit dem digitalisierten alten Bild, bis sie eines gefunden hatten, das genau passte. Auf diese Weise gingen sie auch mit den Fotos aus den anderen Himmelsrichtungen vor.

Es dämmerte schon, als sie endlich genau wussten, welche Form und Größe die Eibe damals besaß. Und ihnen bewusst wurde, wie viel Arbeit noch auf sie wartete.

Martha hatte an jenem Tag, als ihr Mann die Kamera testete, im Garten gearbeitet. Meistens winkte sie oder lachte ins Objektiv. Aber hie und da war sie im Bild, ohne auf die Kamera zu achten. Dann war ihr Gesicht von einer eigenartigen Entrücktheit, die so gar nicht zu ihren Faxen auf den anderen Bildern passte.

Knupp sprach mit nachsichtiger Zärtlichkeit von ihr, als hätte Peter sie auch gekannt. Und je länger dieser um ihre Fotos herum war, desto mehr kam es ihm vor, als sei sie eine alte, vorübergehend abwesende Bekannte.

Marthas Gegenwart machte auch Laura immer präsenter. Er hatte geglaubt, die Beschäftigung mit Knupps surrealem Projekt, die ihm kaum mehr Zeit ließ für die Rituale – das Spaghetti-Kochen, Amy-Winehouse-Hören oder Marlboro-Abbrennen –, würde ihn von Laura ablenken. Aber das Gegenteil war der Fall. Sie war ihm näher als zuvor.

Er ertappte sich wieder öfter dabei, dass er dachte: Das muss ich Laura erzählen, oder: Was wohl Laura dazu meint. Und wenn er sehr in eine Sache vertieft war, geschah es, dass er wieder dieses wohlige Gefühl verspürte, sie in der Nähe zu wissen.

Doch die Leere, in die er fiel, wenn er in der Wirklichkeit erwachte, war nicht mehr so bodenlos wie früher. Er musste sich eingestehen, dass Knupps unerschütterlicher Glaube an das Wiedersehen mit seiner Martha auch bei ihm zu wirken begann. Die Trennung von Laura fühlte sich für Peter nicht mehr so endgültig an.

André Zeier, sein früherer Nachbar, der Laura damals gefunden hatte, wollte ihn nicht in seiner neuen Wohnung empfangen. Peter Taler nahm an, dass dies etwas mit dem Geheimnis zu tun hatte, das ihm Frau Gelphart anvertraut hatte: Herr Zeier sei mit einem Mann zusammengezogen.

Sie trafen sich in einem Café in Bahnhofsnähe. Taler war etwas zu früh da. Er setzte sich in eine mit Nussbaumholz getäfelte Nische und bestellte einen Pfefferminztee. Es waren nur wenige Tische besetzt. Zwischen den mit Zimmerpflanzen geschmückten Raumtrennungen saßen zwei Schülerinnen, die gemeinsam Hausaufgaben machten, ein Mann mit einer Gratiszeitung und zwei Mütter mit Kinderwagen.

Zeier kam mit fünf Minuten Verspätung und entschuldigte sich, als wären es fünfzig. Er war ein kleiner, rundlicher Mann Ende vierzig. Das schüttere hellblonde Haar von damals hatte er wegrasiert, und er trug jetzt einen kleinen Schnurrbart. Aber er war immer noch der höfliche, zurückhaltende Mann, den Taler in Erinnerung hatte.

»Wie geht es Ihnen?«, erkundigte er sich, sobald er sich gesetzt hatte.

Die Frage war keine Floskel, deshalb beantwortete Taler sie aufrichtig: »Besser. In letzter Zeit etwas besser, danke.«

Erst jetzt, wo er es aussprach, wurde es ihm bewusst: Es ging ihm tatsächlich besser.

Zeier bestellte einen Kaffee, und bis er kam, unterhielten sie sich über das Haus, die neuen Mieter, die Liberalisierung der Waschküchenordnung und Frau Gelphart, die auch Putzfrau bei Zeier gewesen war. Von ihr wusste er bereits, dass Taler sich mit Knupp angefreundet hatte.

»Er ist ein überraschend interessanter Mensch«, sagte Taler, »und wir sind in einer ähnlichen Situation.«

»Wenn auch mit vielen Jahren Abstand«, ergänzte Zeier.

»Es geht nicht weg.«

»Natürlich nicht. Entschuldigen Sie.«

Taler zeigte ihm die Fotos des Mopedfahrers. Zeier hatte ihn noch nie gesehen. »Sie glauben, er hat etwas damit zu tun?«

»Haben Sie von dem anderen Fall gelesen, letzten Monat?«

Zeier nickte ernst.

»Da wurde zur Tatzeit ein Moped mit laufendem Motor gesehen.«

»Und was sagt die Polizei?«

Taler winkte angewidert ab.

Zeier studierte immer noch die Fotos.

»Jemand hat ihn hereingelassen, so viel ist sicher.«

»Das habe ich auch schon getan. Jemand hat geklingelt und gesagt, er habe was abzugeben für Frau Feldter. Da habe ich aufgedrückt. Mehr als einmal.«

»Ich auch.«

Die Erfassung der Pflanzen wurde bald zur Routine. Immer weniger Versuche wurden erforderlich, bis ihnen übereinstimmende Fotos gelangen, und Peter Taler gewann Übung im Umgang mit der Software.

Knupp wurde milder im Umgang mit seinem Gehilfen. Taler führte es darauf zurück, dass er sich die ganze Zeit in der Harmonie jenes fernen Tages bewegte, als noch alles gut war.

Sie kamen entsprechend schnell voran. Der Inhalt des Dossiers mit den genau dokumentierten und vermessenen Pflanzen war auf über zwanzig Positionen angewachsen. »Es wird langsam Zeit, mit Wertinger zu reden«, sagte Knupp.

Garten Wertinger war eine Großgärtnerei weit außerhalb der Stadt. Taler hatte sich einen Nachmittag freigenommen, um dem Ansturm der Hobbygärtner am Samstag auszuweichen.

Die Fahrt in Talers Citroën führte sie, an den Vororten vorbei über ein Stück Autobahn und durch von Wohnsiedlungen umstellte Dörfer, nach Feldrieden: zwei Selbstpflückanlagen für Erdbeeren und Blumen, eine Werkhalle für Blechverarbeitung, ein Verkaufsareal für Hochsilos, eine Vertretung für Landwirtschaftsfahrzeuge, ein paar alte und viele neue Häuser und ein Schild »Garten Wertinger – Gärtnerei und Baumschule 300 m«.

Taler stellte den Wagen auf dem fast leeren Kundenparkplatz ab. Knupp, der sich auskannte, ging voraus zum Büro, einem hellgrauen Baucontainer.

»Ist der Junior da?«, fragte er die junge Frau am Computer. »Knupp und Taler. Wir sind angemeldet.«

Wertinger junior war ein großer rothaariger Mann um die vierzig. Er begrüßte Knupp wie einen alten Bekannten und führte sie in ein kleines Büro, in dem es nach Stumpen roch. Zwei Schreibtische standen sich gegenüber. Auf dem einen stand ein Laptop, auf dem anderen ein voller Aschenbecher. Auf beiden häuften sich Papiere. Wertinger zog zwei Stühle heran und setzte sich an den Tisch mit dem Laptop.

»Wie schon am Telefon erwähnt: Es handelt sich um ein größeres, etwas spezielles Projekt«, begann Knupp.

Wertinger hörte zu, ohne zu unterbrechen. Auch als Knupp geendet hatte, schien er sich über den seltsamen Auftrag nicht zu wundern. Er blätterte durch die Beschreibungen der Pflanzen, machte sich Notizen und erkundigte sich zum Schluss: »Kann ich das behalten?«

»Wir haben Kopien.« Es war das erste Mal, dass Taler den Mund aufmachte. »Ich werde laufend Beschreibungen per Mail nachliefern.«

»Das eine oder andere finden wir wohl bei uns. Aber das meiste muss ich woanders suchen. Sehr aufwendig.«

Knupp fasste in seine Innentasche und zog ein gelbes Kuvert heraus. Es enthielt fünf Tausender, die er auf den Schreibtisch zählte. »Als Anzahlung. Für Ihren Aufwand.«

Nach der Besprechung machte Wertinger mit ihnen einen Rundgang durch die Baumschule. Sie nahmen die Parade ab von Bäumen, Sträuchern und Büschen in allen Größen und Altersklassen. Der Gärtner verglich die Angaben im Ordner mit den Pflanzen und markierte die eine oder andere, die in Frage kam, mit einem gelben Etikett, auf das er mit wasserfestem Filzstift »Knupp« schrieb.

Gegen Ende der Führung stießen sie auf einen kleinen

Liguster, der dem an Knupps Gartentor vor einundzwanzig Jahren zum Verwechseln ähnlich sah. Form und Größe stimmten. Und da er in Talers Wagen passte, wenn Knupp hinten saß und der Beifahrersitz vorgeschoben wurde, nahmen sie ihn gleich mit.

»Die verstehen ihr Handwerk«, sagte Knupp auf dem Rücksitz. »Haben schon die Apfelbäume gemacht.«

»Und woher haben Sie das viele Geld?«

»Die fünftausend?«

»Nein, das, was es noch kosten wird.«

»Habe ich nicht.«

»Und wie wollen Sie es bezahlen?«

»Machen Sie sich darüber keine Sorgen.«

Sie fuhren schweigend weiter, bis Taler feststellte: »Sie ziehen also diese riesige Sache auf, haben aber nicht das Geld, sie zu bezahlen.«

»Wir werden es schon irgendwie auftreiben.«

»Wir?«

»Sie sind mein Gehilfe.«

»Und wenn sich das Geld nicht auftreiben lässt?«

»Dann«, seufzte der alte Mann, »dann war alles für die Katz.«

Die restliche Fahrt über schwiegen sie.

Am nächsten Morgen meldeten die Zeitungen, dass im Fall der jungen im Vorgarten ihrer Eltern erschossenen Frau ein Durchbruch gelungen war. Der mutmaßliche Täter sei verhaftet. Es handle sich um einen Arbeitskollegen. Ein Beziehungsdelikt. Der Täter sei tot in seiner Wohnung aufgefunden worden. Er habe ein schriftliches Geständnis hinterlassen.

Peter Taler saß einen Moment lang wie betäubt am Frühstückstisch. Dann rief er Marti an.

»Ich hätte Sie auch angerufen«, behauptete der Wachtmeister. »Die kannten sich. Kein Moped involviert.«

Täuschte er sich, oder klang es ein wenig ironisch?

Marti fuhr fort: »Er ist ihr nachgestiegen, sie wollte nichts von ihm wissen, peng! So banal.«

»So banal«, wiederholte Taler. »Und *unser* Mopedfahrer? Haben Sie etwas herausgefunden?«

»Wir können ihn nicht identifizieren. Wir können nicht einmal sagen, ob es sich bei beiden Fotos um dasselbe Fahrzeug handelt. Sackgasse.«

Einen Augenblick war Peter versucht, Marti zu verraten, dass der Mann im Haus gewesen war. Aber dann hielt er es für besser, seine einzige Spur nicht an die Polizei zu verschwenden.

Wieder einmal versicherten sie einander, dass sie sich auf dem Laufenden halten würden, und legten auf.

Doch der Mann mit dem Moped ließ ihm keine Ruhe. Mitten in einer Bildüberlagerung unterbrach er die Arbeit und holte die beiden Mopedfahrerfotos auf den Bildschirm. Den Mann von hinten bei den Klingeln und den von vorne in der Tür.

Es ging ihm genau wie damals, als er auf den Gustav-Rautner-Weg und Knupps Garten hinunterstarrte: Etwas war anders, aber er wusste nicht, was.

Er verfuhr mit den beiden Fotos gleich wie mit den alten

und den neuen Gartenbildern: Er lud sie in das Fotoprogramm und überlagerte sie.

Das Licht war anders.

Die Schatten stimmten nicht überein. Auf dem ersten Bild zeigten die der Briefkästen und der drei immergrünen Büsche am Rand des Plattenwegs nach Westen. Es war Vormittag.

Auf dem zweiten Foto waren sie kürzer, und auch ihr Winkel hatte sich verändert.

Der Mopedfahrer warf beim Verlassen des Hauses kaum mehr einen Schatten.

Plötzlich war Taler klar, was das bedeutete: Es musste kurz vor Mittag sein.

Das hieß, die Fotos waren zu verschiedenen Zeitpunkten gemacht worden. Der Mopedfahrer war mehrmals gekommen.

Er wollte gerade Knupp fragen, ob die Fotos möglicherweise an unterschiedlichen Tagen entstanden waren, als er die Antwort selbst fand: Das Moped war deckungsgleich. Es war auf dem ersten Foto exakt gleich geparkt wie auf dem zweiten.

In der ganzen Zeit, in der die Schatten wanderten, hatte niemand das Moped bewegt.

Sein Fahrer war stundenlang im Haus geblieben.

Taler verließ wortlos seinen Arbeitsplatz.

Knupp, der ihm gegenübersaß und Referenzfotos für die nächsten Kamerastandortbestimmungen heraussuchte, sah nur flüchtig auf. Erst als er seinen Gehilfen vom Garten her rufen hörte, ließ er seine Arbeit liegen und blickte hinaus.

Taler stand bei einem der Apfelbäume. Er hatte die große Baumschere an ihren langen Griffen gepackt und hielt sie an einen der Äste. Knupp eilte in den Garten, so rasch er konnte.

»Verrückt geworden?!«, schrie er und hinkte auf ihn zu.

»Stehenbleiben, oder ich schneide!« Er setzte die Schere an.

Der Alte stoppte.

»Ich werde diesen Ast jetzt kappen.« Talers Stimme war ganz ruhig.

»Tun Sie das nicht.« Auch Knupp hatte sich wieder im Griff. »Sie setzen alles aufs Spiel.«

Taler machte keine Anstalten, die Baumschere zu senken.

»Seien Sie doch vernünftig.«

Taler zeigte keine Reaktion.

»Es ist ja auch Ihre Arbeit, die Sie zunichtemachen.«

Keine Reaktion.

»Und auch Ihre Hoffnung.«

Endlich sprach Peter Taler: »Erzählen Sie mir alles über den Mopedfahrer.«

»Das habe ich doch schon.« Knupps Stimme klang etwas weinerlich. »Er ging rein und kam wieder raus und fuhr weg.«

»Und wie lange blieb er?«

»Das weiß ich doch nicht mehr.«

»Aber ich. Er blieb ein paar Stunden. Man sieht es an den Schatten.«

Knupp sagte nichts.

»Sie übergeben mir jetzt das ganze Material zu dem Mopedfahrer. Ich will alles aufs Mal. Jetzt!«

Knupp zögerte.

»Jetzt.« Taler bewegte die Baumschere ein wenig. Der Ast bewegte sich.

»Ich muss es zusammensuchen.«

»Quatsch. Das haben Sie längst getan.«

Noch immer stand Knupp unentschlossen im Gras.

»Eins – zwei – drei …«

Da setzte sich der alte Mann in Bewegung. Er verschwand im Hauseingang.

Taler wartete. Auf einmal kam er sich lächerlich vor mit der theatralisch erhobenen Baumschere unter dem Apfelbaum. Er ließ sie sinken und ging zur Haustür.

Im Windfang kam ihm Knupp entgegen. Er versuchte zu verbergen, dass er sich beeilt hatte und nun etwas außer Atem war, damit Taler nicht erriet, wo er die Fotos versteckt hatte.

Knupp hatte einen Umschlag bei sich. Taler streckte die Hand danach aus, aber der Alte warf einen Blick auf die Baumschere und drängte sich an ihm vorbei in den Garten. Erst als er sich versichert hatte, dass der Apfelbaum noch intakt war, überreichte er ihm das Kuvert.

Taler nahm es ihm ab und ging wortlos in das Vermessungszimmer.

Der Umschlag enthielt eine transparente Hülle mit den Negativen eines ganzen Films. Taler erkannte rasch, dass es sich um eine einzige Sequenz handelte. Dieselbe, von der er bereits zwei Bilder hatte. Das vom Mopedfahrer von hinten, und das von diesem von vorne. Das erste fehlte am Anfang des Streifens, das zweite am Schluss. Dazwischen lag eine ganze Reihe gleicher Aufnahmen. Jede zeigte den Hauseingang und das Moped.

Taler scannte den ganzen Film ein. Es gab am Anfang zwei weitere Bilder des Mannes von hinten und eines, das ihn beim Betreten des Hauses zeigte. Keines gab mehr von ihm preis als das, welches Taler schon hatte. Am Schluss des Streifens befand sich ein Abschnitt, der den Mann von vorne zeigte. Aber das Helmvisier war schon zugeklappt, und er war dabei, den Reißverschluss der Army-Jacke hochzuziehen. Von der Schrift auf dem Sweatshirt war überhaupt nichts mehr zu erkennen.

»Und Sie sind ganz sicher, dass dies das ganze Material über den Mopedfahrer ist?«

»Ganz sicher.«

»Und was wissen Sie über ihn?«

»Nichts.«

»Weshalb haben Sie ihn denn fotografiert?«

»Das wissen Sie doch. Im Rahmen meines Experiments. Ich habe fotografiert und fotografiert und fotografiert. Auf diese Weise ist auch das zeitfreie Foto von Laura entstanden.«

Taler sah noch einmal die ganze Serie genau durch. Diesmal konzentrierte er sich auf die Fenster der Wohnungen. Nichts zu entdecken. Ein ausgestorbenes Mehrfamilienhaus an einem gewöhnlichen Dienstag im Mai.

Er wollte gerade wieder seine Arbeit von vorhin aufnehmen, als er das Gefühl hatte, in einem der Fenster eine Gestalt zu sehen. Er vergrößerte das Bild bis zum Maximum. Es war ein Schattenriss. Eine Kontur. Eine festgehaltene

Bewegung. Nichts Definierbares. Aber ein Hinweis, dass in jener Wohnung jemand zu Hause gewesen war.

Es war seine Wohnung.

14

Nicht zum ersten Mal in seinem Leben empfand er Eifersucht. Und auch beim letzten Mal war Laura der Anlass dafür gewesen. Es lag neun Jahre zurück und hatte sich am Anfang ihrer Beziehung ereignet.

Peter hatte Laura bei einer After-Work-Party kennengelernt. Das war damals neu, ein Arbeitskollege hatte ihn überredet, ihn zu begleiten. Die Gäste kamen direkt von ihrer Arbeit in Banken, Werbeagenturen, Anwaltskanzleien oder Versicherungen, tranken, schwatzten, tanzten oder bandelten auf andere Art an. Peter hatte sich nicht wohl gefühlt und war schon entschlossen zu gehen, als ihn Laura ansprach. »Ziemlich spießig«, stellte sie fest.

Er war überrascht gewesen. Darüber, dass eine so hübsche Frau ihn ansprach, und darüber, dass man den Anlass spießig finden konnte. Er fand ihn eher etwas versnobt und elitär und fühlte sich deswegen fehl am Platz. Mit spießig konnte er umgehen, er war es selbst ein wenig. »Wieso spießig?«, wollte er wissen.

»After-Work-Partys wurden für Spießer erfunden: Man kann Party machen und kommt trotzdem früh genug ins Bett, um am nächsten Tag ausgeschlafen und rechtzeitig im Büro zu sein.«

Taler lud sie zu einem Drink ein, und sie amüsierten sich

damit, über den Anlass zu lästern. Wie die anderen Gäste auch.

Als sie gegen acht den Club verließen, war es wieder Laura, die die Initiative ergriff. »Wollen wir was essen?«, fragte sie. Sie gingen in eine Spaghetteria in der Nähe.

Beim Dessert sagte sie: »Das ist unsere zweite Verabredung.«

»Wieso?«

»Die erste war, als du mich zu einem Drink eingeladen hast. Die zweite ist jetzt, diese Einladung zum Abendessen.«

Taler zuckte mit den Schultern. »Wenn du Wert darauf legst.«

»Sehr sogar. Ich gehe nie bei der ersten Verabredung mit jemandem ins Bett.«

Von da an trafen sie sich fast jeden Tag, mal bei ihr, mal bei ihm. Bis er merkte, dass es noch einen anderen gab. Einen, für den sie kurzfristig Verabredungen absagte oder an gewissen Wochenenden auf Abruf zur Verfügung stand.

Zuerst war es nur ein Verdacht gewesen. Als dieser sich nicht verscheuchen ließ, stellte er sie nicht zur Rede, sondern begann, ihr nachzuspionieren. Er brauchte keine großen kriminalistischen Fähigkeiten. Jedes Mal, wenn sie unter dem Vorwand einer familiären oder beruflichen Verpflichtung verhindert war und er von seinem Auto aus ihre Wohnung beobachtete, fand er Hinweise, dass sie zu Hause war. Er sah Licht in ihren Fenstern an Abenden, an denen sie angeblich Überstunden machen musste, und ihr Auto in der Tiefgarage an Sonntagen, an denen sie zu ihren Eltern aufs Land gefahren war.

Er suchte nach einer Möglichkeit, sie zur Rede zu stellen,

ohne dass sie merkte, dass er ihr nachspionierte. Schließlich entschied er sich dafür, einfach bei ihr zu klingeln. Sie antwortete beim zweiten Mal. »Ja?«

»Ich bin zufällig vorbeigefahren und habe Licht gesehen«, sagte er.

»Das geht jetzt nicht«, sagte sie, »ich habe Besuch.« Vielleicht hatte sie es nicht so kalt gesagt, wie es in der rauschenden Gegensprechanlage geklungen hatte. »Okay, tschüss«, stieß er hervor, fuhr nach Hause und betrank sich.

Am nächsten Tag trafen sie sich in einem Bahnhofsimbiss, wie zwei flüchtige Bekannte. Sie war es, die ihn angerufen, und er, der den Treffpunkt vorgeschlagen hatte. Laura unternahm keinen Versuch, ihm etwas vorzumachen. Sie erzählte, dass sie eine langjährige Beziehung mit einem verheirateten Mann habe. »Es ist vorbei, aber er will es nicht wahrhaben.«

»Weiß er von mir?«, hatte er gefragt.

»Er ahnt es.«

»Weshalb sagst du es ihm nicht?«

»Ich bringe es nicht übers Herz. Er war meine erste Liebe. Er ist wie ein Vater.«

»Und wann«, fragte Taler, »gedenkst du, es ihm beizubringen?«

»Ich brauche noch etwas Zeit. Nicht viel, aber etwas. Verstehst du?«

Taler verstand nicht und war auch nicht bereit, ihr diese Zeit zu geben. Sie hörten auf, sich zu treffen.

Nach einem halben Jahr rief Laura ihn an und fragte, ob er nicht mehr zu After-Work-Partys gehe. Noch im selben Jahr waren sie zusammengezogen.

In dieser Zeit hatte er etwas über Eifersucht begriffen: Obwohl sie weiß, dass die Gewissheit viel verheerender ist als der Verdacht, ruht sie doch nicht, bis sie Gewissheit hat.

So ging es ihm jetzt wieder. Über ein Jahr nach Lauras Tod. Der Verdacht, sie könnte ihn mit ihrem Mörder betrogen haben, beherrschte ab sofort sein ganzes Denken.

Wer war der Mann mit dem Moped? Woher kannte sie ihn? Wie lange kannte sie ihn? Wie standen sie zueinander? War der Mord an ihr ein Verbrechen aus Leidenschaft?

Der Gedanke machte ihn rasend eifersüchtig auf diese Leidenschaft.

An diesem Nachmittag hatte sich das Gefühl, mit dem er an Laura zurückdachte, verändert. Er spürte nicht mehr das Bedürfnis, ihre Leibspeisen zu kochen, ihr Parfum zu versprühen, ihre Zigaretten abzubrennen, ihre Musik zu spielen. Er wollte die Illusion, sie wäre noch da, nicht beschwören, solange ihre Beziehung zu dem Mopedmann nicht geklärt war. Und damit die zu ihm.

Noch am gleichen Abend begann er, in ihren Sachen nach Spuren zu suchen. Die Polizei hatte zwar alles nach Hinweisen auf ein Beziehungsdelikt abgesucht, aber weil Taler diese Möglichkeit nie in Betracht gezogen hatte, war er keine große Hilfe gewesen.

Aber jetzt, mit diesem Verdacht im Kopf, sah es anders aus. Er wusste, wonach er suchte, kannte Laura und würde sofort stutzig werden, wenn etwas nicht ins Bild passte.

Als Erstes nahm er sich ihren Kalender vor. Er hatte ihn zwar im Rahmen der Ermittlungen mit einem Beamten durchgeblättert und da und dort weitergeholfen bei Namen oder Telefonnummern. Aber er hatte es mit einer gewissen Scheu getan. Sie hatten sich zwar bei ihrem Entschluss, ein Paar zu werden, versprochen, keine Geheimnisse voreinander zu haben. Dennoch gab es in beider Leben Bereiche, die sie gegenseitig respektierten. Lauras privater Kalender war für ihn ein solcher Bereich.

Doch jetzt ging er ohne Zögern zur Garderobe, öffnete ihre Handtasche, die sie bei ihrem Tod dabeigehabt hatte und die seither dort auf der Ablage stand, und nahm ihren in hellgrünes Leder gebundenen Kalender heraus. Er setzte sich damit ins Wohnzimmer und schlug ihn auf.

Der erste Eintrag war am sechsten Januar. Er lautete »Xema«. So hieß ihr Coiffeur. Dann folgte »Barba, Lunch«. Barba war ihre Freundin Barbara Vollger. Dann folgten eine Reihe »P« für Periode, ein Eintrag »Geb. Mama« und einer »Pass verläng.!«. Der letzte Eintrag hieß »DH«, was nichts Geheimnisvolleres bedeutete als Dentalhygiene. Geschäftliche Einträge fehlten, ihren Geschäftskalender führte sie im Computer.

Der Februar sah ganz ähnlich aus. Ein paar Verabredungen zum Essen, ein paar Gedächtnisstützen, die obligate Reihe der »P« und zweimal »Arosa«, mit einem langen roten Strich verbunden. Ihre Woche Winterferien im letzten Jahr.

Im März tauchten Zahlen auf. Die erste: »55!!!« Zwei Tage später »54,7«, danach »54,4«, dann »54,5!!!« und so weiter bis »52,9«. Es war das Protokoll einer ihrer Blitzdiäten, mit denen sie sich bestrafte, wenn sie ihr persönliches Limit von fünfundfünfzig Kilo erreicht hatte.

Auch kleine, von ihrer Grafikerhand gekonnt gezeichnete Symbole tauchten jetzt auf. Regentropfen, Sonnen, Herzchen, Totenköpfe, Weinflaschen und manchmal auch ein kleines Feuerwerk. Peter nahm an, dass es Kommentare zu ihrem Alltag waren. Zum Wetter, zur Stimmungslage, zum Weinkonsum oder zum Sex, den sie zusammen hatten.

Die Initialen, die vorkamen, konnte er alle identifizieren. Es handelte sich um Freunde oder Arbeitskollegen, mit denen sie verabredet war oder auf die sich ein Herz oder ein Totenkopf bezog. Aber im April tauchte das »K« auf. Er konnte es niemandem zuordnen. »K?«, lautete der erste Eintrag. Der zweite: »K«. Und der letzte, am zehnten Mai, kurz vor ihrem Tod: »K!« Und daneben ein größeres Feuerwerk. Das größte im ganzen Büchlein.

War K der Mopedfahrer? Und das Feuerwerk?

Taler verstaute den Kalender wieder in der Handtasche.

Es hatte ihn einige Überredungskunst gekostet, bis Barbara einwilligte, ihn zu treffen. Sie sei schon verabredet, hatte sie behauptet. Doch er hatte insistiert. Es sei dringend. Aber nicht zum Essen, nur zum Kaffee, hatte sie schließlich gesagt.

Sie trafen sich im Schnellimbiss eines Warenhauses. Wieder musste Taler fast zwanzig Minuten warten und den freien Barhocker neben sich verteidigen. Als Barbara endlich kam, tat sie das mit der Ankündigung, dass sie eigentlich schon wieder weg sein müsste. Er solle gleich zur Sache kommen.

»Hatte Laura einen Liebhaber?«

Barbara sah ihn überrascht an. »*Das* ist also so furchtbar dringend?«

»Es ist dringend.«

»Männer. Eifersüchtig bis über das Grab hinaus.« Barbara schüttelte den Kopf. »Laura ist tot, Peter.«

»Und ich will wissen, wer sie umgebracht hat. Vielleicht war es ihr Liebhaber. Vielleicht wollte sie ihn loswerden.« Er dämpfte die Stimme, die beiden Frauen neben ihnen hatten ihr Gespräch unterbrochen, und die, die am nächsten saß, sah zu ihnen herüber. »Das hat nichts mit Eifersucht zu tun. Nur damit, dass es vielleicht ein Beziehungsdelikt war.«

Er schob die beiden Espressotassen etwas zur Seite und legte die Fotos auf die Theke. »Hast du eine Ahnung, wer das ist?«

Barbara sah sich die Bilder mit der gleichen Ratlosigkeit an wie alle vor ihr. »Selbst wenn ich ihn kennen würde, erkennen könnte ich ihn darauf nicht.«

Peter steckte die Fotos wieder ein. »Hatte sie einen Liebhaber oder nicht? Freundinnen erzählen sich solche Dinge.«

»Mir hat sie nichts in dieser Art erzählt.«

Taler musterte sie misstrauisch. Sie saß kerzengerade auf ihrem Barstuhl und sah ihn herausfordernd an.

»Und wenn«, sagte er, »dann würdest du sie nicht verraten.«

Barbara antwortete nicht.

»Selbst wenn du damit ihren Mörder schützen würdest.«

»Der Mörder«, stieß sie verächtlich hervor. »Glaubst du, sie wird wieder lebendig, wenn du ihn findest?«

»Vielleicht.«

»Macht nichts, gehen Sie nur durch. Ich habe Sie nicht um diese Zeit erwartet.«

Peter Taler ging auf Zehenspitzen über die nasse Diele zum Wohnzimmer und wartete. Er war extra früher nach Hause gekommen, um Frau Gelphart zu begegnen und sie über den Mopedfahrer ausfragen zu können.

Alles war noch schlimmer geworden: Er hatte im Geschäftskalender nachgesehen und festgestellt, dass er an jenem zehnten Mai, dem Tag des Mopedfahrerbesuchs, den ganzen Tag nicht im Büro gewesen war. Seine Tätigkeit war zwar nicht mit vielen Reisen verbunden, aber ab und zu wurde er in eine der drei Niederlassungen geschickt, um die Finanzabteilung zu verstärken. An jenem Tag war es die Filiale in Bern gewesen.

Auch wenn es ihm schwerfiel, es zu glauben, es sah ganz nach dem alten Klischee aus: Der Mann ist auf Geschäftsreise, und die Frau veranstaltet mit ihrem Liebhaber zu Hause kleine Feuerwerke fürs Tagebuch.

Frau Gelphart arbeitete wortlos im Vestibül. Früher hätte sie dabei mit ihm gesprochen, aber in letzter Zeit war sie etwas distanziert geworden. Peter vermutete, es habe mit seiner Freundschaft zu Knupp zu tun.

»Wenn Sie einen Moment Zeit hätten – ich habe da eine Frage«, rief er nach einer Weile.

»Moment!«, antwortete sie und ließ ihn noch ein paar Minuten warten.

Taler zeigte ihr die Fotos mit dem Mopedfahrer. »Haben Sie den schon einmal gesehen?«

Sie sah sich die Bilder an. »Genau kann ich es nicht sagen. Aber in der Dreiundvierzig, in dieser WG, da fuhr früher einer so ein Ding.«

»Wann, früher?«

»Bis vor einem Jahr oder so. Jetzt fährt er Fahrrad wie die anderen. Was vom Moped übriggeblieben ist, können Sie im Fahrradunterstand besichtigen.«

Kaum war Frau Gelphart gegangen, stieg er ins Auto und fuhr langsam an der Nummer dreiundvierzig vorbei. Das Haus glich dem von Knupp. Nur der Garten war weniger gepflegt, und von der Wäschestange zur Hecke waren bunte Glühbirnen gespannt. Darunter standen zwei zusammenklappbare Biertische und Bänke.

Er hielt an, stieg aus, öffnete den Kofferraum, tat, als suche er etwas, und linste zum Fahrradunterstand hinüber.

Zwei Räder standen dort. Und die Überreste eines Mopeds. Die Gabel war gebrochen, das Vorderrad hoffnungslos verbogen und der Benzintank zerbeult.

Aber auf dem verformten Kettenschutz war der Schriftzug *ciao* zu erkennen.

Als er Knupps Gartentor öffnete, war der Alte gerade dabei, die dreifarbige Katze zu verscheuchen. »Scheißvieh!«, stieß er hervor.

»Weshalb füttern Sie manche Katzen und verscheuchen andere?«, fragte Taler.

»Ich verscheuche nur die dreifarbige. Martha mochte keine dreifarbigen Katzen. Sie sagte, die bringen Unglück.«

»Ich dachte, Glück?«

»So heißt es. Aber Martha hat leider recht behalten.«

Sie machten sich an die Pflanzung des neuen Ligusters.

Anhand der alten und neuen Referenzfotos war es eine Sache von einer halben Stunde, seinen früheren Standort exakt zu bestimmen. Nur das Ausheben des Pflanzlochs war ein Problem. Die Rasenziegel, die Taler ausstechen musste, um die Narbe wieder zu verdecken, fielen auseinander, der Boden war hart und trocken.

»In Nummer dreiundvierzig wohnt einer, der ein solches Moped fuhr«, sagte Taler in einer Verschnaufpause.

»Da gehen viele ein und aus.«

Mehr Worte verloren sie über das Thema nicht. Knupp hatte andere Sorgen. Zum Beispiel die Autos auf dem Parkplatz.

Es waren drei, die am elften Oktober einundneunzig dort geparkt waren. Ihre Standorte hatten sie bereits ausgemessen, aber das Thema ihrer Wiederbeschaffung bisher vermieden. Jetzt, nachdem der Liguster gepflanzt war und das Foto, das sie zur Nachkontrolle gemacht hatten, mit dem ursprünglichen übereinstimmte, schnitt Knupp es an. Bei dem kalten Imbiss, der zu ihrem Standardabendessen geworden war, kam er darauf zu sprechen.

»Die Farben sind das Problem. Die Modelle kann man herausfinden, aber die Farben? Ich erinnere mich noch an die Namen der Besitzer. Aber keine Ahnung, wo die heute sind. Oder ob sie überhaupt noch leben.« Er schob ein paar der Schwarzweißfotos, auf denen die Autos zu sehen waren, über den Tisch.

Peter Taler sah sie durch.

»Der Volvo gehörte Sennbergers. Der Sportwagen Santo, die Besitzer des dritten hießen Rauhstein, oder Raubstein oder so ähnlich. Wissen Sie, was das dritte für ein Auto ist?«

Taler schüttelte den Kopf. »An die Vornamen erinnern Sie sich nicht?«

»Der mit dem Volvo war Doktor. Doktor Sennberger.

Aber was für ein Doktor, weiß ich nicht. Hatten zwei Kinder, Zwillinge. Martha hatte ein wenig Kontakt mit der Familie.«

»Schwierig«, sagte Taler und kehrte in Gedanken wieder zu dem Mopedfahrer zurück.

Aber für Knupp war das Thema noch nicht abgeschlossen. »Können Sie versuchen, etwas herauszufinden? Telefonnummern? Automarken?«

Taler nahm eines der Fotos, steckte es ein und stand auf.

»Schon?«

»Ich habe noch was vor.«

»Ich weiß schon, der Mopedfahrer.«

Die Straßenbeleuchtung war eingeschaltet, und in den Fenstern brannten schon ein paar Lichter. Familie Hadlauber hatte Besuch. Man hatte draußen gegrillt und unterhielt sich jetzt im Halbdunkel mit gedämpfter Stimme, satt und zufrieden. Peter Taler grüßte freundlich hinüber.

Er schlenderte gemächlich am Zaun vorbei und an der Garage mit dem fernbedienten Tor. Ein Quartierbewohner bei einem Spaziergang an einem lauen Abend.

Aus dem Haus der WG drang Musik. Die Fenster des Raumes, der bei Knupp das Wohnzimmer war, waren weit geöffnet. Er sah niemanden.

Er blieb stehen. Das Musikstück ging zu Ende, und in der Pause bis zum nächsten hörte er Stimmen und ein kurzes Auflachen. Noch immer stand er da.

»Guten Abend.«

Taler erschrak. Die Stimme kam von der Fassade unter dem Fenster. Dort stand eine Gartenbank, und darauf saß ein Mann und rauchte. »Guten Abend«, antwortete Peter. Und als der andere nichts entgegnete, fügte er hinzu: »Ich wohne hier. Also dort.« Er zeigte in die Richtung seiner Wohnung.

Der Mann erhob sich und kam auf ihn zu. Er befand sich jetzt im Gegenlicht des erleuchteten Fensters, sein Gesicht war nicht zu erkennen.

»Die Musik. Die Musik hat mir gefallen.«

Der Mann hatte den Zaun erreicht. Taler sah jetzt sein Gesicht. Dunkle Haare, Fünftagebart, zirka fünfundzwanzig Jahre alt, schlank, groß.

»Strebel«, sagte der Mann und hielt ihm die Hand entgegen.

Der überrumpelte Peter Taler ergriff sie, versuchte, den stählernen Händedruck zu erwidern, wandte sich dann ab und ging weiter. Sein Herz schlug wild, und er musste sich beherrschen, nicht loszurennen.

»He! Hallo!«, rief ihm der Mann nach. Aber Taler ging weiter.

Als er in seine Wohnung zurückkam, war es kurz vor zwölf. Beinahe zwei Stunden war er umhergeirrt, ohne auf den Weg zu achten oder auf die Häuser, in denen nach und nach die Lichter ausgingen und Ruhe einkehrte.

In Talers Innerem war von Ruhe nichts zu spüren. Er war seit dem Tag, als Laura erschossen wurde, nie mehr so aufgewühlt gewesen. Mehrmals war er absichtlich an seinem Hauseingang vorbeigegangen. Die Vorstellung, in seiner Wohnung sitzen zu müssen, verursachte ihm Atemnot.

Auch jetzt, wo er sich endlich überwunden hatte und in

seinem Wohnzimmer auf und ab ging, zitterte die Bierflasche, wenn er sie ansetzte.

Knupps Fotos lagen auf dem Esstisch und ließen keinen anderen Schluss zu: Dieser Mann war der Mopedfahrer. Und falls es noch den kleinsten Zweifel geben sollte, dass der Mopedfahrer auch Lauras Mörder war – den würde er ausräumen.

Er hatte ihn gesehen. Lauras Mörder und Liebhaber! Hatte ihm sogar die Hand gegeben!

Immer wieder atmete Peter Taler tief durch: Endlich war er dort angekommen, wo er seit Lauras Ermordung hinwollte: Er hatte den Täter gefunden.

Und bald würde er die Aufgabe erfüllt haben, die ihn die ganze Zeit am Leben gehalten hatte.

In den ersten Monaten nach Lauras Tod hatte er sich beim Einschlafen mit immer der gleichen Phantasie von seinem Schmerz abgelenkt: Er stellte sich vor, wie er seine Pist 75, die persönliche Waffe, die er als Sanitätssoldat gefasst hatte, hervorzog, sie auf Lauras Mörder richtete und ohne Zögern das Magazin leerschoss. Neun Schuss.

In dieser Nacht hatte der Mann, den er in seiner Phantasie immer wieder erschoss, zum ersten Mal ein Gesicht.

Um halb drei stand er auf und griff zur zweiten Methode, sich von seinem Schmerz abzulenken: einer kleinen weißen Pille. Der einzigen wirksamen Hilfe, die er von dem Psychiater bekommen hatte, den er damals zweimal aufsuchte.

Er fiel in einen traumlosen Schlaf.

»Sind Sie krank?«

Taler schreckte aus dem Schlaf. Frau Gelphart stand in der Schlafzimmertür.

»Wie spät ist es?«

»Halb neun.«

Taler sprang aus dem Bett. Als er wenig später im Anzug und mit nassen Haaren aus dem Schlafzimmer kam, wartete Frau Gelphart mit einem Wäschekorb vor der Tür. »Heute ist mein Waschtag. Ich habe nicht viel und dachte, ich nehme Weißes von Ihnen mit.«

Peter bedankte sich und drängte sich an ihr vorbei. Er war schon an der Tür, als sie sagte: »Ach ja, der Mopedfahrer. Mein Mann sagt, der von der Dreiundvierzig sei ab und zu gekommen.«

Taler erstarrte. »Ab und zu?«

»Er habe ihn zwei-, dreimal kommen oder gehen sehen.«

»Zu wem?«

»Ging ihn nichts an, sagt er. Sie wissen ja: Rolf ist sehr diskret.«

Taler war das neu, aber er schwieg dazu.

Natürlich war Kübler im Empfang, als Peter Taler kurz vor halb zehn einstempelte. Bevor er eine seiner dämlichen Bemerkungen machen konnte, fuhr Taler ihn an: »Verpennt. Was dagegen?«

Sandra Dovic vom Empfang sagte: »Herr Gerber hat bereits nach Ihnen gefragt.«

»Komisch. Nie fragt er nach mir, außer wenn ich zu spät komme.«

Im Spiegel des Lifts konnte er seinen Anblick nicht vermeiden: struppiges Haar, unrasiert, Augenringe, verbissener Mund, wütender Blick. Taler war sauer. Sauer auf den Mann mit dem Moped, sauer auf Laura und sauer auf sich selbst.

»Verpennt, Thema erledigt«, schnauzte er, als Betty den Mund aufmachen wollte.

»Hoppla, hoppla«, sagte sie und wandte sich wieder ihrem Bildschirm zu.

Doch als er sich vor dem Schrankspiegel etwas gekämmt und zurechtgemacht hatte, fragte sie: »Darf ich jetzt etwas sagen?«

»Klar. Entschuldige.«

»Gerber war hier. Hat gefragt, wo du bist.«

»Und? Was hast du geantwortet?«

»Dass ich es nicht weiß.«

»Sehr schlagfertig.«

»Was ist los?«

»Entschuldige. Noch was?«

»Ob das öfter vorkommt, hat er noch gefragt. Nie, habe ich geantwortet.«

»Will er dich jetzt zum Spitzel machen, das Arschloch?« Taler griff zum Hörer. Wie immer ließ Gerber es eine Weile klingeln, bevor er antwortete. Der Anrufer sollte merken, wie schwer er sich von seinem Arbeitspensum trennen konnte. »Grbr«, knurrte er.

»Du hast mich gesucht? Ich habe verpennt. Etwas Dringendes?«

Gerber antwortete beschwichtigend. »Nein, nein. Ich war einfach etwas besorgt. Wollte wissen, ob Frau Zehnder was weiß. Alles im grünen Bereich?«

»Es geht.«

»Stimmt etwas nicht?« Vielleicht war Gerber wirklich besorgt.

»Ja. Meine Frau ist erschossen worden.« Er legte auf. Und schämte sich für die billige Antwort.

Er nahm sich den Stapel Rechnungen vor, der neben dem Bildschirm lag. Aber es gelang ihm nicht, sich zu konzentrieren.

Frau Gelpharts Mann hatte den Mopedfahrer »den von der Dreiundvierzig« genannt. Er war also identifiziert. Aber die eigentliche Erschütterung war, dass der Hauswart ihn zwei-, dreimal hatte kommen oder gehen sehen. Es hatte sich nicht um einen Seitensprung gehandelt. Laura hatte ein Verhältnis gehabt. Und zwar ein so leidenschaftliches, dass dessen Beendigung sie vielleicht das Leben gekostet hatte.

Diese Erkenntnis stellte alles in Frage. Wenn er jetzt an seine Frau dachte, dann war es eine andere Laura. Ein Teil von ihr war ihm fremd geworden. Sie besaß eine Seite, die er nicht kannte. Dass sie ein Stück Leben ohne ihn geführt hatte, war nichts Besonderes, das hatte er ja auch getan. Aber dass es eines gab, das sie *gegen* ihn führte – er wusste nicht, wie er das verkraften sollte.

»Alles okay?«

Er hatte nicht bemerkt, dass Betty zu ihm an den Schreibtisch gekommen war. »Jaja. Nur ein bisschen …«

»Übermüdet?«

»Ja. Übermüdet. Kurze Nacht.«

»Enzo holt mich gleich ab zum Mittagessen. Komm doch mit.«

»Danke. Lieb von dir. Aber ich muss ein paar Einkäufe machen. Nichts mehr im Haus. Grüß ihn von mir.«

Bei der Erwähnung von Enzo kamen ihm die Autos in den Sinn, und er fügte hinzu: »Aber vielleicht kann er mir bei etwas helfen.«

Taler holte die alten Fotos aus seiner Mappe, auf denen der Parkplatz mit den drei Autos zu sehen war. »Vielleicht weiß er, was das für Modelle sind.«

Betty sah sich die Autos an. »Volvo 940 Kombi, Peugeot 205. Beim Zweisitzer bin ich mir nicht sicher. Aber für Enzo kein Problem.«

Dass Taler ein paar Einkäufe machen musste, war nicht gelogen. Aber es waren keine Lebensmittel, die er brauchte. Er ging in ein Warenhaus und besorgte sich eine kleine, starke Taschenlampe. Und danach investierte er in einem Fotofachgeschäft über vierhundert Franken in ein Fernglas.

15

An den Wänden von Knupps Arbeitszimmer gab es keine freie Stelle mehr. Sie hatten die Porträts von Martha, die künstlerischen Schwarzweißfotos, die Schützentrophäen und den übrigen Wandschmuck abgehängt – nicht ohne vorher genau dokumentiert zu haben, wo alles am Tag X wieder hängen musste – und ersetzt durch Fotos von Pflanzen und Gegenständen, Standortskizzen, Konturen und Notizen. Das gleiche Bild bot sich im Vermessungszimmer im ersten Stock.

Die erste Pflanzenlieferung der Gärtnerei Wertinger stand kurz bevor. Der Junior hatte zwölf der gesuchten Pflanzen gefunden, fotografiert und per Mail an Taler geschickt. Und dieser übermittelte ihm seinerseits laufend die neu vermessenen Exemplare.

Peter Taler saß vor dem Bildschirm und passte lustlos einen Holzapfelbaum aus dem Nachbargarten ein. Vor einundzwanzig Jahren war er ein hübsches Bäumchen gewesen, aber der Schatten eines viel schneller gewachsenen Ligusters hatte ihn klein und deformiert werden lassen.

Knupp saß am Schreibtisch und hielt den Hörer seines altmodischen Tischtelefons ans Ohr. »Ja? Frau Sennberger? Knupp. Ich suche frühere Nachbarn. Haben Sie neunzehneinundneunzig am Gustav-Rautner-Weg gewohnt?«

Seit Peters Ankunft ging das so. Knupp hatte sich von der Auskunft die Telefonnummern aller »Sennberger« und »Raubstein« des Landes geben lassen und telefonierte diese jetzt systematisch durch. Unter »Santo« gab es keinen Telefonbucheintrag.

»Tatsächlich? Ihre Cousine? Haben Sie ihre Telefonnummer?« Knupp notierte sie und legte auf.

»Die Cousine. Eines der beiden Kinder der Volvo-Familie. Felinger heißt sie jetzt.« Er wählte die Nummer.

»Ja, Herr Felinger? Knupp ist mein Name. Ist Ihre Frau zu sprechen?«

Knupp hörte zu.

»Ach, tut mir leid zu hören. Wissen Sie, wie ich sie erreichen kann?«

Knupp legte auf und sah zu Taler herüber. »Geschieden.«

»Und? Die Adresse?«

»Am Arsch, hat er gesagt. Und aufgelegt.«

Knupp versuchte, die ehemaligen Mieter der Wohnungen zu erreichen, um die Farben ihrer Autos von damals herauszufinden.

»Und dann, wenn Sie sie herausgefunden haben?«, hatte Peter Taler gefragt, als ihm Knupp zum ersten Mal von diesem Teil des Projekts berichtet hatte.

»Dann treiben wir solche Autos auf und stellen sie am Tag X auf den Parkplatz. Voilà.«

»Voilà«, hatte Peter wiederholt. Das war am Anfang ihrer Zusammenarbeit gewesen, als er dem Projekt noch mit Skepsis und Ironie gegenüberstand. Jetzt, wo sich seine Einstellung zu dem Vorhaben geändert hatte, zweifelte er zwar immer noch an dessen Durchführbarkeit, trug aber, wenn er konnte, dazu bei. Wie zum Beispiel bei der Frage der Modelle.

Betty hatte vom Essen mit Enzo Typenbezeichnung und den vermutlichen Jahrgang des Sportwagens mitgebracht: Fiat X 1/9 Bertone 1986. Worauf sie schon am Vormittag getippt hatte – Volvo und Peugeot –, war korrekt.

Knupp war erneut am Telefon und ließ sich von der Auskunft alle Nummern der »Felinger« im Land geben. Zum Glück waren es nur zwölf.

Taler bewunderte die Unerschütterlichkeit des alten Mannes. Dabei kamen jeden Tag neue Schwierigkeiten ans Licht: Der Teerbelag des Gustav-Rautner-Wegs hatte an jenem Tag eine Flickstelle, die Müllcontainer waren von anderer Bauart, die Fassade des dreistöckigen Blocks, in dem Talers Wohnung lag, besaß damals eine andere Farbe. Und so weiter.

Für Peter Taler war die Sache aussichtslos. Aber seit gestern war ihm das egal. Für ihn war das Projekt 11. Oktober 1991 gestorben. Er beteiligte sich nur noch pro forma daran. Sobald es mit dem Mopedfahrer ein Ende genommen hatte, wäre es auch mit Knupps Gehilfen vorbei.

Er blieb bis zum Einbruch der Dunkelheit bei Knupp. Danach ging er aber nicht nach Hause, sondern nur bis zum Gartentor. Er öffnete und schloss es geräuschvoll, damit Knupp es hörte, und ging leise zurück, über den Plattenweg, am Hauseingang vorbei zum Geräteschuppen. Dort, an einem Nagel an der Außenwand, hing seine Schultertasche, die er bei seiner Ankunft dorthin gehängt hatte. Er nahm sie und ging weiter, durch den Hintergarten bis zum Zaun.

Im ersten Stock der Villa Latium war ein Fenster schwach erleuchtet. Er beobachtete das mächtige Haus einen Moment und kletterte über den Zaun. Vorsichtig arbeitete er sich durch die Sträucher und Büsche, die den Zaun entlang eine lockere Hecke bildeten. Nach etwa fünfzig Metern auf Sophie Schalberts Land war er an Knupps Grundstück vorbei und hinter dem Nachbarhaus.

In der Küche brannte Licht. Frau Hadlauber räumte den Geschirrspüler ein und sprach dabei, ihr Mann lehnte an dem Korpus mit einem Glas Rotwein in der Hand.

Das Fenster stand offen, Taler konnte ihre Stimme hören und manchmal sogar ein Wort verstehen. »Konsequenter« und »klare Linie« und »Respekt«. Das Ehepaar schien sich über Erziehungsfragen zu unterhalten.

Die Milchglasscheiben des Badezimmers über der Küche waren erleuchtet. Und im Zimmer daneben – bei Knupp das Vermessungszimmer – drang ebenfalls der Schein einer Lampe durch die bunten Vorhänge. Leise Rockmusik war zu hören, Taler wusste nicht, woher.

Als er behutsam weiterging, wurde sie lauter. Sie musste von dem nächsten Haus kommen. Der WG.

Bis hier war Taler ganz ruhig gewesen. Aber nun begann sein Herz zu rasen. Er zwang sich, tief und regelmäßig zu atmen, und ging weiter.

Jetzt sah er den Fahrradunterstand in dem Licht der Lampe, die vom Vordach über der Haustür hing. Drei Räder waren zu erkennen. Und, wie eine Skulptur, das kaputte Moped.

Taler ging die paar Schritte weiter bis hinter das Haus. Das Gebüsch war hier dichter, und jenseits des Zauns wuchsen Haselstauden. Sie nahmen ihm zwar etwas die Sicht, aber dafür boten sie auch ein wenig Schutz vor dem Entdecktwerden. Weiter vorne hörte das Grundstück der Villa Latium auf, der Zaun ging in einem rechten Winkel in nordwestlicher Richtung weiter. Von dieser Ecke aus konnte er die Fassade sehen. Er nahm sein neues Fernglas aus der Umhängetasche und richtete es auf das Küchenfenster.

Es war keine Einbauküche wie bei der Familie Hadlauber. Ein großer Kühlschrank stand frei neben der Tür, der Herd war ebenfalls freistehend. Das Waschbecken schien aus Steingut zu sein, und in der Mitte des Raumes stand ein rotgestrichener massiver Küchentisch. Drei Personen saßen daran, zwei Männer und eine Frau. Eine Flasche Wein und Gläser standen auf dem Tisch und ein Aschenbecher. Alle drei rauchten.

Die Frau hatte er schon bei Juanitos Tapas kaufen sehen. Der Mann neben ihr hatte langes blondes Haar, und seinem Gesicht war anzusehen, dass er über etwas Ernstes sprach.

Der dritte Mann wandte ihm den Rücken zu. Aber Taler wusste, wer er war.

Bis nach Mitternacht blieb er auf seinem Posten. Er sah, wie ein vierter Hausbewohner ankam, sein Fahrrad zu den anderen Rädern stellte und abschloss, in der Küche auftauchte, eine neue Flasche Wein öffnete und sich zu den anderen gesellte. Irgendwann schob die Frau ihre Hand zu ihm rüber. Er erfasste sie, und sie sprachen in dieser Position weiter, bis sie beide Hände brauchte, um sich eine Zigarette anzustecken.

Das Paar verabschiedete sich bald darauf. Peter sah, wie im Badezimmer Licht anging und das Fenster geöffnet wurde. Für einen kurzen Moment erkannte er die Haare und die nackten Schultern der Frau, dann hörte er das Rauschen der Dusche.

Die beiden Männer blieben in der Küche sitzen und diskutierten. Der Blonde stand brüsk auf und verließ den Raum. Vielleicht eine Verstimmung.

Lauras Lover und Mörder schenkte sich noch den Bodensatz der Flasche ein und stürzte ihn runter. Dann stand er auf und kam zum Fenster.

Taler konnte jetzt deutlich sein Gesicht sehen. Den schwarzen Fünftagebart. Den breiten Nasenrücken. Er trug ein Sweatshirt mit der Aufschrift »DELAWARE«.

Taler erkannte das A und das W.

Jetzt löschte der Mann das Licht.

Peter Taler wartete noch, bis das Haus ganz dunkel war. Dann ging er schlafen.

Er wollte so lange zurückkommen, bis er den Mann allein antraf.

Am nächsten Mittag war er mit Betty und ihrem Freund Enzo zum Essen verabredet. Taler hatte durchblicken lassen, dass er jemanden kenne, der daran interessiert sei, die genau gleichen Autos wie auf den Fotos zu beschaffen. Betty hatte die Information sofort an Enzo weitergegeben, und dieser hatte Nachforschungen angestellt.

Sie trafen sich in einem Steakhouse, Enzo war »ein

Fleischtiger«, wie Betty es nannte. »Ihr seid meine Gäste«, sagte Enzo zur Begrüßung. »Das nehme ich als Geschäftsessen auf Spesen.«

Sie saßen an einem Nischentisch unter der Reproduktion eines Fahndungsplakats aus dem Wilden Westen und dem Teilungsschema eines Rindes. Taler und Betty hatten je ein Entrecôte bestellt, Enzo arbeitete an einem mächtigen T-Bone-Steak. Neben seinem Teller lagen Fotos der drei Autos.

»Die Farben sind kein Problem. Die lackiere ich euch in jedem gewünschten Ton.«

»Wir können doch keine geliehenen Autos lackieren lassen.«

»Klar. Die verkaufen sich neulackiert besser.«

»Und was kostet so etwas?«

Enzo schob sich ein großes Stück blutiges Fleisch in den Mund, kaute zwei-, dreimal und sprach dann kauend weiter. »Fünftausend pro Stück.«

»Im Ernst?«

»Du kannst es auch billiger haben. Aber wenn du die Wagen weiterverkaufen willst, dann muss das ein Profijob sein, nicht einfach so über die alte Farbe gespritzt.«

»Was heißt, weiterverkaufen? Wir wollen sie uns nur leihen.«

»Wenn ich das Risiko tragen soll, dann muss ich etwas zusätzlich verrechnen.«

»Zum Beispiel?«

»Ich mach dir ein Angebot. Freundschaftspreis, weil du ein Arbeitskollege von meinem Mädchen bist: Zwanzig.«

»Zwanzigtausend?«

»Lackiert, geparkt und mit den richtigen Autonummern.«

»Viel Geld für einen Tag.«

»Du kannst die Wagen auch kaufen. Du lässt sie aufmöbeln und lackieren, und wenn du sie nicht mehr brauchst, stößt du sie mit Gewinn ab. Dazu musst du aber schätzungsweise dreißig, vierzig Mille in die Hand nehmen, aber damit kommst du schlimmstenfalls auf null heraus. Wahrscheinlich machst du sogar Gewinn.«

Peter Taler aß von seinem Fleisch und dachte nach. »Ich muss es besprechen.«

»Besprich es. Aber bald. Der Bertone ist eine top Gelegenheit. Den reißt man mir aus den Händen.«

Betty hatte während des ganzen Gesprächs geschwiegen wie ein Kind, wenn die Erwachsenen reden. Jetzt aber fragte sie in die Stille hinein: »Ich habe immer noch nicht verstanden, weshalb genau diese und keine anderen Autos.«

»Für einen Film. Er spielt neunzehnhunderteinundneunzig und soll ganz authentisch sein.«

»Aber ob das nun dieses oder ein anderes Auto aus der Zeit ist. Den Unterschied merkt doch kein Schwein.«

»Es wird eine Mischung aus Dokumentarfilm und Fiktion. Das muss nahtlos ineinander übergehen.«

»Schon. Aber die Farbe der Autos …«

»Es gibt solche Perfektionisten in der Filmbranche. Bei Visconti mussten sogar die uniformierten Lakaien original Unterwäsche aus der Zeit tragen. Er fand, nur so würden sie sich richtig bewegen.«

Auch das hatte Taler bei seiner Suche nach einer plausiblen Begründung ausfindig gemacht. Es wirkte und weckte sogar Bettys Interesse an ihrem Bürokollegen.

»Was hast du mit Film zu tun?«

»Ein Hobby. Ich kenne ein paar Leute aus der Filmszene und helfe ab und zu ein bisschen aus.«

Als er nach Arbeitsschluss bei Knupp eintraf, empfing ihn dieser mit der guten Nachricht, dass er die Farben der drei Autos ausfindig gemacht habe.

»Raubsteins leben beide noch. Der Peugeot war rot. Die Tochter von Sennberger, die jetzt Felinger heißt, habe ich auch gefunden. Der Volvo war senfgelb. Ihr Bruder hat ihn, als er den Führerschein besaß, noch jahrelang gefahren. Sie erinnert sich auch an Santos Sportwagen. Blau war er. Ein leuchtendes Blau, wie sie sagt.« Nach einer kurzen Pause fügte er mit veränderter Stimme hinzu: »Und an Martha hat sie sich auch erinnert. An ihre *Nidelzältli.* Die selbstgemachten Karamellbonbons, die sie immer für die Kinder bereithielt.«

»Und ich habe jemanden gefunden, der die Autos beschaffen kann.«

Knupps Miene hellte sich wieder auf. »Ehrlich?«

»Zwanzigtausend zum Abschreiben. Oder dreißigtausend als Risikokapital. Können Sie so viel auftreiben?«

»Irgendwie schon«, antwortete Knupp und wechselte das Thema. »Am Samstag bringt Wertinger die erste Lieferung. Falls es nicht regnet.«

Aber in der Nacht auf Samstag fing es an zu regnen. Peter Taler hatte es sich gerade auf seinem Beobachtungsposten hinter der Dreiundvierzig bequem gemacht. Es war seine dritte Observationsnacht. In der Küche war nur so viel Licht, wie durch die nicht ganz geschlossene Tür aus dem Korridor hereindrang. Bis jetzt hatte er den Mopedfahrer noch nie allein angetroffen. Wohl aber seine Mitbewohner einmal ohne ihn.

Das Beobachten seines Feindes weckte ähnliche Gefühle in ihm wie anfangs seine Mitarbeit bei Knupps hirnverbranntem Plan. Es befreite ihn von der Hilflosigkeit. Es gab ihm etwas in die Hand gegen Lauras Tod.

In der Küche ging gerade das Licht an, als ihn ein Geräusch erschreckte. Es stammte vom gleichzeitigen Aufprall Hunderttausender schwerer Regentropfen auf Dächern und Baumkronen. Nach ein paar Sekunden war er durchnässt und wollte gerade die Flucht ergreifen, als das Küchenfenster aufging und die Silhouette des Mopedfahrers rief: »Scheiße, seht euch an, wie das schifft!«

Seine drei Mitbewohner drängten sich ans Fenster. Sie sahen stumm in die Unterwasserlandschaft hinaus.

Taler wagte nicht, sich zu bewegen. Rasch wurde ihm kalt, und sein ganzer Körper verkrampfte sich beim Versuch, nicht zu zittern.

So plötzlich wie der Platzregen vom Himmel gefallen war, so abrupt hörte er auf. Einer nach dem andern lösten sich die Zuschauer von dem Sims und traten in die Küche zurück, bis nur noch der schmale Blonde übrig war. Er sagte etwas, das Peter Taler nicht verstand. Aber den anderen war es auch so gegangen. »Was?«, rief die Frauenstimme.

»Wenn es so bleibt, wird es nichts mit Montag«, wiederholte der Blonde, so laut, dass alle es verstanden.

»Ich komme sowieso nicht mit«, sagte eine Männerstimme.

Peter Taler war sich fast sicher, dass es die des Mopedfahrers gewesen war.

Der schwere Regen hatte die Gärten aufgeweicht. Die Gärtner verschoben ihre erste Lieferung auf die nächste Woche. »Sobald es zwei Tage nicht geregnet hat«, sagte Wertinger junior. »Die Prognosen sind bis Montag schlecht.«

Damit stand also das Ziel, das Taler all die Monate am Leben gehalten hatte, unmittelbar bevor. Und plötzlich hatte er das Gefühl, noch nicht ganz bereit zu sein. Er hätte den Gegner lieber noch eine Weile beobachtet.

Vielleicht lag seine plötzliche Unentschlossenheit aber auch nur an seiner Verfassung an diesem Tag. Das Schlafdefizit und das Ausharren in durchnässten Kleidern hatten ihren Tribut gefordert: Er hatte Fieber, Kopfschmerzen und Schnupfen. Er fühlte sich schwach und weinerlich, wie immer, wenn er krank war. Laura hatte sich oft darüber lustig gemacht.

»Sie gehören ins Bett«, sagte Knupp. Er hatte eine Zeitlang mit angesehen, wie Taler hustend und schneuzend am Computer saß und immer wieder geistesabwesend am Bildschirm vorbei ins Nichts starrte.

»Vielleicht haben Sie recht«, antwortete Taler, »ich versuche, morgen wiederzukommen.«

Er ging hinaus in den grauen Nieselregen. Auf dem Plattenweg hatten sich Pfützen gesammelt, die verrosteten Spielgeräte im Nachbargarten glänzten nass, vor einem messtechnisch noch nicht ganz erfassten Strauch beim Zaun stand ein verlassener Fluchtstab.

Taler öffnete das Gartentor und trat auf die Straße. Er war zu tief in Gedanken, um auf das warnende Klingeln eines Fahrrads zu reagieren.

Es schlingerte zentimeternah an Peter Taler vorbei. »Arschloch!«, schrie der Fahrer. Und als er sein Gefährt wieder unter Kontrolle hatte, zeigte er ihm den Finger.

Der Mopedfahrer auf dem Rad!

Taler ging über die Straße, an den geparkten Autos und den Briefkästen vorbei zum Hauseingang. Als er die Wohnung betrat, war seine Unentschlossenheit von vorhin verflogen. Er nahm ein Aspirin, machte sich einen Tee und legte sich ins Bett.

Der Tee war längst kalt, als ihn das Klingeln aus dem Schlaf riss. Taler sprang reflexartig aus dem Bett. Aber als er ganz zu sich gekommen war, legte er sich wieder hin. Er war nicht zu Hause.

Kurz darauf klingelte es erneut, Peter ignorierte es wie zuvor. Beim dritten Mal blieb der ungebetene Besucher so lange auf der Klingel, bis Taler zur Gegensprechanlage ging und »Was ist eigentlich los!« ins Mikrofon schrie.

»Ich bin's, Albert Knupp.«

Taler drückte auf, ließ die Tür einen Spalt offen und ging zurück ins Bett. Kurz darauf schaute Knupp zum Zimmer herein. Er war etwas außer Atem.

»Alles in Ordnung? Ich habe mir Sorgen gemacht, als Sie nicht geantwortet haben.«

»Alles in Ordnung, außer, dass Sie mich geweckt haben.«

»Verzeihen Sie. Ich habe Ihnen etwas zu essen gemacht.« Er verschwand. Taler hörte ihn in der Küche hantieren. Nach einer Weile kam er hereingehumpelt. Er trug das Tablett, das Taler benutzte, wenn er für sich allein das Abendessen im Wohnzimmer auftischte.

Er richtete sich auf. Knupp hatte ihm seine Speckrösti gemacht. Sie war gekrönt von drei Spiegeleiern, deren Dotter schon etwas gestockt war vom Weg hierher.

»Nicht gerade Spitalkost, aber Sie müssen rasch zu Kräften kommen, ich brauche Sie.«

Taler hatte keinen Appetit, schon gar nicht auf Speckrösti. Aber er aß artig. Er war ein wenig gerührt. Seit Lauras Tod hatte ihm niemand mehr das Essen ans Bett gebracht. »Setzen Sie sich doch«, sagte er zwischen zwei Bissen.

Knupp nahm Talers Kleider vom einzigen Stuhl im Raum und legte sie aufs Bett, auf Lauras Seite. Dann setzte er sich und sah Taler beim Essen zu.

»Wenn ich erkältet war, hat mir Martha immer Speckrösti mit Spiegeleiern gemacht. ›Den Körper täuschen‹, hat sie es genannt. Essen wie ein Gesunder, dann glaubt der Körper, man sei gesund, und benimmt sich entsprechend. – Bei mir hat es immer funktioniert.« Knupp lächelte versonnen. Dann wurde er ernst. »Bei ihr nicht.«

Es wurde still im Raum, bis auf das gelegentliche Geräusch, das Talers Besteck auf dem Teller machte.

Plötzlich murmelte Knupp etwas und verließ den Raum. Peter hörte ihn in der Küche hantieren. Er kam mit zwei vollen Weingläsern zurück. »Das gehörte auch zum Täuschungsmanöver des Körpers.« Er hielt dem Patienten ein Glas hin.

Taler hatte nichts dagegen.

»Sollten wir uns nicht schon längst duzen?«, fragte Knupp.

Taler hatte es tatsächlich manchmal seltsam gefunden, dass sie so viel Zeit miteinander verbrachten und sich siezten. Aber jetzt wusste er nicht, ob er sich noch umgewöhnen konnte. Für die paar Tage, die ihm blieben.

»Albert«, sagte Knupp und hob das Glas.

»Peter.«

Sie tranken sich zu. Es entstand ein verlegenes Schweigen, wie oft nach diesem Zeremoniell.

Peter aß den Teller leer, Albert sah ihm dabei zu.

»Du glaubst nicht daran.«

Taler hob die Schultern.

»Du brauchst nicht daran zu glauben. Es genügt, wenn du mitmachst. Nach dem elften Oktober entscheidest du, ob du daran glaubst oder nicht.«

»Genau daran glaube ich ja nicht: dass wir es auf den elften Oktober schaffen. Nicht ohne Hilfe. Viel Hilfe. Und nicht ohne Geld. Viel Geld.«

»Geld lässt sich beschaffen. Am Geld kann es nicht scheitern.« Und dann setzte er in dringendem Tonfall hinzu: »Am Geld *darf* es nicht scheitern!«

»Und wie wollen Sie es beschaffen?«

»Du. Wie willst du es beschaffen.«

»Wie?«

»Du bist der diplomierte Buchhalter, nicht ich.«

»Rechne nicht mit mir.«

»Ich habe sonst niemanden.«

Der Wein und das vertrauliche Gespräch hätten Peter

Taler beinahe dazu verführt, ihm schonend beizubringen, was er in den nächsten Tagen vorhatte. Aber dann entschloss er sich mitzuspielen: »Wie sieht es mit einer Hypothek aus?«

Knupp winkte ab. »Es sind schon zwei auf dem Haus.«

»Verkauf? Die Anzahlung würde vielleicht reichen.«

»Und wo leben wir danach?«

Mit »wir« meinte Knupp »Martha und ich«. Er sah Taler so ratlos und verzweifelt an, dass der sagte: »Vielleicht gibt es eine andere Lösung.«

»Nicht wahr? Das gibt es?«

Als Knupp sich verabschiedete, aufgeräumt und zuversichtlich, fragte Taler: »Wie viel Geld ist denn noch da?«

»Etwas über sechstausend. Und meine Rente für den nächsten Monat. Insgesamt etwa dreitausendsechshundert.«

Auf Peter Talers Konto hatten sich durch seinen zurückgezogenen Lebensstil plus das mit Laura gemeinsam Ersparte etwas über dreißigtausend Franken angesammelt. Er beschloss, damit zum Abschied Knupps Konto aufzustocken.

Gab es einen besseren Erben als einen Greis, der noch an Wunder glaubte?

16

Den Sonntag verbrachte Peter Taler in seiner Wohnung. Die Symptome der Erkältung waren etwas abgeklungen, aber von einer seltsamen Schwermut abgelöst worden. Er hatte begonnen, Abschied zu nehmen.

Die Dinge, die ihn umgaben, hatten ihre Selbstverständlichkeit verloren. Alle trugen ihre Geschichte wie Preisschilder, alle drängten ihm die Erinnerungen auf, mit denen sie verbunden waren.

Peter strich in Pyjama, Halstuch und Bademantel in der Wohnung umher und legte eine schwere Hand mal auf diese Stuhllehne, mal auf jenes Regal.

Wieder war es Knupp, der ihn aus der Lethargie riss. Diesmal kündigte er seinen Besuch wenigstens telefonisch an. Er brachte einen kleinen Milcheimer Pot-au-feu mit, etwas Brot und eine Flasche Wein.

Peter Taler freute sich über den Besuch des alten Mannes. Er war für ihn bei aller Verschrobenheit doch so etwas wie ein väterlicher Freund geworden. Und er war froh um jeden, der ihn ablenkte von sich selbst.

Sie aßen die Suppe am Esstisch im Wohnzimmer. Aschgraue Wolken hingen über dem Gustav-Rautner-Quartier. So finster war es um die Mittagszeit, dass Taler im Wohnzimmer Licht gemacht hatte.

»Von hier aus kannst du mir tatsächlich in den Teller schauen«, hatte Knupp bemerkt, als er die Aussicht aus dem Blumenfenster sah.

»Der Inhalt deiner Teller interessiert mich erst, seit ich weiß, wie gut du kochst.«

»Ich habe mich oft gefragt, warum du jeden Tag an diesem Fenster standest wie ein Geist.«

»Kurz vor Lauras Ermordung war da draußen etwas anders gewesen als sonst. Ich wollte herausfinden, was es war, und hoffte, dadurch dem Mörder auf die Spur zu kommen.«

»Hast du es herausgefunden?«

»Ja. Es waren die Pflanzen, die du ausgewechselt hattest.«

»Aber dem Mörder auf die Spur gekommen bist du dadurch nicht.«

»Auf Umwegen schon. Weil das Gefühl, etwas sei anders, wiederkehrte, kam ich auf die Idee, ein Foto zu machen. Als Referenz für ein nächstes Mal. So bin ich auf Lauras Foto gestoßen. Und dadurch auf den Mopedfahrer.«

»Der mysteriöse Mopedfahrer.«

»Er ist nicht mehr mysteriös. Ich weiß, wer er ist. Er wohnt in der Dreiundvierzig.«

»Bist du sicher?«

»Hundertprozentig. Ich habe ihn gesehen, sogar mit ihm gesprochen. Ihm sogar die Hand gegeben.«

»Ich meine: Bist du sicher, dass er der Mörder ist?«

»Er hatte ein Motiv.«

»Welches?«

»Ich will nicht darüber sprechen.«

Knupp nickte verständnisvoll. »Und über das, worüber du nicht sprechen willst, bist du dir auch sicher?«

Peter zögerte. »Es gibt leider ganz deutliche Hinweise in Lauras Sachen.«

»Verstehe. Und was macht die Polizei?«

»Die Polizei ist nicht involviert.«

»Weshalb nicht?«, fragte Knupp erstaunt.

»Es ist eine Sache zwischen ihm und mir.« Taler trank das Glas leer und schenkte sich nach.

»Peter?« Knupps Stimme klang sehr ernst.

»Was?«

»Mach keine Dummheiten.«

»Dummheiten? Ganz bestimmt nicht.«

Als Peter Taler am Montagmorgen die Rollläden hochzog, wurde er von einem frischen, blauen Himmel überrascht. Sofort befiel ihn eine seltsame Geschäftigkeit. Nichts war mehr zu spüren von der Unentschlossenheit, die ihn befallen hatte, als ihm klar wurde, dass der Montag der Schicksalstag sein könnte.

Die Frage war von einer höheren Instanz entschieden worden. Heute war der Tag.

Das Fieber war weg, und die anderen Symptome waren am Verschwinden. Vielleicht war Marthas Strategie der Körpertäuschung tatsächlich erfolgreich gewesen.

Taler nahm sich Zeit für ein Frühstück und verließ die Wohnung etwas früher als sonst und voller Tatendrang.

Es war der dritte Montag des Monats, der Tag, an dem er Zahlungen auslöste. Als Betty ins Büro kam, zeigte der

Zähler am unteren rechten Bildschirmrand bereits über vierhunderttausend Franken an.

»Ich weiß jetzt, welche Farben«, sagte er, ohne seine Arbeit zu unterbrechen. »Senfgelb, Rot und Blau.«

Bettys Gesicht hellte sich auf. »Du ziehst es also durch? Enzo dachte schon, es sei dir zu teuer.«

»Senfgelb ist wohl klar, aber Rot und Blau? Ich nehme an, da gab es Standards. Enzo kann die sicher herausfinden.«

»Ich werde gleich anrufen.«

»Und sag ihm, die Miet-, nicht die Kaufvariante. Und frag ihn, wie viel Rabatt er gibt für Barzahlung. Ohne Rechnung.«

Er befand sich in einer schon lange nicht mehr erlebten Macherlaune. Sobald Betty sich in die Mittagspause verabschiedet hatte, nahm er sich seinen Schrank und seine private Schublade vor. Er durchsuchte das Gerümpel, das sich in den vergangenen Jahren dort angesammelt hatte, und sortierte die Sachen aus, die nicht von allgemeinem Nutzen waren oder niemanden etwas angingen. Er füllte damit zwei Einkaufstaschen und entsorgte sie eigenhändig in einem der zwei Container im Hof. Danach ging er zu seiner Bank, hob einunddreißigtausendeinhundert Franken ab und löste das Konto auf.

Am Nachmittag überreichte ihm Betty drei Farbmuster. »Das sind die drei serienmäßigen Blau, Rot und Gelb: für den Fiat Bertone Blu imperiale, Code KNP; für den Peugeot 205 Rouge pompier, Code EKC, und für den Volvo Gul, Code 97.«

»Und der Rabatt?«

»Fünf Prozent.«

Peter Taler übergab ihr neunzehn Tausendernoten. Den Empfang ließ er sich bescheinigen. »Nur für den Fall, dass ich die Autos nicht selbst in Empfang nehme.«

Er machte etwas früher Schluss und überraschte Betty beim Abschied mit ungewohnter Herzlichkeit.

Zu Hause fuhr er mit Aufräumen fort. Auch hier suchte er alles zusammen, was nicht für fremde Augen bestimmt war. Es war nicht viel: ein paar Briefe, ein paar Fotos, ein paar persönliche Computerdaten, die er löschte. Und Lauras Kalender mit dem Feuerwerk. Er steckte alles in einen offiziellen städtischen Müllsack und stellte ihn neben die Wohnungstür.

Danach setzte er sich an den Tisch und schrieb ein paar Zeilen an Knupp. Er entschuldigte sich, dass er ihn vorzeitig im Stich ließ, steckte die übriggebliebenen zwölftausendeinhundert dazu und verschloss den Umschlag.

Er zog sich um. Jeans, T-Shirt, Sweatshirt und Sneakers, legte seine Sportjacke bereit, holte die Umhängetasche von der Garderobe und prüfte ihren Inhalt: Fernglas, Taschenlampe, Pistole.

Er wog die Waffe in der Hand. Es war über zwanzig Jahre her, dass man sie ihm als Sanitätsrekrut überreicht hatte. »Anvertraut«, hatte der Kompaniekommandant in seiner pompösen Ansprache betont. Als Zeichen des Vertrauens des Staates in ihn als verantwortungsvollen Staatsbürger.

Er entfernte das volle Magazin, schob es zurück, entsicherte und sicherte, nahm die Waffe probehalber beidhändig in Anschlag und verstaute sie wieder in der Tasche.

Er tarnte sie mit der Sportjacke und warf einen letzten

Blick in die Wohnung, in der er so glücklich und so unglücklich gewesen war.

Dann schloss er die Tür hinter sich, nahm den Müllsack und ging die Treppe hinunter. Keine Wehmut, keine Angst. Nur ein eigenartiges Gefühl der Euphorie.

Er ging nicht direkt zu Knupp hinüber, sondern stieg ins Auto und fuhr zu Juanitos. Dort kaufte er zwei Flaschen Rotwein. Er war sicher, dass Knupp ihn beobachtet hatte, und brauchte einen Vorwand für seine Autofahrt. Auf dem Weg zurück nahm er einen kleinen Umweg.

Ganz langsam fuhr er am Gustav-Rautner-Weg Nummer dreiundvierzig vorbei. Niemand war zu sehen, aber im Wohnzimmer standen beide Fenster offen. Im Fahrradunterstand war ein einziges Fahrzeug abgestellt. Es war das Moped.

Es war halb sieben, als er bei A. u. M. Knupp-Widler klingelte. Die übliche Zeit.

»Wertinger liefert schon morgen früh, kannst du freinehmen?«, war Knupps Begrüßung.

»Morgen habe ich ohnehin frei«, gab Taler zur Antwort.

Sie setzten sich an den Tisch zum Abendessen. Knupp hatte seinen Wurst-Käse-Salat gemacht aus Cervelat, Emmentaler, Zwiebelringen, Essig, Öl und Senf. Taler aß mit ungewöhnlichem Appetit, tunkte sogar am Schluss die Sauce mit dem Bauernbrot auf.

Dann zeigte er die Lackmuster. »Kommen dir die Farben bekannt vor?«

Knupp sah sie sich an. »Ich glaube schon.«

»Es seien die Standardfarben gewesen für diese Modelle, sagt mein Gewährsmann.«

»Hast du mit ihm über den Preis verhandeln können?«
»Die drei Autos sind bezahlt.«
Knupp sah ihn ungläubig an. »Wie das?«
»Ich habe mir was einfallen lassen«, lächelte Taler.
Der Alte ergriff sein Bier, lehnte sich im Stuhl zurück, trank einen tiefen Schluck und sagte: »Siehst du.«

So klar war der Himmel, dass es noch immer nicht ganz dunkel war, als Peter Taler um kurz vor halb elf aus Knupps Haus trat. Er ging direkt zum Zaun des Hintergartens und kletterte drüber. In der Villa Latium war kein Licht zu sehen.

In den Kinderzimmern des Nachbarhauses waren die bunten Vorhänge hinterleuchtet, in der Küche bot sich das gleiche Bild wie vor ein paar Tagen: Frau Hadlauber räumte die Küche auf, ihr Mann stand mit einem Glas in der Hand daneben.

Taler schlich weiter.

Im Fahrradunterstand waren das Moped und ein Fahrrad zu sehen. Wahrscheinlich das des Mopedfahrers.

Er näherte sich seinem Beobachtungsposten.

Plötzlich hörte er ein Geräusch. Er stand bockstill und lauschte. Nichts. Vorsichtig ging er weiter.

Nach ein paar Schritten sprang vor ihm ein Tier auf, rannte auf ihn zu, machte kehrt und verschwand im Gebüsch. Es war die dreifarbige, von Knupp nicht geduldete Katze.

Mit klopfendem Herzen ging Taler bis zur Zaunecke und kauerte nieder.

Wieder war die Küche nur schwach beleuchtet von dem

Licht, das durch die spaltbreit geöffnete Tür aus dem Korridor hereindrang. Kein Mensch war zu sehen, aber durch das offene Küchenfenster klang leise klassische Musik.

Taler richtete sich auf eine lange Wartezeit ein. Aber schon ein paar Minuten später wurde die Tür aufgestoßen. Für einen kurzen Moment zeichnete sich die Silhouette eines Mannes in der erleuchteten Öffnung ab, dann ging das Licht an.

Der Mopedfahrer.

Er öffnete einen Schrank über der Anrichte, suchte, nahm eine Schachtel herunter, öffnete sie, schloss sie wieder, legte sie zurück, suchte weiter, fand eine lange schmale Packung, riss sie auf, nahm etwas heraus und steckte es in den Mund.

Mit vollen Backen kauend ging er zum Kühlschrank, entnahm ihm eine Packung Milch, ließ die Kühlschranktür offen, suchte nach einem Glas, schenkte es voll, tat die Milchpackung zurück in den Kühlschrank und ließ die Tür zufallen.

Er trank einen Schluck Milch, steckte sich wieder etwas aus der Schachtel in den Mund, klemmte sie unter den Arm und machte mit der freien Hand das Licht aus. Peter sah ihn im Gang verschwinden.

Ohne Zögern nahm er die Waffe aus der Tasche, steckte sie in den Hosenbund, kletterte über den Zaun und ging zum Hauseingang. Wie zu einer x-beliebigen Verabredung.

Die Lampe unter dem Vordach brannte, und durch die gelben Scheiben der Haustür sah er das Licht im Korridor.

Er drückte auf die Türklinke. Die Tür war offen. Mit der Möglichkeit, dass sie verschlossen war, hatte er auch gerechnet. Dann hätte er einfach geklingelt und den Mann mit der Pistole im Anschlag erwartet.

Er schloss die Tür hinter sich, zog die Waffe aus dem Bund und öffnete die Windfangtür.

Der Korridor hing voller Poster. *Pulp Fiction*, *Blade Runner*, *Clockwork Orange*, *The Fifth Element*, eines neben dem anderen wie der Eingang eines Dorfkinos. Auf halbem Weg zum Wohnzimmer war eine mit Jacken und Mänteln vollbehängte Garderobe. Auf der Hutablage der schwarze Integralhelm. Selbst aus dieser Nähe war sein Schriftzug unleserlich.

Es roch nach Zigarettenrauch. Aus der offenen Wohnzimmertür kam die klassische Musik, die er bereits von seinem Posten aus gehört hatte.

Nur noch drei Schritte bis zur Tür. Noch zwei. Jetzt konnte er in den Raum sehen.

Der Mann saß halb abgewandt in einem Polstersessel und las. Auf einem Nierentischchen daneben lag die Schachtel, die er vorhin aus der Küche geholt hatte. Gerade holte er sich eine längliche Schokowaffel heraus und biss die Hälfte davon ab.

Vielleicht war es das Knuspern der Waffel, das für den Mann das Geräusch der drei Schritte übertönte, die Taler bis zum Sessel machen musste. Er reagierte erst, als er den Lauf der Pistole an seiner Schläfe spürte.

Aber dann reagierte er heftig. Er erstarrte nicht wie im Film, sondern sprang erschrocken auf und wich zurück.

»Stopp!«, schrie ihn Taler an. »Die ist echt und geladen!«

Der Mann blieb stehen und sah Taler angstvoll an. »Was willst du?«, brachte er heraus.

»Dich umlegen.«

Er musste Taler angesehen haben, dass er es ernst meinte, und geriet in Panik. »Warum?«, schrie er.

»Wie du meine Frau.«

»Welche Frau?«, schrie er. »Das ist ein Irrtum! Hilfe! Ein schrecklicher Irrtum! Ich habe nichts mit deiner Frau zu tun! Hör zu! Hilfe! Ich kenne deine Frau nicht.«

Taler blieb eiskalt. »Du hast sie gevögelt, und als sie dir den Laufpass gab, hast du sie umgelegt.«

Der große Mann faltete die Hände und machte einen Schritt auf Taler zu.

»Stopp!«

Er blieb stehen. »Wenn deine Frau tot ist, tut mir das schrecklich leid, ehrlich, das ist ganz furchtbar. Aber ich habe nichts damit zu tun, Ehrenwort. Ich kannte deine Frau nicht einmal.«

Taler ließ sich nicht verunsichern. »Ich habe Fotos.«

»Was für Fotos? Hilfe! Hör auf! Was für Fotos?«

»Von dir. Wie du ins Haus gehst. Und wie du wieder rauskommst. Nach verdammt langer Zeit.«

»Welches Haus? Mein Gott! Aus welchem Haus bin ich denn gekommen?«

»Aus ihrem. Gleich da hinten.« Er machte eine kleine Kopfbewegung in die Richtung. »Gustav-Rautner-Weg vierzig.« Erst jetzt merkte Taler, dass seine Waffe noch gesichert war. Er entsicherte sie.

Der Mopedfahrer ließ die Hände sinken, die er bis jetzt flehentlich gefaltet hatte. »Du bist Paul«, seufzte er. »Sie hatte recht.«

»Womit?«

Der Mann schien plötzlich verändert. Er schenkte Peter ein knappes Lächeln und antwortete: »Dass du ein krankes Arschloch bist.«

Im gleichen Moment erhielt Taler einen furchtbaren Schlag auf den rechten Unterarm. Die Pistole flog aus seiner Hand, und ein Arm schlang sich von hinten um seinen Hals. Der Mopedfahrer sprang auf ihn zu und versetzte ihm einen Faustschlag in den Magen, der ihm die Luft abschnitt.

Taler lag am Boden und rang nach Luft. Sein rechter Arm fühlte sich an, als stünde er in Flammen. Die beiden Männer hatten von ihm abgelassen. Der Mopedfahrer hatte die Pistole auf ihn gerichtet, beide sahen auf ihn herunter.

Der zweite Mann war der schmale Blonde. Er hatte noch immer den schweren Schraubenschlüssel in der Hand, mit dem er Taler auf den Unterarm geschlagen hatte. Er war im Pyjama und hatte ein Tuch um den Hals gewickelt. Sein blondes Haar war zerzaust und seine Stimme heiser. Offensichtlich war er krank und deswegen zu Hause geblieben. »Kennst du den Typen?«

»Das ist der, der neulich am Zaun stand und zum Haus rüberstarrte.«

»Es ist der Mann, dessen Frau vor einem Jahr erschossen wurde«, erklärte der Blonde. Und zu Peter: »Stimmt's?«

Taler nickte.

»Und er denkt, du warst es, Kurt. Und jetzt würde ich die Bullen rufen, der Kerl ist gemeingefährlich.«

Kurt! Das »K« neben dem Feuerwerk! Der Schreck dieser Erkenntnis löste eine Schmerzwelle in Talers Arm aus.

»Wie heißt du?«, fragte Kurt.

»Taler. Peter Taler«, stöhnte er.

»Ich war's nicht, Peter Taler. Ich habe deiner Frau nichts getan. Ich habe sie nie im Leben gesehen. Peter Taler.«

Bei jedem Schmerzschub hatte Taler das Gefühl, ohnmächtig zu werden. Er wartete, bis er wieder sprechen konnte. »Was hast du denn so lange im Haus gemacht?«, fragte er schließlich mit schwacher Stimme.

Der Blonde unterbrach das Gespräch mit einem heftigen Hustenanfall. »Ruf jetzt die Bullen, ich muss wieder ins Bett«, keuchte er, als er wieder sprechen konnte.

»Geh ruhig, ich komme hier klar.«

»Bist du sicher? Vorhin sah es nicht so aus.« Der Blonde sah ihn skeptisch an. »Ich würde die Bullen rufen«, sagte er, bevor er das Zimmer verließ.

Du bist Paul! Während der kurzen Auseinandersetzung der beiden fiel Taler Kurts Satz wieder ein. Paul! Paul und Noëmi Keller-Schenk! Das fromme Ehepaar aus dem ersten Stock!

Kurt wandte sich wieder Taler zu. »Es muss dir genügen, wenn ich sage, dass ich nicht bei deiner Frau war.«

»Du warst bei Frau Keller.«

Kurt legte die Pistole neben die Schokowaffeln auf das Nierentischchen und kauerte neben Peter nieder. »Lass mal deinen Arm sehen.« Er versuchte den Ärmel von seinem Sweatshirt hochzuziehen, aber Taler schrie auf.

Kurt erhob sich, ging Richtung Tür, besann sich, nahm die Pistole, erst dann ging er hinaus.

Peter hörte ihn in einer Schublade hantieren, kurz darauf kam er mit einer Haushaltschere zurück und schnitt ihm ohne Umschweife den Ärmel auf. Ein Bluterguss hatte den Unterarm bereits beinahe auf den doppelten Umfang anschwellen lassen. Kurt hob Talers Hand ein wenig an. Es fühlte sich an, als hätte er ihm ein Messer in den Knochen gerammt. Taler schrie auf.

»Gebrochen«, stellte Kurt fest.

»Bist du Arzt?«, fragte Taler und biss sich auf die Lippe.

»Hoffentlich eines Tages.« Wieder ging er raus und kam mit einem Geschirrtuch, einem Glas Wasser und einer Pille zurück. »Da, gegen die Schmerzen.«

Er half Taler auf einen Stuhl und machte ihm eine Armschlinge. Dann setzte er sich wieder in seinen Polstersessel. »Jetzt warten wir, bis die Schmerzen zurückgegangen sind, und dann nimmst du ein Taxi in die Notfallstation.«

»Keine Polizei?«

»Ich bin nicht so der Polizei-hol-Typ.«

»Danke.«

Während des ganzen Aufruhrs hatte die klassische Musik weitergespielt. Jetzt, wo beide schwiegen, trat sie wieder in den Vordergrund.

»Hättest du mich umgebracht?«

»Wenn ich ganz sicher gewesen wäre.«

»Das warst du doch.«

»Du hättest es zugeben müssen.«

»Und dann? Wenn ich tot gewesen wäre?«

»Hätte ich mich erschossen.«

»Und wenn du den Richtigen findest, machst du es genauso, nicht wahr?«

Taler nickte.

Der Schmerz ging nicht weg, aber er beherrschte nicht

mehr jede seiner Empfindungen. Taler fragte: »Entschuldige, aber ich muss es wissen. Es ist wichtig. Hast du etwas mit Frau Keller? Verstehst du, wie wichtig das für mich ist?«

Kurt sah ihm in die Augen. Nach einer langen Pause sagte er: »Du hältst das Maul, okay? Sonst gibt es eine zweite Tote in eurem Haus.«

17

Vor Knupps Haus stand ein großer Kranlastwagen mit der Aufschrift »Garten Wertinger – Gärtnerei und Baumschule«. Auf der hinteren Hälfte der Brücke lagen kreuz und quer Büsche und Sträucher mit anklagend zum Himmel gereckten Wurzeln. Auf der vorderen warteten hübsch ausgerichtet die letzten drei Containerpflanzen, bis sie an die Reihe kamen. Der Ausleger ragte weit in den Garten hinein, ein Strauch hing daran und wurde von zwei Männern in Arbeitskleidung in Empfang genommen. Knupp stand daneben, sah aufgeregt von seinem Klemmbrett zur Pflanze und wieder zurück und gab Anweisungen.

Peter Taler ging durch das offene Gartentor, blieb auf dem Plattenweg stehen und sah zu. Sein Arm war provisorisch geschient, bis die Schwellung zurückgegangen war und der Bluterguss sich aufgelöst hatte. Er trug eine blaue Schlinge mit Klettverschlüssen. Die Speiche war gebrochen und die Elle angerissen. Schmerzen hatte er im Moment keine. Man hatte ihn großzügig mit Schmerzmitteln versorgt.

Taler hatte die Nacht im Spital verbracht und war vor einer Stunde nach Hause gekommen. Es war ein eigenartiges Gefühl gewesen, wieder an dem Ort zu sein, von dem er vor ein paar Stunden für immer Abschied genommen hatte.

Der Garten glich einer Baustelle. Überall lagen Erdhaufen, die neuen Pflanzen standen in großen Höfen aus Erde, der Rasen war in einem desolaten Zustand.

Es dauerte ein paar Sekunden, bis Knupp realisierte, dass es sich bei dem Neuankömmling nicht um einen der Gärtner handelte. Er humpelte auf Taler zu und umarmte ihn. Vorsichtig, aus Rücksicht auf den Arm. »Ich bin so froh.«

Knupp stellte keine Fragen, Taler gab keine Erklärungen. Sie standen nur nebeneinander und sahen zu, wie das, was sie so lange vorbereitet hatten, langsam Formen annahm.

Die Gärtner waren längst gegangen, aber Knupp und Taler befanden sich noch immer im Garten und verglichen die neuen Pflanzen mit ihren Unterlagen. Da und dort waren kleine Korrekturen nötig, man musste schneiden oder binden. Aber es sah gut aus. Und die Narben im Rasen ließen sich durch Grasziegel heilen. Bis zum elften Oktober würde alles zusammenwachsen, hatte Wertinger junior versichert.

Aber es wurde schon bei den wenigen Handreichungen, die bei dieser Bestandsaufnahme nötig waren, beiden klar, dass der einarmige Peter Taler mit seiner linken Hand nicht mehr zum Gehilfen taugte. »Sieht aus, als bräuchtest du auch einen Gehilfen«, stellte Knupp fest.

»Mehr als einen«, antwortete Taler.

Auf dem Heimweg ging er bei der Nummer dreiundvierzig vorbei. Es war ein stiller Sommerabend. Das Ehepaar Hadlauber saß in der Hollywoodschaukel und sprach mit halblauter Stimme. Über ihnen, im Licht einer Lampe im Stil einer Miniatur-Gaslaterne, tanzten die Nachtinsekten. Weit weg bellte ein Hund.

Im Garten der Dreiundvierzig brannten die bunten Glühbirnen über dem Biertisch. Das Paar und Kurt saßen dort und redeten. Als Peter die Gartentür öffnete, verstummten sie und sahen zu ihm herüber. Kurt sagte etwas zu den beiden, stand auf und kam zu ihm.

»Wie geht's?«

»Glatter Bruch. Vier bis sechs Wochen Gips. Keine Operation.«

Kurt nickte fachmännisch. »Konventionell.« Er sah Taler an, als warte er auf den Grund seines Besuchs.

»Hinten, beim Zaun, habe ich meine Tasche liegenlassen. Ist es okay, wenn ich sie hole?«

Kurt begleitete ihn. Kletterte sogar für ihn über den Zaun, um die Tasche zu holen. Als er sie Taler gegeben hatte, entstand eine Pause.

»Die Knarre?«, fragte Kurt schließlich.

Taler nickte. Kurt ging ins Haus und kam kurz darauf mit der Armeepistole zurück. Er gab sie ihm mit den Worten: »Ich hoffe, du findest ihn nie.«

Er hätte gerne Lauras Kalender gerettet. Als er an diesem Vormittag vom Krankenhaus nach Hause gekommen war, hatte er als Erstes den Deckel des Müllcontainers angehoben. Aber die Abfuhr war schon da gewesen.

Laura hatte also die Herrenbesuche der Nachbarin mitbekommen, so laut war es in der Wohnung unter ihr zugegangen. Beim ersten Mal, dem mit dem Fragezeichen, war sie sich nicht sicher gewesen. Aber beim letzten Mal mit dem Feuerwerk dafür sehr.

Es war Zeit, Abbitte zu leisten. Er saß in Lauras Atelier

und starrte auf die tränenverschwommenen Illustrationen, die sie für so gelungen gehalten hatte, dass sie einen Platz an der Wand bekamen: ein Feuersalamander in seinen vier Entwicklungsphasen, ein Querschnitt durch das menschliche Ohr und einen Hopfen mit weiblichen und männlichen Blüten.

Verzeih, verzeih, verzeih!, wiederholte er wie ein Mantra. Verzeih, verzeih, verzeih, bis ihm das Wort nachlief wie ein Lied, das ihm nicht mehr aus dem Kopf ging.

Es lief weiter, während er sich auszog – einhändig, eine Clownnummer ohne Gelächter und Applaus –, und es folgte ihm in den Schlaf. Verzeih, verzeih, verzeih.

»Wenn es die Zeit nicht gäbe«, sagte Peter Taler, »dann würde alles auf einmal passieren.«

Sie waren im Vermessungszimmer, dessen Wände jetzt mit Plänen tapeziert waren. An der einen Wand die von damals, an der anderen die von heute und an der dritten die, auf denen sie Buch führten über das, was bereits angepasst war, und das, was noch bevorstand. Noch immer der weitaus größte Teil.

»Die Zeit hat die Funktion der Trennung, verstehst du? Sie trennt uns von unseren Vorfahren und Nachfahren, sie trennt uns von uns als Kindern, als Heranwachsenden, als Erwachsenen, als Greisen, als Verstorbenen. Sie dient der Ordnung. Sie schenkt uns das Vorher, das Jetzt und das Nachher. Wenn es die Zeit nicht gäbe, dann wäre alles auf einem Haufen.«

Knupp hatte nachsichtig zugehört, wie bei etwas, das er bis zum Überdruss kannte. »Es ist nicht die Zeit. Es ist die Veränderung. Sie ist es, die alles trennt, die Ordnung schafft und uns Vorher, Jetzt und Nachher schenkt. Stichwort James Lee Buttonpond.«

Peter Taler zuckte mit den Schultern. Er hatte, seit sich sein Verdacht gegen den Mopedfahrer in Luft aufgelöst hatte, den Fokus verloren. Was den Mörder von Laura betraf, tappte er im Dunkeln. Und an Knupps großem Zeitexperiment beteiligte er sich halbherzig und aus einer Mischung aus Langeweile und Loyalität. Die Planung und Vorbereitung, also die Arbeiten, bei denen er auf seine rechte Hand angewiesen war, waren zwar abgeschlossen, aber es war jetzt Ende Juli und der größte Teil der praktischen Umsetzung lag noch vor ihnen. Geld war kaum mehr vorhanden, das meiste der zwölftausendeinhundert, die er in den Abschiedsbrief an Knupp gesteckt hatte, war für Teilzahlungen an die Gärtnerei draufgegangen. Neue Geldquellen waren nicht in Sicht. Dass er selbst mit anpackte, lag bei seinem kaputten Arm nicht drin.

Sie kämpften auf verlorenem Posten. Aber Knupp wollte es nicht wahrhaben. Und Taler fehlte die Motivation, etwas dagegen zu unternehmen.

Doch das sollte sich ändern – noch am selben Abend.

Taler hatte – wie fast immer – bei Knupp zu Abend gegessen und kam erst nach Einbruch der Dunkelheit zurück in seine Wohnung.

Seit er sie so überstürzt von ihrer beider Persönlichstem befreit hatte, war sie steril geworden. Er konnte noch so viele Marlboros abbrennen und noch so oft ihr Shalimar versprühen, es gelang ihm nicht mehr, eine Atmosphäre heraufzubeschwören, die ihm das Gefühl gab, Laura sei noch hier.

Es half auch nichts, gleich nach dem Nachhausekommen zu Bett zu gehen – sein eingegipster Arm weckte ihn bald wieder, und einmal wach, ließ ihn das Durcheinander seiner Gedanken nicht mehr einschlafen.

Daher setzte er sich meistens mit einem Buch und einer Flasche Wein an den großen Tisch im Wohnzimmer, bis ihm die Augen zufielen. Vom einen oder vom anderen.

An diesem Abend nahm er sich nochmals *Der Irrtum Zeit* von Walter W. Kerbeler vor. Er wollte das Buttonpond-Experiment noch einmal aufmerksam nachlesen.

Er stieß auf nichts Neues, aber wie beim letzten Mal trugen das Experiment selbst und die Glaubwürdigkeit der Beweisführung wieder dazu bei, seine Zweifel schwinden zu lassen. Als er das Buch zuschlug, hatte er einen Teil seiner Motivation wiedererlangt, Knupp bei seiner viel umfassenderen, vielleicht epochalen Version des Experimentes zu helfen.

Er sah auf das abgegriffene Buch vor ihm auf der Tischplatte. Etwas irritierte ihn. Etwas, das er unbewusst wahrgenommen hatte. Wie die Veränderungen in Knupps Garten, damals.

Er schlug es nochmals auf, blätterte darin, versuchte, es mit neuen Augen zu sehen.

Und plötzlich war ihm klar, was es war.

Aber er musste lange am Blumenfenster stehen und auf den stillen Gustav-Rautner-Weg starren, bis er die ganze Tragweite seiner Entdeckung erfasste.

18

Am nächsten Morgen war er eine Stunde vor Betty im Büro. Als Erstes eröffnete er ein neues Kreditorenkonto mit dem Namen »Wertinger«, rief Wertinger junior an und bat ihn, ab sofort das Kundenkonto »Gustav-Rautner-Weg« auf die Projektnummer 46144WB und die Referenz »Waldberg« umzuändern, alle Rechnungen mit »Diverse Bepflanzungsarbeiten« zu bezeichnen und an Feldau & Co. zu adressieren. »Aus internen buchhalterischen Gründen«, erklärte Taler und fügte hinzu: »Für Sie macht das ja keinen Unterschied, solange das Geld pünktlich eintrifft.« Waldberg war eine Überbauung am Stadtrand und eines der größten Projekte von Feldau & Co.

Danach richtete er ein weiteres Kreditorenkonto ein. »Illulaura« nannte er es, wie Lauras Illustrationsagentur. Und als Branche gab er an: »Armierungseisen«.

Den Rest seines Arbeitstages verbrachte er mit den üblichen Routinearbeiten. Ungewöhnlich war nur seine neue Entschlossenheit, die er auch bei den kleinsten Nebensächlichkeiten an den Tag legte.

Nach Feierabend fuhr er mit Betty und Enzo zu der Werkstatt, die die drei Autos in Arbeit hatte, und versicherte sich, dass die Arbeiten vorangingen. Danach fuhr er nach Hause und begab sich zu Knupp.

Der Alte war beleidigt. Er hatte seinen Hackbraten mit Kartoffelstock gekocht, aber Taler naschte nur kommentarlos davon.

Sein Teller war noch halb voll, als er vom Tisch aufstand und im Vermessungszimmer das Dossier holte, in dem sie Buch über die noch zu ersetzenden Pflanzen führten. Er las vor: »Dreiundfünfzig mittlere und größere Pflanzen, darunter so Brocken wie die Birke von Sophie Schalbert oder die Rottanne der Scholters. Dreihundertzwölf Kleinpflanzen, Blumen, Bodendecker, Einjährige, Blühpflanzen, Stauden und so weiter. Und das waren jetzt nur die Pflanzen. Dazu kommt: Restaurierung der Spielplatzgeräte, Nachbildung Haus Scholter, Rückbau Haus Hadlauber, Wiederherstellung Straßenbelag Gustav-Rautner-Weg, das alles in knapp sechzig Tagen. Angenommen, Geld spielte keine Rolle – wie würdest du vorgehen?«

Jetzt erst bemerkte er, dass sich die Augen des alten Mannes mit Tränen gefüllt hatten. Er hob hilflos die Schultern, ließ sie fallen und legte seinen Kopf auf die Unterarme, die er vor sich auf dem Tisch verschränkt hatte.

Taler sah auf den zuckenden Kopf mit dem verrutschten Haarteil. Er sah die schütteren, schwarzgefärbten Haare mit dem weißen Ansatz, hörte das unpassend kindliche Schluchzen und konnte sich doch nicht dazu aufraffen, den Alten zu berühren oder ihm wenigstens etwas Tröstliches zu sagen.

Taler wartete einfach ab, bis sich Knupp so weit erholt hatte, dass er sich aufrichten und schneuzen konnte. »Angenommen, Geld spielte keine Rolle, wie würdest du vorgehen«, wiederholte er.

Knupp schneuzte sich noch einmal. »Die Pflanzen«, sagte er mit noch tränenerstickter Stimme, »die Pflanzen macht Wertinger.«

»Aber wie bekommst du die Bewilligung von Sophie Schalbert für die Birke?«

»Die bekomme ich.«

»Wie?«

Knupp zögerte. »Ich weiß etwas, das ihr Mann nicht erfahren darf.«

»Was?«

Knupp rang mit sich, bis er sagte: »Etwas, das Martha auch nicht erfahren durfte. – Verstehst du?«

Taler verstand. Aber Knupp wollte erklären:

»Sophie war immer eine einsame Frau. Sie war die einzige Tochter von Otto Schalbert, dem Besitzer der Drahtzugfabrik, und führte ihm den Haushalt seit dem Tod ihrer Mutter. Erst nachdem auch der Vater gestorben war, heiratete sie, da war sie schon Ende dreißig. Ihr Mann, ein ehemaliger Angestellter des Vaters, verspekulierte sich, und Sophie war gezwungen, die Fabrik abzustoßen. Kurz darauf hatte er einen Hirnschlag. Seither sitzt er im Rollstuhl, und Sophie pflegt ihn. Verstehst du?«

»Es geht mich nichts an.«

»Ich will nur nicht, dass du denkst, ich spiele dir etwas vor mit Martha. Es war nichts Ernstes. Sophie tat mir einfach leid. Und Martha arbeitete zu dieser Zeit als Handarbeitslehrerin. Mit einem ganz anderen Stundenplan.«

»Ich verstehe.«

Knupp sah ihn skeptisch an. »Das Leben schlägt manchmal unerwartete Volten.«

»Und Scholters?«, fragte Taler.

»Wenn Geld keine Rolle spielte, würde ich ihnen etwas bezahlen für das Einverständnis. Die pfeifen auf dem letzten Loch.«

»Und Hadlaubers?«

»Ich dachte, das hätte ich dir schon gesagt. Die Arbeiten machen wir in den Herbstferien. Dann sind sie in Kanada.«

»Und die Straße?«

»Reine Geldfrage.« Knupp ließ die Schultern wieder hängen und sah aus, als würde er gleich wieder losheulen.

»Auf welcher Bank hast du dein Konto?«

»Wie gesagt: Es ist fast leer.«

»Bei welcher Bank?«, insistierte Taler.

»Bei der Federal, warum?«

»Eröffne eines bei der Stadtsparkasse.«

»Warum?«

»Die Computersysteme kleiner Banken haben nicht so ausgeklügelte Kontrollsysteme.«

Knupp sah Taler verständnislos an.

»Kontrollsysteme, die sofort Alarm schlagen, wenn auf einem Konto ungewöhnliche Bewegungen entstehen.«

Knupp stellte keine weiteren Fragen.

Die Stadtsparkasse war kürzlich auf etwas provinzielle Art modernisiert worden. Die in hellem Furnier gehaltenen drei Schalter waren durch ein Spalier aus Ficus-Hydrokulturen voneinander getrennt. Als Knupp der Frau am Schalter sagte, er wolle ein Konto eröffnen, stellte sie ein Schild mit der Aufschrift »Geschlossen« hinter die Glasscheibe und führte Knupp und Taler in ein Besprechungszimmer.

Sie füllte beiden die Formulare aus, dem alten Herrn mit der zittrigen und dem jüngeren mit der eingegipsten Hand, händigte beiden buntes Prospektmaterial über die Bank und deren Dienstleistungen aus und entließ die neuen Kunden mit den besten Wünschen für die zukünftige Zusammenarbeit.

Knupp war jetzt Inhaber eines Kontos, lautend auf den Namen Albert Knupp-Widler, und Peter Taler besaß die Unterschriftsberechtigung dafür.

Noch am selben Abend glitt der Briefkopf der »Firma Knupp & Widler, Fertigbeton« in Knupps Arbeitszimmer aus Lauras Drucker.

Die erste Rechnung für »diverse Bepflanzungsarbeiten« von Wertinger auf »46144WB Waldberg« landete auf Bettys Schreibtisch. »Wertinger, Wertinger, sind die neu?«, fragte sie mehr sich als ihren Bürokollegen. Wenn sie nicht in ihr Handy sprach, führte sie solche Selbstgespräche. Aber diesmal gab Taler eine Antwort. Er war ein wenig erschrocken, es wäre ihm lieber gewesen, die Rechnung hätte auf seinem Stoß gelegen. »Nein, ich glaube, da gibt es einen Lieferantenstamm, schau mal nach.«

Aber Betty hatte den Lieferanten schon gefunden und buchte den Betrag, etwas über vierundzwanzigtausend Franken, ohne weiteren Kommentar.

Die Verbuchungen von Illulaura GmbH und von Knupp & Widler am nächsten Tag verliefen ohne eine solche Schrecksekunde. Sie landeten direkt auf Talers Schreibtisch.

Es handelte sich um CHF 36 432.55 für Armierungseisen

und CHF 28312.60 für Fertigbeton, beide für die Großbaustelle 46144WB Waldberg.

Ausgestanden war die Sache allerdings erst, wenn der Zahlungsauftrag abgezeichnet war. Zweimal in der Woche löste Feldau & Co. Lieferantenzahlungen aus. Das Computersystem stellte die Liste der Begünstigten zusammen aufgrund der gebuchten Zahlungstermine. Illulaura GmbH und Knupp & Widler gewährten drei Prozent Skonto bei Begleichung innerhalb von fünf Tagen nach Rechnungserhalt und kamen daher in die nächste Überweisung.

Laut einer internen Weisung des Finanzchefs Perlucci, die er bereits von seinem Vorgänger übernommen hatte, mussten alle Zahlungsaufträge bis hunderttausend Franken von Gerber visiert werden. Höhere Beträge brauchten das Visum von Gerber und ihm selbst. In der Regel wurde nur die Gesamtsumme vorgelegt, aber es kam vor, dass Gerber oder sogar Perlucci sich die Detailaufstellung geben und ganz selten sogar, dass er sich bestimmte Rechnungsoriginale bringen ließ.

Peter Taler war nervös, als er mit dem Zahlungsauftrag über etwas unter dreihundertvierzigtausend Franken in Gerbers Büro vorsprach.

Sein Vorgesetzter telefonierte wie meistens und ließ seinen Besucher demonstrativ warten, um klarzustellen, wessen Zeit kostbarer war. Nach ein paar Minuten tat er so, als hätte er ihn eben erst entdeckt, und bedeutete ihm, auf dem Besucherstuhl Platz zu nehmen. Taler blieb stehen. Stehende Wartende ließ man weniger lange warten als sitzende.

»Wie geht es deinem Arm?«, war Gerbers erste Frage, wie jedes Mal, wenn er ihn sah.

»Gut. Mit dem neuen Verband kann ich wieder Auto fahren.« Er reichte ihm den Zahlungsauftrag. Die Detailaufstellung behielt er im Klarsichtmäppchen.

Gerber sah die Summe an, nickte sorgenvoll, als handle es sich um sein eigenes Erspartes, und sagte: »Solche Schwankungen machen das Cash Management auch nicht eben leichter.«

Taler wusste, dass Gerber nichts mit dem Cash Management von Feldau & Co. zu tun hatte und dass es sich bei der Schwankung diesmal um eine nach unten handelte, dafür hatte er nämlich beim Verbuchen gesorgt. Trotzdem sah es einen Moment lang aus, als wollte sich Gerber aus reiner Schikane die Detailaufstellung geben lassen. Doch das Telefon rettete Taler.

Gerber warf einen Blick auf die Digitalanzeige, signierte den Zahlungsauftrag und sagte: »Entschuldige – das muss ich nehmen.«

Perlucci war kein Problem. Er saß an seinem mit gerahmten Familienfotos vollgestellten Schreibtisch, blickte kurz von seiner Lektüre auf – einem dicken Endlosausdruck von Zahlenaufstellungen –, fragte: »Hat Gerber das kontrolliert?«, und signierte den Zahlungsauftrag, ohne hinzuschauen. Taler wünschte »schönen Tag noch«, aber Perlucci war bereits wieder in seine Zahlen vertieft.

Noch im Lift klingelte sein Handy. »Marti« stand auf dem Display. Taler meldete sich.

»Wir haben ihn«, sagte der Wachtmeister.

»Wen?«

»Den Mopedfahrer. Er ist ein Nachbar von Ihnen.«

Taler wusste nicht, ob er überrascht tun sollte oder informiert. Er entschied sich für überrascht.

»Aber ich muss Ihnen leider gleich sagen: Er war es nicht. Er hat ein wasserdichtes Alibi.«

»Und was hatte er im Haus verloren?«

Marti räusperte sich. »Das darf ich Ihnen aus ermittlungstechnischen Gründen nicht sagen. Aber es ist stichhaltig. Und bestätigt.«

»Also Fehlalarm?«

»Fehlalarm. Aber wir bleiben dran. Ich halte Sie auf dem Laufenden.« Er verabschiedete sich und legte auf.

Set Factory stand in roten Kinolettern auf schwarzem Grund an der Fassade des etwas verwahrlosten Werkstattgebäudes in einem Industrieviertel der Stadt. Taler parkte seinen Citroën neben der Laderampe und klingelte.

»Set Factory, Film-Ausstattungen und Set Design« stand auf dem Schild an der Tür, die jetzt aufsprang. Er betrat einen Korridor, der in eine Treppe mündete. Daneben ein großer Warenlift. Aus der Werkstatt links roch es nach Farbe. Aus der rechten drang das Kreischen einer Kreissäge. Ein Pfeil mit der Aufschrift »Büro« zeigte nach oben.

Peter Taler folgte dem Pfeil die Treppe hinauf. Durch einen weiteren Atelierraum gelangte er zu einer mit Stickern vollgeklebten Glaswand, darin eine Tür mit der Aufschrift »Büro«.

Der Raum war durch eine Theke zweigeteilt. Im vorderen Teil standen drei Schreibtische, der hintere war eingerichtet wie ein englischer Club mit Ledersesseln, Bücherwänden, Perserteppichen und viktorianischem Mobiliar.

An einem der drei Schreibtische saß eine Frau in mittleren Jahren vor einem Bildschirm. Bei Talers Eintreten blickte sie auf. »Herr Taler?«

Er war angemeldet. Er hatte mit dem Chef, Ronnie Betrio, gesprochen und mit ihm diesen Termin in der Mittagspause gemacht.

Die Frau stand auf und führte Taler an der Theke vorbei. »Ronnie, dein Besuch.«

Betrio stemmte sich aus dem Ledersessel und kam auf Taler zu. Er war ein untersetzter muskulöser Mann um die fünfzig mit langen unordentlichen graumelierten Haaren. Er trug einen schwarzen Anzug, ein weißes Hemd und eine schwarze Krawatte. Auf Schultern und Revers lag etwas Schuppenschnee. »Herr Taler, willkommen. Ich hoffe, Sie sind für einen kleinen Sandwichlunch zu haben.«

Er deutete auf ein silbernes Tablett mit dreieckigen Sandwiches aus sehr weißem weichem Brot. »Eine Tradition aus meinen zwölf Jahren in den Pinewood Studios. Tee? Oder machen Sie es wie ich?« Er zeigte auf ein Glas mit einer bernsteinfarbenen Flüssigkeit. »Scotch. Die andere Tradition aus den Pinewood Studios.«

»Tee«, sagte Taler, und während die Frau einschenkte, stellte Ronnie sie vor: »Samantha, meine Assistentin. Aber setzen Sie sich doch.«

Sie ließen sich in die tiefen Sessel fallen, und Betrio kam zur Sache. »Jetzt bin ich aber gespannt. Ein sehr ungewöhnlicher Auftrag, haben Sie gesagt?«

Peter Taler begann, die Geschichte zu erzählen, die er sich zurechtgelegt hatte: »Ich bin befreundet mit einem älteren Herrn, und der hat einen Wunsch, der Ihnen vielleicht etwas exzentrisch vorkommen mag: Er will vor seinem Tod noch einmal einen ganz bestimmten Tag wiedererleben – den elften Oktober neunzehneinundneunzig. Ein glücklicher Tag, an dem seine Frau noch lebte. Von diesem Tag besitzt er dank eines Kameratests über zweihundert Fotos, und mit ihrer Hilfe will er diesen besonderen Tag rekonstruieren. Wir sind seit vielen Wochen an der Wiederherstellung des Gartens, eine Großgärtnerei hilft uns hier bei der praktischen Durchführung. Leider müssen wir einsehen, dass das Projekt unsere Kräfte übersteigt, vor allem damit«, er zeigte auf seinen Arm. »Es ist uns über den Kopf gewachsen.«

»Und hier kommen wir ins Spiel?«

»Richtig.«

Betrio lächelte. »Exzentrisch ist das richtige Wort. Aber ich nehme an, mit Ihrem Freund verhält es sich wie mit den meisten Exzentrikern: Er kann es sich leisten?«

»So ist es. Sind Sie interessiert?«

Betrio überlegte. »Wir haben bisher nur für Filmprojekte gearbeitet.«

»Das werden Sie auch in diesem Fall tun. Jedenfalls für alle, die fragen. Sie arbeiten für einen Film, eine Mischung aus Dokumentation und Fiktion. Die alten Aufnahmen verschmelzen immer wieder mit den neuen, und diese Übergänge müssen nahtlos sein.«

»Wie heißt der Film?«

»Weiß ich noch nicht. Irgendetwas mit Zeit.«

»Wann kann ich mir die Situation anschauen?«

»Heute Abend?«

»Einverstanden. Dann kann ich beurteilen, was auf uns zukommt. Und auf Ihren alten Herrn. Ich meine, finanziell. Und ob es terminlich für uns machbar ist.«

Dass es terminlich machbar sein würde, bezweifelte Taler nicht. Er hatte sich einen Betreibungsauszug der Set Factory besorgt.

In dieser Nacht erwachte Taler von lautem Geschrei. Durch das offene Schlafzimmerfenster hörte er einen Mann brüllen und die mal flehende, mal wütende Stimme einer Frau. Er ging zum Fenster. Der Lärm kam aus dem Schlafzimmerfenster unter ihm, Kellers Wohnung. Er konnte nichts verstehen bis auf ein Wort, das der Mann mit sich überschlagender Stimme wiederholte: »Nutte, Nutte, Nutte!«

Plötzlich war es still. Im Treppenhaus knallte eine Tür. Kurz darauf heulte ein Motor auf. Taler eilte zum Blumenfenster und sah Kellers Nissan wegfahren. Er ging zurück zum Schlafzimmerfenster. Alles still. »Du hältst das Maul. Sonst gibt es eine zweite Tote in eurem Haus«, hatte Kurt gesagt.

Vielleicht war die Polizei nicht so diskret gewesen wie er.

Immer noch still. Taler wollte schon nachsehen gehen. Aber plötzlich klang Musik herauf. Und eine Frauenstimme, die mitsang.

Am Samstagnachmittag empfingen ihn Scholters zum Kaffee. Knupp war nicht mitgekommen. Es hatte sich herausgestellt, dass er mit ihnen, wie mit den meisten Nachbarn, verkracht war, und Taler hatte in seiner neuen Zielstrebigkeit von sich aus vorgeschlagen, den Besuch allein zu machen.

Frau Scholter war Mitte fünfzig, eine hagere Frau, graumelierter Pagenschnitt und handbedrucktes Sommerkleid. Ihr Mann, mittlerer Beamter der Stadtwerke kurz vor dem Ruhestand, dichtes schlohweißes Haar, Jeans, blaues Hemd und khakifarbenes, ausgebeultes Sommerjackett. Dem Haus sah man an, dass darin Kinder groß geworden waren: Die Möbel waren abgewohnt, und überall fanden sich kindliche Zeichnungen und Handarbeiten.

Taler hatte ein ziemliches Geheimnis um seinen Besuch gemacht. Es gehe um eine große Sache, bei der er auf ihre Mithilfe angewiesen sei. Als sie Knupps alte Fotos von ihrem Haus und Garten studierten, rief Herr Scholter aus: »Regulas Lok!«

Hinter einem Strauch am Gartenweg sah ein Stück Rohr hervor, an dem Knupp und Taler lange herumgerätselt hatten. »Das ist der Schornstein von Regulas Lok. Ihr Großvater hatte sie ihr gemacht, der Vater meiner Frau.«

»Existiert sie noch?«

Scholter sah seine Frau fragend an. »Wir hatten sie meiner Schwester geschenkt, ihre Kinder sind jünger. Weshalb?«

Taler erklärte den Grund seines Besuchs, beschrieb das Filmprojekt und wies eindringlich darauf hin, wie wichtig es sei, dass jener Tag originalgetreu nachgestellt werde.

Am Ende seines engagierten Plädoyers sahen sich die beiden an, als wollten sie die Meinung des anderen erraten, bevor sie ihre eigene preisgaben.

Es war schließlich Frau Scholter, die antwortete: »Sie müssen verstehen, wir hängen an diesen Pflanzen. Sie sind ein Stück unseres Lebens. Sie sind mit unseren Kindern groß geworden und mit uns alt.«

Ihr Mann zögerte erst, dann pflichtete er ihr bei: »Man kann sie nicht ersetzen, man kann sie nicht verjüngen. So wenig wie uns selbst.«

Taler ließ nicht locker. »Ich stelle mir das schön vor: alles wie vor einundzwanzig Jahren, der Garten, der Spielplatz. Eine kleine Reise in die Vergangenheit.«

Wieder antwortete die Frau zuerst: »Eine traurige Reise. Der Spielplatz ohne Kinder. Und wir als alte Leute in der Kulisse unserer besten Jahre. Nein, das stelle ich mir schrecklich vor.«

Ihr Mann ergänzte: »Wir sind Leute, die gerne helfen. Aber Sie müssen wissen: Albert – Albert Knupp – ist nicht gerade ein Freund. Wir waren einmal befreundet, als Martha noch lebte. Aber nach ihrem Tod hat er sich verändert. Zuerst haben wir ihm das nachgesehen. Wenn man seine Frau so plötzlich verliert ... Aber wem sage ich das.«

Und seine Frau fügte hinzu: »Er ist ein böser alter Mann geworden, der allen zuleide lebt. Wir schulden ihm keinen Gefallen. Eher er uns.«

Peter Taler griff zu seinem letzten Argument: »Darüber ist er sich im Klaren. Deswegen ist er auch bereit, sich für Ihr eventuelles Entgegenkommen großzügig zu revanchieren.«

Das Paar schwieg. Ganz offensichtlich warteten sie auf eine Zahl.

»Zwanzigtausend«, sagte Taler schließlich.

Wieder sahen sich Herr und Frau Scholter an. Und wieder war sie es, die die Antwort übernahm: »Dreißig.«

19

Man konnte mit der Hebebühne weder durch Knupps Garten noch durch das Grundstück der Villa Latium bis zur Birke vordringen. Wertingers Leute waren gezwungen, mit Leitern zu arbeiten. Es sah halsbrecherisch aus, wie der junge Slowene, der auf solche Arbeiten spezialisiert war, auf den obersten Sprossen balancierte und mit der Motorsäge Ast um Ast kappte. Jedes Mal, wenn die Säge verstummte, fiel ihr Opfer mit einem hässlichen Krachen herunter.

Wenn ein Stück Stamm entastet war, sicherte es der junge Mann mit einem Seil. Erst dann sägte er es durch und seilte es ab zu den Helfern, die unten im Sägemehl standen.

Es dauerte keine Stunde, bis von der Birke nur noch ein Strunk übrig blieb und die Gärtner sich daranmachten, mit Pickeln, Harken und Schaufeln auch diesen mitsamt den Wurzeln auszugraben.

Sophie Schalbert sah dem Frevel mit verschränkten Armen und zusammengepressten Lippen aus der Ferne zu. Taler wusste nicht, wie und bei welcher Gelegenheit Knupp ihr Einverständnis eingeholt hatte. Eines Tages hatte er einfach gesagt: »Sophie ist einverstanden, Wertinger kann die Birke bringen.« Taler hatte keine Fragen gestellt.

Auch die kleinere Birke war ein stattlicher Baum, ihr

Wipfel reichte bis unter die Fenster im ersten Stock. Aber die Veränderung war dennoch überwältigend. Der schattige Hintergarten bekam wieder Sonne ab, und die auf den alten Fotos dokumentierte Bepflanzung für halbschattige Standorte wurde wieder möglich. Auch die oberen Räume auf der Nordseite, Marthas gehäkeltes und geklöppeltes Refugium, das Bad und das Vermessungszimmer, waren plötzlich lichtdurchflutet und freundlich.

Der Austausch der Birke allein kostete Feldau & Co. über sechstausend Franken.

Das wütende Summen einer zwischen Vorhang und Scheibe gefangenen Biene verstummte, irgendwo im Haus schlug der Wind eine Tür zu.

Die Stimmen der Kinder, die auf der Grünfläche zwischen dem vorderen und hinteren Wohnblock in einem aufblasbaren Pool spielten, drangen zu ihm.

Und von ganz fern das Grollen des ersehnten Gewitters.

Peter lag nackt auf dem Bett und stellte sich vor, Laura läge neben ihm.

Seit der Verdacht sie ihm nicht mehr entfremdete, war sie ihm wieder nah.

Die Mitarbeit der Gärtner und der Filmausstatter ermöglichte ihm solche Momente. Er musste nicht mehr jede freie Minute bei Knupp verbringen. Er war jetzt mehr mit Administrativem und Organisatorischem beschäftigt. Rechnungen bezahlen, Geld beschaffen, Arbeiten koordinieren, den Kontakt zu Scholters pflegen und Dinge wiederbeschaffen.

Regulas Lok zum Beispiel blieb verschollen. Die Nichte von Frau Scholter hatte sie an ihre eigenen Kinder weitergegeben und, was davon übriggeblieben war, vor nicht allzu langer Zeit entsorgt. Scholters hatten nach viel gutem Zureden Fotos davon gefunden und herausgerückt, und jetzt waren Betrios Leute dabei, die Lok nachzubauen.

Die Büroarbeiten erledigte er in Lauras Atelier. Er hatte sich ein kleines Notebook angeschafft, denn ihren Computer, Drucker und Scanner brauchte er noch immer drüben für die Bildüberlagerungen, die weiter anfielen. Aber seit seiner folgenschweren Entdeckung versuchte er, möglichst wenig Zeit in der Gegenwart des alten Mannes zu verbringen. Er hielt sie immer schlechter aus.

Der August hatte sich ihren Plänen gegenüber gnädig gezeigt. Es hatte zwar manchmal geregnet, aber nicht so, dass die Gartenarbeiten behindert worden wären. Im Gegenteil, fast nach jeder Pflanzung fiel ein segensreicher Sommerregen. Engelpipi hatte Wertinger es genannt.

Nur an diesem letzten Augustsonntag war es drückend heiß. Wie damals in Lissabon, in ihren ersten gemeinsamen Ferien. Sie wohnten in einem billigen *hostel* in der Altstadt. Es roch muffig nach Staub und Mörtel. Die Läden des offenen Fensters waren geschlossen, und durch die Ritzen der Jalousien drangen die müden Geräusche der Straße. Sie lagen nackt und schweißgebadet auf dem Bett. Es war zu heiß, um sich zu berühren, aber die durchhängende Matratze schmiegte ihre Körper an ihrer tiefsten Stelle aneinander.

Taler ging ins Bad, entfernte die elastische Binde, die inzwischen den Verband ersetzt hatte, duschte, band den Unterarm neu ein, schlang ein Badetuch um die Hüfte und stellte sich ans Blumenfenster.

Knupps Garten war beinahe fertig. Der größte Teil der Pflanzen war ersetzt, und die Wunden im Gras waren fast verheilt. Das Haus war eingerüstet. Er hatte ein Malergeschäft beauftragt, die Fassade in der Farbe von damals zu streichen, Ronnie Betrios Team würde dann den Alterungsprozess durchführen und die auf den Fotos erkennbaren Verputzschäden rekonstruieren.

Auch die Arbeiten bei Scholters waren fortgeschritten. Kleinere Pflanzen waren ersetzt, und Set Factory hatte mit der Restaurierung der Spielgeräte begonnen. Die Rottanne stand noch in ihrer alten Größe da, aber Ersatz war gefunden, die Arbeiten waren für nächste Woche geplant.

Bei Hadlaubers war noch alles beim Alten. Taler hatte auch sie der Form halber um Erlaubnis gebeten, das Anwesen vorübergehend wieder in den Zustand von damals zurückversetzen zu dürfen, und war wie erwartet ausgelacht worden. Er hatte sein Bedauern darüber ausgedrückt, dass ihr Haus und Garten unter diesen Umständen im Film nicht vorkommen würden, und Betrio und Wertinger grünes Licht gegeben, die Umbauarbeiten auf den ersten Oktober generalstabsmäßig vorzubereiten. Am Wochenende würde die Familie nach Kanada abfliegen, und am Montag würden die Teams der Filmausstatter und der Gärtner vorfahren. Bis auf ein paar wenige Ausnahmen waren die Pflanzen ausgewählt und bei Wertinger bereitgestellt. Bei Betrio lagerte bereits das benötigte Material: verwitterte Waschbetonplatten aus dem Abbruchlager für die Rekonstruktion des früheren Gartensitzplatzes. Außerdem das ursprüngliche Spalier, das aus verwittertem Kantholz dem Holzspalier an Knupps Fassade nachgebaut worden war. Die Fensterläden, die Betrio den Besitzern eines der gleichen Häuser am Ende der Straße abgeschwatzt und gegen neue Normläden aus Kunststoff getauscht hatte. Der Gartenzaun, den er ebenfalls in einem Abbruchlager entdeckt und dessen Schutzanstrich er dem von Knupp angeglichen hatte. Vier große verzierte Terrakottatöpfe, wie sie Hadlaubers Vorgänger für die Lorbeerbäumchen, die den Hauseingang flankierten, benutzt hatten.

Talers Citroën war der einzige Wagen auf dem Parkplatz. Frau Feldter war wohl in der Luft, Steingärtners – endlich konnte er sich den Namen der neuen Familie merken – waren auf ihrem obligaten Sonntagsausflug. Sie waren aus Österreich zugezogen und absolvierten gewissenhaft die Sehenswürdigkeiten des Gastlandes. Kellers Nissan fehlte auch, aber seine Frau schien zu Hause zu sein, aus der Wohnung klang trotzig ihre Musik.

Die Gartenarbeiten für Talers Mehrfamilienhaus waren zurückgestellt worden, bis das Gerüst weg war, das in der nächsten Woche aufgebaut würde. Dann erst wollte man die drei immergrünen Büsche am Rand des Plattenwegs und die schmale Rabatte mit Zierpflanzen, die die Fassade vom Rasen trennte, ersetzen.

Auch das war eine der organisatorischen Arbeiten, die Taler hatte erledigen müssen: Er hatte die Bewilligung für diese Veränderungen bei der Hausverwaltung eingeholt. Er war in Begleitung von Ronnie Betrio aufgekreuzt, was dem Vorhaben mehr Bedeutung und Seriosität verlieh. Die zuständige Sachbearbeiterin gab – nach Rücksprache und unter der Bedingung, dass sofort nach den Dreharbeiten der ursprüngliche Zustand wiederhergestellt würde – grünes Licht.

Die Kosten für das ganze Vorhaben hatten Talers Schätzung längst überstiegen. Er war – ohne die Autos, die er aus der eigenen Tasche bezahlt hatte – von einem Gesamtbetrag von etwa hundertzwanzigtausend Franken ausgegangen. Aber allein Wertinger hatte an Feldau & Co. bereits weitere Rechnungen von über fünfundvierzigtausend ausgestellt. Und Set Factory hatte mit Vorschüssen und Fremdkosten die Konten von Knupp & Widler und der Illulaura GmbH – immerhin über vierundsechzigtausend Franken – so weit geplündert, dass Taler gezwungen gewesen war, das Risiko weiterer Fertigbeton- und Armierungseisenrechnungen einzugehen.

Er machte sich keine Illusionen: Die Sache würde früher oder später auffliegen. Es war ihm egal. Das Einzige, was ihm Sorgen machte, war die Möglichkeit, dass es vor dem elften Oktober geschah.

Das Glück musste ihnen einfach noch vier Wochen lang gewogen bleiben.

Seit ein paar Tagen ging Angela bei Knupp ein und aus. Sie war Filmstudentin und arbeitete bei Set Factory als Praktikantin. Betrio hatte sie als Assistentin von Knupp freigestellt und verrechnete ihre Arbeit zum vollen Stundensatz.

Angela war ein verschlossenes Mädchen, aber noch mehr waren es ihre Piercings, an die sich Knupp nur schwer gewöhnen konnte. Es tue ihm weh, sie anzusehen, hatte er Taler anvertraut.

Doch sie war anstellig und genau. Beides Eigenschaften, die für die anstehenden Arbeiten wichtig waren. Die Phase der Innenrekonstruktion, wie Knupp es nannte, hatte nämlich begonnen. Es ging darum, die Innenräume in den genauen Zustand vom Elften, wie sie den Stichtag nur noch nannten, zurückzuversetzen.

Knupp hatte zwar seit Marthas Tod die Einrichtung kaum verändert, aber die Dinge, die am Elften herumgelegen hatten, mussten wieder an ihrem Platz sein. Er besaß sie alle noch, und die paar, die nicht mehr vorhanden waren, hatte er in den bald zwei Jahren, seit er den Plan gefasst hatte, bei Trödlern und auf Flohmärkten auftreiben können. Jetzt mussten ihre Standorte vermessen werden.

Sie gingen nach der gleichen Methode vor wie bei den Pflanzen und Gegenständen draußen: Die ehemalige Position der Möbel war mit Hilfe der Camera obscura festgelegt worden, jetzt schoben sie die Gegenstände herum, die auf den alten Fotos zu sehen waren, und fotografierten sie so lange, bis sie ein Bild hatten, das mit der alten Aufnahme übereinstimmte.

Das Vermessungszimmer war der Raum, der am meisten Veränderungen erfahren hatte. Anhand der alten Fotos führte Taler Angela in den Umgang mit der Camera obscura ein. Angela stellte sich von Anfang an geschickter an als Taler selbst nach langer Übung.

»Ihr macht keinen Film.« Die Feststellung kam so unerwartet, dass Taler zusammenzuckte.

»Wie meinst du das?«

»Im Film kreiert man Illusionen. Film ist keine exakte Wissenschaft.«

»Hier will man eben Vergangenheit und Gegenwart nahtlos ineinander übergehen lassen.«

»Dabei ist es doch scheißegal, ob dieser Tisch nun drei Zentimeter weiter links oder rechts steht und diese Blumenvase ein wenig weiter vorne oder hinten. Es gibt doch Überblendungen, Tricks, Bildbearbeitung. Es geht um etwas anderes.«

»Um was denn?«

»Ein Experiment.«

Taler stutzte. »Um was für ein Experiment?«

»Ich weiß es nicht.« Sie schloss ihre schmalen Lippen und zog weiter die Konturen der Bettstatt nach. Doch dann öffnete sie den Mund noch einmal und sagte: »Aber ich habe eine Vermutung.«

An demselben Tag wurde Scholters Rottanne geliefert. Das Ehepaar hatte sich ins Haus verzogen, als der Mann mit der Motorsäge die Schlachtung der stolzen Vorgängerin vornahm. Als Taler und Angela nach der Arbeit in der Dunkelkammer aus dem Haus kamen, stand schon, etwas verloren, die zwanzig Jahre jüngere Nachfolgerin an ihrer Stelle.

Wertingers Leute waren dabei, die schweren Äste und Stammteile auf die Brücke des Lastwagens zu laden, und Knupp unterschrieb einen Lieferschein, den ihm einer der Gärtner hinhielt. Taler trat gerade auf die Straße, als er eine Frauenstimme hörte: »Hallo! Peter!«

Vor seinem Haus bei den Briefkästen stand ein leuchtend

blauer Sportwagen, dessen Beifahrertür jetzt aufging. Betty stieg aus, deutete wie eine Showmasterin auf das Auto und schmetterte: »Tatatataaaa!«

Jetzt stieg auch Enzo aus. »Und? Was sagst du? Ist er nicht ein Bijou?« Er begann, begeistert und detailliert den Fiat Bertone zu erklären.

Der Dieselmotor von Wertingers Lastwagen sprang an. Betty blickte auf und sah ihm nach. Dann hörte sie wieder Enzos Ausführungen zu.

Taler wäre es lieber gewesen, sie hätte Wertingers Lastwagen nicht gesehen.

Knupp gesellte sich zu ihnen. Erst als er in einer von Enzos seltenen Atempausen sagte: »Ja. Genau so hat er ausgesehen«, bemerkten sie die Anwesenheit des alten Mannes.

Menü zwei war Wienerli mit Kartoffelsalat und schlappem Gurkensalat mit zu viel Dill. Dazu hatte Taler ein großes Glas Mineralwasser bestellt.

Er saß allein an einem kleinen Tisch in der Nähe der Geschirrrückgabe, den Blick fest auf den Teller gerichtet, um nicht den Eindruck zu erwecken, er suche Gesellschaft.

Die fünfzehn Monate als Witwer hatten ihn zum Einzelgänger gemacht. Die Arbeitskollegen hielten noch immer Distanz zu ihm. Vielleicht nicht mehr so sehr aus Scheu oder Pietät wie früher, sondern inzwischen eher aus Gewohnheit. Doch er konnte immer noch mühelos signalisieren, dass er in Ruhe gelassen werden wollte.

Deshalb war er erstaunt, als eine Stimme fragte: »Ist hier noch frei?«

Es war Betty. Sie hielt ein Tablett und sah auf ihn herunter. Taler warf unwillkürlich einen Blick ins Personalrestaurant. Es war um diese Zeit nicht einmal halb besetzt. Er deutete auf den Stuhl, so einladend wie es ging.

Betty hatte den großen Fitness-Salat gewählt, Taler befürchtete schon, dass sie mit einem ihrer Lieblingsthemen anfangen würde, dem Abnehmen. Aber sie saß ihm ungewöhnlich wortkarg gegenüber.

Taler war bereits fertig und sah ihr dabei zu, wie sie sorgfältig und systematisch ihren Salat verzehrte. Auf einmal blickte sie von ihrem Teller auf und sagte: »Dieser Wertinger scheint gut im Geschäft zu sein.«

»Wieso?«, fragte Taler, obwohl er sofort begriffen hatte, worauf sie hinauswollte.

»Der ist bei der Überbauung Waldberg dick drin. Und von euch scheint er auch Aufträge zu bekommen, habe ich gesehen. Arbeitet er auch an der Filmsache?«

»Keine Ahnung. Das läuft über die Filmausstatter.«

»Ich dachte, das läuft über dich. Wie die Autos. Ich hol mir ein Dessert, und du?«

Taler winkte ab. Er ging zurück ins Büro. Auf Bettys Schreibtisch, zuoberst auf ihren Kreditoren, lag eine Rechnung von Garten Wertinger. »Diverse Bepflanzungsarbeiten CHF 26345.–«.

»Jetzt soll doch tatsächlich dieses Haus auf alt gemacht werden«, schimpfte Frau Gelphart. »Stecken da auch Sie dahinter?« Sie war noch in der Wohnung gewesen, als er nach Hause kam, obwohl sie um diese Zeit normalerweise das Abendessen für ihren Mann zubereiten musste.

Taler gab seine Standardantwort: »Es ist für einen Film.«

»Schöner Film, für den man etwas hässlicher macht, als es war.«

»Nachher«, beschwichtigte Peter, »wird es wieder so, wie es war. Oder schöner.«

Frau Gelphart wischte mit einem Lappen über den längst sauberen Tisch. »Es gibt Leute, die sagen, das ganze Theater sei gar nicht für einen Film. Sie behaupten, der alte Knupp will einfach, dass alles wieder so wird wie damals, als seine Frau noch lebte. So sehr hängt er noch immer an ihr.« Und dann fügte sie hinzu: »Hätte besser zu ihren Lebzeiten mehr an ihr gehangen.«

Taler horchte auf. »Wie meinen Sie das?«

Sie polierte weiter an der Tischplatte herum. »Er verstand sich sehr gut mit gewissen Nachbarn, damals. Nachbarinnen, sollte ich besser sagen.«

»Mehreren?«

»Einer, vor allem.« Wieder machte sie eine Kunstpause. »Wer das wohl alles bezahlt.«

»Die Filmproduktion, wer sonst?«

»Wie gesagt: Nicht alle glauben an diesen Film.«

»Wer zum Beispiel nicht?«

Frau Gelphart faltete mit großer Sorgfalt ihren Lappen zusammen. »Kennen Sie Frau Gerstein in der Vierzig B?«

Taler schüttelte den Kopf.

»Ihr Sohn arbeitet beim Film. Beleuchter.«

»Und?«

»Er sagt, er habe noch nie von diesem Film gehört. Spätestens, wenn ein Film so kurz vor Drehbeginn stehe, wisse man das in der Branche. Von diesem Film weiß kein Mensch etwas.« Sie ging zum Putzschrank, verstaute den Lappen, hängte ihre Arbeitsschürze hinein. »Bis Donnerstag«, rief sie ihm zu und war weg.

Set Factorys großer Lieferwagen stand vor Knupps Haus. Betrios Leute waren dabei, alles auszuräumen, was seit neunzehnhunderteinundneunzig neu dazugekommen war. Er sah den Zeichentisch und den Ateliertisch aus dem Vermessungszimmer und ein paar Sachen, die auf dem Dachboden gestanden haben mussten.

Zwei Männer in Overalls waren auf Scholters Grundstück beschäftigt. Einer war dabei, die Graffiti der Hauswand zu übermalen. Der andere schien zu versuchen, mit Farbmustern der ursprünglichen Fassadenfarbe möglichst nahe zu kommen. Es hatte sich herausgestellt, dass die übrige Fassade seit neunzehneinundneunzig nicht renoviert worden war, und man hatte beschlossen, sie nur zu reinigen. Was inzwischen geschehen war.

Frau Scholter sah den Arbeiten zu. Als sie Taler sah, machte sie ihm ein Zeichen, er solle warten, verschwand im Haus und kam kurz darauf wieder heraus. Sie hielt einen Umschlag in der Hand, den sie ihm zum Zaun brachte. »Von Frau Schalbert. Sie hat mich gebeten, das hier Albert zu geben. Aber ich habe ihn weggehen sehen.«

Das Kuvert trug die doppelt unterstrichene Überschrift »Persönlich«. Darunter stand: »Herrn Albert Knupp«. Beides in einer alten Handschrift.

»Es sei sehr wichtig, hat sie mehrmals gesagt.« Dann sah Frau Scholter schweigend zu, wie der Maler das letzte Stück der Graffiti übermalte. Als er die Rolle absetzte und zwei

Schritte zurücktrat, sagte sie, mehr zu sich als zu Taler: »Wieder ein Stück Leben weg.«

Er wusste nicht, ob er gehen oder bleiben sollte, und in diese Verlegenheit platzte das Knattern eines Motorrads, das gleich darauf erstarb. »O nein«, sagte Frau Scholter, dann wandte sie sich lächelnd um.

Der Motorradfahrer zog den Helm ab. Es war ihr Sohn, aber er lächelte nicht. Er sah erst die Wand an, dann seine Mutter, setzte den Helm wieder auf, startete die Maschine und fuhr weg.

»Felix!«, hatte Frau Scholter noch gerufen, aber er reagierte nicht. Sie warf Taler einen vorwurfsvollen Blick zu und ging.

Angela arbeitete allein im Vermessungszimmer. Betrios Männer hatten die ursprünglichen Möbel vom Dachboden geholt, der Raum sah bereits wieder aus wie das Gästezimmer, das es einst gewesen war. Sie hatte das Stativ mit Knupps Leica aufgestellt und war dabei, das Bett einzupassen.

»Wo ist Knupp?«

»Zur Kur, hat er gesagt.«

»Was für eine Kur?«

»Verjüngungskur, sagt er.«

Talers Arm ließ noch keine schweren Arbeiten zu, er übernahm die Kamera und überließ Angela das Herumschieben der Möbel. Es war nicht allzu kompliziert, sie an ihren damaligen Standort zu schieben, sie hatten auf dem Linoleumboden und an den Tapeten Spuren hinterlassen, ebenso wie die Bilder und der Spiegel über der Kommode.

Nach einer guten halben Stunde konnten sie zur Feinarbeit übergehen.

Als Erstes bestimmten sie die Winkel der geöffneten Fensterflügel. Taler dirigierte Angela, bis das Bild im Sucher mit dem Schwarzweißfoto übereinstimmte, und machte seine Aufnahmenserie, die er später am Computer einpassen und ausmessen würde. Außer »Links, rechts, vor, zurück und stopp!« wurde kaum gesprochen. Bis Angela sagte: »Er botoxt.«

»Knupp?«

»Man sieht es. Der starre Ausdruck.«

»Ist mir nicht aufgefallen«, log er. »Wollen wir mit der Vase weitermachen?«

Sie stellten die bauchige Vase auf den Tisch, in der auf dem Foto die neun Rosen gestanden hatten, und begannen das Prozedere von vorn.

Aber Angela ließ nicht locker: »Er hat auch sonst Korrekturen machen lassen. Da und da.« Sie deutete auf Mund, Kiefer, Hals und Augen. »Er ist geliftet. Niemand sieht so aus mit zweiundachtzig.«

»Zurück, zurück, noch ein bisschen. Stopp! Zu viel.« Taler hatte nicht vor, sich weiter auf das Thema einzulassen. Aber Angela schon.

»Er will aussehen wie neunzehneinundneunzig. Er bezieht seine Person in die Rekonstruktion mit ein, stimmt's?«

Peter Taler musste einsehen, dass er nicht um das Gespräch herumkam. Er schaute von der Kamera auf und versuchte es mit einem weiteren Ausweichmanöver. »Es stimmt: Er ist ein wenig exzentrisch. Soll vorkommen in dem Alter.«

»Herr Knupp ist weder exzentrisch noch verrückt. Herr Knupp ist ein Kerbelianer.«

»Ein was?«

»Und du bist auch einer.«

Taler suchte nach Worten und versuchte, dies mit einem langen, ungläubigen Kopfschütteln zu tarnen.

Bis Angela sagte: »James Lee Buttonpond.«

Peter hörte mit dem Kopfschütteln auf und sah ihr in die Augen. Sie deutete ein Lächeln an. »Ich bin auch eine.«

»Du bist Kerbelianerin?«

Sie nickte, jetzt wieder ernst.

»Was für ein Zufall.«

»Nicht ganz. Ich habe einen Tipp bekommen.«

»Was für einen Tipp?«

»Dass hier eine ganz große Sache läuft.«

»Von wem?«

»Es gibt nicht viele von uns. Das spricht sich schnell herum.« Sie richtete ihre Aufmerksamkeit wieder auf die Vase. Taler beugte sich wieder zur Kamera. »Nur ein bisschen mehr nach links. Ein bisschen, habe ich gesagt!«

Angela korrigierte den Fehler, Taler drückte auf den Auslöser.

»Ihr wollt diesen elften Oktober neunzehneinundneunzig noch einmal stattfinden lassen, so ist es doch?«

»Nicht wir. Er will das.« Und nach kurzem Zögern fügte er hinzu. »Ich bin kein Kerbelianer.«

»Und doch hilfst du ihm dabei?«

»Ich bin zwar kein Kerbelianer. Aber ich wäre gerne einer. Ich würde viel darum geben, wenn sie recht hätten. Wenn ich ehrlich bin: Ich würde alles darum geben.«

Das junge Mädchen, dieses halbe Kind, das man nur wegen seiner Piercings überhaupt wahrnahm, sah ihn aus weisen Augen an und sagte: »Du glaubst nicht daran, aber du tust das alles in der Hoffnung, dass du dich irrst.«

»Es ist meine einzige.«

20

Ich weiß nicht, wie ich es dir sagen soll.« Betty hatte sich auf die Kante von Talers Schreibtisch gestützt. Die Armbeugen durchgedrückt, die Innenseiten ihrer nackten Arme ihm zugewandt und die Brüste noch ein wenig einschüchternder als sonst.

»Das wäre das erste Mal«, antwortete Peter Taler.

Sie antwortete mit einem übertriebenen Lachen. Dann sagte sie: »Es geht um meine Ferien.«

Taler hob erstaunt die Brauen.

»Also um deine. Also um unsere.«

Taler roch den Braten. »Ich kann meine nicht verschieben, falls es darum geht.«

»Siehst du, das habe ich Enzo auch gesagt. Wegen dem Film. Peter hat deshalb in dieser Zeit Ferien eingegeben, habe ich gesagt, weil dann der Film gedreht wird. Unser Pech, dass dann ausgerechnet Schulferien sind.«

»Aber ihr habt doch keine Kinder?«

»Wir nicht. Aber meine Schwester. Zwei. Beide schulpflichtig. Sie und ihr Mann haben mit zwei befreundeten Paaren in Zypern eine Traumvilla gemietet. Direkt am Meer, Pool, Jacuzzi, alles. Und jetzt ist eines der Paare ausgefallen. Schwangerschaftskomplikationen.«

»Tut mir leid, es geht nicht.«

»Nur die erste Ferienwoche. In der zweiten, bei Drehbeginn, bin ich zurück und löse dich ab. Und du hängst einfach deine Woche hintendran.«

»Es geht nicht, Betty. In der letzten Woche vor Drehbeginn werde ich gebraucht. Ich habe es versprochen. Ich würde dir gerne helfen, glaub mir. Aber es geht nicht. Sonst jederzeit ...«

»Okay, okay, war ja nur eine Frage. Vergiss es.« Sie ging zurück zu ihrem Schreibtisch und blieb ungewöhnlich still für den Rest des Tages.

Es war die letzte Septemberwoche. Am Freitagabend begannen seine Ferien. Am Samstag reiste die Familie Hadlauber ab nach Kanada. Und am Montag würden die Teams von Wertinger und Betrio im Gustav-Rautner-Weg einfallen. Zehn Tage hatten sie Zeit für die endgültige Verwandlung. Es durfte nichts dazwischenkommen.

Aber es kam etwas dazwischen:

Am nächsten Morgen, seinem vorletzten Arbeitstag, lagen auf seiner Tastatur drei Rechnungen. Eine für Fertigbeton von Knupp & Widler, eine für Armierungseisen von Illulaura und eine für diverse Pflanzungsarbeiten von Garten Wertinger. Aus den Stempeln und Visa, die sie trugen, ging hervor, dass sie verbucht und ihre Bezahlung ausgelöst waren. Alle von PTA, Peter Taler.

Es handelte sich um die letzte Rechnung von Wertinger in der Höhe von achtundvierzigtausend. Taler hatte ihn gebeten, auch die noch nicht abgeschlossenen Arbeiten bereits zu verrechnen. Die beiden anderen dienten dazu, die beiden Konten für die bevorstehenden Zahlungen an Betrio und die Straßenbauer zu alimentieren.

»Was ist damit?«, fragte er und hielt die Rechnungen in die Höhe. Betty, die stumm vor dem Bildschirm saß, wandte sich um. »Ach ja, die.« Sie stand auf und trat neben ihn. »Wenn du in den Ferien bist, und es kommen solche Rechnungen: Wie handhabe ich das?«

Taler spürte seinen Puls. »Wie alles: Verbuchen und bezahlen.«

»Schon«, lächelte sie, »nur: Die Lieferanten haben zwar einen Stamm, aber auf der Lieferantenliste finde ich sie nicht. Es gibt auch keinen Lieferantenrahmenvertrag mit ihren Namen, keine Lieferantenbewertung, keine Qualitätssicherungsvereinbarung. Stell dir vor: Die drei sind im Lieferantenmanagement überhaupt nicht erfasst. Deshalb dachte ich, weil du es ja warst, der für die drei einen Kreditorenstamm errichtet hat, weißt du bestimmt mehr. Daher wollte ich erst mal dich fragen, bevor ich Gerber damit belästige.«

Ohne seine Antwort abzuwarten, ging sie zurück an ihren Platz.

Sie hätte auch noch lange auf eine Antwort warten können: Taler fiel keine ein.

Erst als sie eins obendrauf setzte und nebenbei bemerkte: »Ach ja, du sollst Enzo anrufen, er hat Schwierigkeiten mit dem Liefertermin«, fragte er: »Wann geht eure Maschine nach Zypern?«

Betty sprang auf, fiel ihm um den Hals und sagte: »Ich wusste es, du bist ein Riesenschatz.«

Als er an diesem Abend nach Hause kam, war das Gerüst vor seinem Wohnblock weg. Das Braun der Fassade sah etwas verschossen aus, und an einigen Stellen prangten Verputzschäden. Zwei Gärtner waren dabei, die Rabatten zu rekonstruieren.

Angela überwachte die Arbeit. Taler ging zu ihr. Sie hielt ihm ein Mäppchen mit Fotos und Plänen hin. Es waren die von der Fassade. »Siehst du den Fleck dort? Im dritten Stock, rechts unter dem Fenster?«

Taler sah ihn. Wie ein Wasserfleck. Die Kontur hell, fast weiß, in der Mitte ein dunkler Farbverlauf.

Angela zeigte auf das Foto mit den eingezeichneten Fassadenschäden. »Der Fleck ist zu weit rechts.«

Taler verglich das Bild mit der Wirklichkeit. Er konnte keine Abweichung feststellen.

»Es ist nicht viel. Denk dir eine Verlängerung des rechten Fensterrahmens dazu.«

Taler schloss ein Auge und hielt das Foto mit gestrecktem Arm vor sich.

»So, und jetzt hier.« Sie verlängerte den Fensterrahmen auf dem Foto mit dem Rand des Mäppchens. Und tatsächlich, die Linie verlief näher am Fleck.

»Das ist doch deine Wohnung, die untere. Können wir das rasch messen?« Ohne eine Antwort abzuwarten, ging sie auf den Hauseingang zu.

Peter Taler folgte ihr und führte sie in seine Wohnung. Sie trug eine weite olivgrüne Arbeitshose, die mit einem Gurt um ihre magere Taille festgezurrt war. Aus einer der vielen Taschen fischte sie einen Rollmeter. Sie zog den Vorhang zur Seite, öffnete das Fenster und kletterte auf das Sims. Sie schien schwindelfrei zu sein. Im Gegensatz zu Taler, der sie unbeholfen am Hosenbein festhielt.

Sie streckte sich nach dem Flecken und begann zu messen. »Notier«, befahl sie, und Taler war gezwungen, das Hosenbein loszulassen und die Maße aufzuschreiben.

Als Angela wieder herunterkam, sagte sie: »Du musst Betrio sagen, dass er das korrigieren soll. Ich kann es nicht. Der schmeißt mich raus. Hast du ein Glas Wasser?«

Als er mit dem Glas aus der Küche kam, stand sie am Fenster und sah auf die Straße hinunter. Auch bei Knupp war das Gerüst weg. Der Graupelputz der Fassade war gelb mit einem Stich ins Grau. Betrios Mitarbeiter hatten mit borstigen Pinseln eine Mischung aus Asche und Dispersion von oben in die Graupeln gestupst, um Verschmutzung und Verwitterung zu simulieren.

Scholters Haus war ebenfalls in den Zustand von vor einundzwanzig Jahren zurückversetzt. Die bemalte Fassade war jetzt der übrigen angepasst. Die gleiche Farbe, aber durch die Reinigung ein wenig frischer. Die Fensterläden waren grün gestrichen, aber die Maler hatten auf die noch frische Farbe eine ganz dünne Schicht Mattlack gesprüht, um sie etwas verschossen aussehen zu lassen. Auch der Garten war so gut wie fertig, und der Spielplatz sah wieder aus wie auf den Fotos.

Nur das Haus der Hadlaubers war noch ein Fremdkörper in diesem Tableau aus den neunziger Jahren.

»Wie das wohl aussehen wird am Tag danach?«, fragte Angela versonnen.

»Glaubst du, es könnte anders aussehen?« Taler war der Gedanke nicht neu.

»Ich weiß es nicht, niemand weiß es. Aber möglich wäre es doch. Jede Ursache hat eine Wirkung. Wenn du jetzt nachträglich eine Ursache änderst, müsste das doch zu einer anderen Wirkung führen. Es verändert den Lauf der Dinge. Oder nicht?«

Taler hatte noch immer das Glas für Angela in der Hand und trank jetzt selbstvergessen einen Schluck. »Das genau ist die Frage: Verändert es den Lauf der Dinge? Und falls ja – was ist dann mit dem Jetzt?« Wieder nahm er einen Schluck Wasser. »Verstehst du? Wenn wir nachträglich den Lauf der Dinge ändern? Wenn zum Beispiel der Fleck an der Fassade doch an der richtigen Stelle gewesen wäre und wir also nicht hier heraufkommen und dieses Gespräch führen würden: Was ist dann mit diesem Gespräch, das wir jetzt ja führen? Haben wir es dann nicht geführt?«

Angela nahm ihm das Glas aus der Hand und leerte es. »Scheiß Zeit. Man bekommt es einfach nicht aus dem Kopf, dieses Zeitdenken. Vorher, jetzt, nachher. Es gibt keine Zeit, deshalb geschieht alles gleichzeitig. Du kannst nicht nachträglich eine Ursache ändern, weil es kein Nachträglich gibt.«

Taler überlegte. »Und der elfte Oktober? Der liegt doch in der Zukunft?«

Der Einwand brachte sie nicht aus dem Konzept. »Nein. Der Elfte ist jetzt.«

Auf seinem Schreibtisch stand eine Schachtel Pralinés mit einer großen Schleife, in der ein Kärtchen mit einem dunkelroten Kussabdruck und Bettys Unterschrift steckte. Die Maschine nach Zypern startete bereits am Freitagnachmittag. Taler hatte sich bereit erklärt, Bettys Freitagspendenzen mitzuerledigen.

Kübler platzte ins Büro mit seinem »wunderschönen guten Morgen«. Er trat an Talers Schreibtisch und legte einen Stapel Papiere neben den Bildschirm. »Die von Betty auch, hat sie mir aufgetragen.«

»Wow!« Er hatte die Pralinés gesehen, zog das Kärtchen unter der Schleife hervor und küsste Bettys Kussabdruck. »Das Arbeitsklima im Büro Taler wird von Tag zu Tag besser.«

Taler sah ihn ausdruckslos an, bis er den Raum verlassen hatte. Auch so einer, den er nicht vermissen würde.

Er begann, sich durch sein Doppelpensum hindurchzuarbeiten. Es fiel ihm leicht, denn er tat es im Gefühl, dass es das letzte Mal war.

Beim Betreten des Büros hatte er die Abwesenheit der zugempfindlichen Betty genutzt und ein Fenster geöffnet. Aber jetzt war Wind aufgekommen, und er schloss es wieder. Als er an Bettys Schreibtisch vorbeiging, sah er in ihrem Ausgangskorb einen Umschlag für interne Post. Kübler hatte ihn übersehen, weil er Bettys Post direkt Taler gebracht hatte. Peter nahm ihn und legte ihn in seinen eigenen Ausgangskorb.

Es war ein brauner Umschlag, der an Gerber, seinen Chef, adressiert war. Durch die vier Lochungen des Kuverts sah er, dass es maschinenbeschriebene Blätter enthielt.

Er nahm sie heraus.

Es waren Kopien der drei Rechnungen. Auf eine gelbe Klebnotiz hatte Betty geschrieben: »Finde ich nicht auf der Lieferantenliste. Gruß Betty.«

Auch noch per Du.

Sie hatten sich für das Wochenende die Rekonstruktion von Knupps Arbeitszimmer vorgenommen. Die Fotos, Pläne und Skizzen, die sie für die Einpassung der Pflanzen und Gegenstände gebraucht hatten, hatten sie schon von den Wänden abgenommen. Taler war dabei, sie zu ordnen und in Archivschachteln abzulegen. Er würde sie später in seine Wohnung bringen, denn im Haus durfte nichts sein, das nicht schon damals da gewesen war. Das Material würde auch als Dokumentation des Experimentes dienen. Am zwölften Oktober würde es nach Knupps Meinung auf einen Schlag einen unschätzbaren wissenschaftlichen Wert besitzen. Taler zog auch die Möglichkeit in Betracht, dass es dann gar nicht mehr existieren würde, falls das Experiment gelang. Angela beteiligte sich nicht an den Spekulationen.

Sie war damit beschäftigt, mit Knupps Hilfe die Trophäensammlung wiederherzurichten. Die Nägel und Wandhaken für die Diplome und Wappenscheiben waren alle mit Papierklebeband markiert und mit Filzstift nummeriert. Auch die Standorte für Becher und Trophäen trugen Nummern. Zu jedem Stück gehörte ein Foto mit Maßangaben. Es wurde kaum gesprochen. Sie waren in ihre Arbeit vertieft wie Kinder in ihr Spiel.

Die Verjüngungskur, mit der Albert Knupp seine Abwesenheit vor ein paar Tagen begründete, hatte ihn noch einmal verändert. Seine Haut war da und dort noch ein wenig glatter geworden, sein Gesichtsausdruck ein wenig starrer. Er hatte seinen Bart frisch trimmen und färben lassen. Die weißen Stoppeln, die ihn säumten, waren zwar wieder nachgewachsen, aber er hatte am zehnten Oktober abends einen Rasiertermin, hatte er Taler verraten.

Knupps Umgang mit Angela war sehr vertraut geworden. Taler nahm an, dass sie sich ihm gegenüber ebenfalls als Glaubensschwester geoutet hatte. Der Umstand, dass sie auch mit Knupp nicht mehr vom Film oder vom Drehbeginn sprach, sondern mit der gleichen Selbstverständlichkeit wie Knupp und Taler vom Elften, ließ kaum Zweifel daran.

Es klingelte an der Tür, und Angela ging hinaus. Es kamen immer wieder Leute aus den Teams mit Fragen oder Informationen oder Gegenständen, die sie aufgetrieben oder nachgebaut hatten, und es hatte sich eingebürgert, dass Angela mit ihnen verhandelte.

Diesmal kam sie zurück. »Besuch für Sie.«

Knupp ging zur Tür. Taler hörte eine Frauenstimme halblaut sprechen. Dann, wie die Haustür, die Windfangtür und die Wohnzimmertür zugemacht wurden.

»Die Nachbarin von der großen Villa«, erklärte Angela.

Sophie Schalbert blieb über eine Stunde. Als Knupp sie hinausgebracht hatte, war er noch wortkarger als zuvor.

Am Sonntag stieß Peter Taler auf den Schraubstock.

Er war im Keller damit beschäftigt, die Camera obscura abzubauen. Er musste den improvisierten beweglichen Projektor von der Wand abschrauben, um ihn vor Betrios Arbeitern in Sicherheit zu bringen, die demnächst die schwarze Trennwand abreißen sollten. Auch die Dunkelkammer musste wieder in ihren ursprünglichen Zustand zurückversetzt werden.

Knupp hatte von einem Trödler, mit dem er seit Beginn des Projektes in Kontakt war, das nicht mehr erhältliche

Agfa-Fotopapier und die Chemikalien in der Originalverpackung erhalten, die er damals benutzt hatte. Der Mann war bei einer Hausräumung darauf gestoßen.

Taler hatte es geschafft, mit seiner immer noch etwas beeinträchtigten Hand die letzte Schraube zu entfernen, und trug den Schwenkarm in den kleinen Kellervorraum. Als er auf der Werkbank Platz machte, um ihn dort abzulegen, sah er den Schraubstock. Ein schweres, angelaufenes Stück Stahl mit verbogenem Spindelschlüssel und fettglänzender Spindel. Er lag auf der Seite, daneben die Schrauben, die zu den vier Löchern an seiner Unterseite gehörten. Der Schraubstock wartete darauf, wieder auf der Werkbank befestigt zu werden.

Aber dort, wo er hingehörte, gab es nur drei Löcher und den Abdruck von etwas Rundem. Die Schrauben waren auch viel zu kurz für die Löcher in der dicken Tischplatte der Werkbank. Offensichtlich fehlte ein Teil. Taler suchte, fand nichts und gab auf. Er ging zurück an seine Arbeit in der Dunkelkammer.

Am Montag erwachte er lange vor dem Wecker. Es war ein grauer Morgen, ein dünner Regenschleier hing über Häusern und Gärten, und die Straßenbeleuchtung hatte sich noch nicht ausgeschaltet.

Peter Taler machte Frühstück und aß es im Dämmerlicht des Wohnzimmers. Überall lagen die Archivschachteln und Dossiers des Martha-Knupp-Widler-Experiments herum. Auch die technischen Hilfsmittel waren bei ihm gelagert: Theodolit und Stativ, Fallstäbe, Meterband, Zeichentisch und das Zubehör zur Camera obscura. Nur die Leica und ihr Stativ waren noch drüben. Sie wurden für die Feineinpassungen bei Hadlaubers noch gebraucht.

Die Familie war wie vorgesehen am Samstag abgereist. Sie hatten von Knupps Haus aus beobachtet, wie sie – die Eltern aufgedrehter als die Kinder – ein Taxi beluden und davonfuhren.

Jetzt lag das Haus verlassen und schicksalsergeben da.

Taler räumte den Tisch ab, ging ins Bad und zog sich an.

Kurz nach sieben kam Leben in den Gustav-Rautner-Weg. Zwei Lastwagen einer Baufirma und der Lieferwagen von Set Factory fuhren vor.

Einer der Lastwagen brachte Maschinen und Baumaterial, die er mit seinem Kran im Garten der Hadlaubers absetzte.

Der andere lud Bretter und Gestänge ab, aus dem zwei Männer mit gelben Helmen ein Baugerüst aufzustellen begannen.

Die Leute von Betrio installierten einen Schlauch mit einer Motorpumpe und pumpten das Wasser des noch immer gefüllten oberirdischen Pools in einen Kanaleingang auf der Straße. Andere bauten die Hollywoodschaukel ab und verstauten ihre Bestandteile im Laderaum des Lieferwagens.

Punkt acht rief Taler bei Feldau & Co. an. Er bat mit heiserer Stimme, mit Gerber verbunden zu werden, und als dieser erwartungsgemäß noch nicht im Hause war, ließ er ausrichten, es habe ihn erwischt. Plötzliches hohes Fieber, Gliederschmerzen, Schwindel, kurz: Grippe.

»Ach ja«, fügte er hinzu, »ich bin nur über mein Handy zu erreichen. Ich habe keinen Festanschluss mehr.«

Das war das Einzige, was nicht gelogen war. Er hatte sein Telefon am Vorabend gekündigt.

Falls Knupp nervös war, wusste er es zu verbergen. Er saß in der Küche und tunkte seine Schwarzbrotbrocken in den Milchkaffee. Zwischen den Bissen erzählte er. Angela saß ihm gegenüber und trennte eine geklöppelte Bordüre auf. An dem Tag, als Knupp die Kamera getestet hatte, steckte diese noch mit exakt zweiunddreißig Nadeln in ihrem runden Klöppelkissen, das auf einem Sessel lag. Achtzehn hölzerne Klöppel hingen an ihren Garnen in Positionen, die noch zu rekonstruieren waren. Die Stellen, wo auf dem Foto die Spitzen in lose Garne übergingen, hatte sie eruiert, und Angela war nun mit dem Geduldsspiel beschäftigt, die Handarbeit bis dorthin wieder aufzutrennen.

»Mich hat das nicht so interessiert«, erzählte Knupp gerade, »Dalai Lama, Buddhismus und so. Meine Frau schon. Sie war immer auf der Suche. Trotzdem: Wir wären gescheiter nach Katmandu geflogen.« Und an den eintretenden Taler gewandt: »Angela liest auch Dalai Lama, wie Martha. – Kaffee?«

Die Küche war der letzte Aufenthaltsort des Hauses, in dem man sich noch frei bewegen konnte. Alle anderen Zimmer waren entweder schon wiederhergestellt, wie Knupp es nannte, oder auf dem Weg dahin.

Diese Arbeit war komplizierter, als sie gedacht hatten. Vor allem die unzähligen Kleingegenstände bereiteten ihnen Mühe. Der Winkel der Schere, die offen auf Marthas Nähtischchen gelegen hatte. Der Faltenwurf des Tischtuchs an den Ecken. Das Verhältnis zwischen dem runden

Aschenbecher und dem ovalen Tischfeuerzeug. Es ging um Millimeter und Winkelgrade. Manchmal mussten Dutzende Fotos für einen einzigen Gegenstand gemacht werden. Taler hatte sich in der Küche auf einem Campingtisch einen Arbeitsplatz eingerichtet, wo er stundenlang mit Lauras Computer digitale Bilder einpasste und ausmaß.

Dorthin setzte er sich nun, startete den Computer und öffnete das erste Bild: die Zeitung mit dem Nachruf auf Roy Black vom elften Oktober einundneunzig, die auf dem Sessel lag. Von draußen drangen der Lärm der Baumaschinen herein und ab und zu die Stimmen der Arbeiter. Knupp plauderte halblaut von früher, und Angela mühte sich mit den verschlungenen und verknüpften Garnen ab.

»Ich wollte den Schraubstock wieder auf der Werkbank befestigen, aber da fehlt ein Teil«, sagte Peter in eine Pause hinein, ohne den Blick vom Bildschirm zu lösen.

Erst als Knupp keine Antwort gab, sah er zu ihm hinüber. Der Alte saß da und tat, als hätte er die Bemerkung nicht gehört.

Es war Taler schon oft aufgefallen, wie gut das Gehör des alten Mannes noch war. Er nahm ihm nicht ab, dass er ihn nicht gehört hatte. Aber er sagte es noch einmal.

»Welches Teil?«, fragte Knupp jetzt.

»Das Teil, das man zuerst auf der Tischplatte befestigt, um danach den Schraubstock draufschrauben zu können.«

Knupp dachte nach. Dann zuckte er mit den Schultern. »Kannst du es Betrio sagen, Angela? So etwas sollte doch aufzutreiben sein.«

Sie legte ihre Handarbeit beiseite, holte ihren Block aus einer der vielen Hosentaschen und machte sich eine Notiz.

Irgendetwas stimmt nicht mit diesem fehlenden Teil, dachte Peter Taler. Sonst hätte Knupp nicht so ostentativ nachgedacht.

Die Abräumarbeiten kamen rasch voran. Die Platten des Gartensitzplatzes waren entfernt und abtransportiert, das Sand- und Kiesbett darunter ausgehoben. Der oberirdische Pool war zerlegt, und zwei Maurer waren dabei, die Outdoor-Küche abzuspitzen.

Bereits am Dienstag kamen die Gärtner und begannen mit den Vorbereitungen. Sie brachten Humus für die Stellen, an denen vorher Platten lagen und jetzt wieder Rasen hinkam, und sie entfernten die Pflanzen, die nach dem elften Oktober neunzehneinundneunzig gepflanzt worden waren. Das waren so gut wie alle.

Als die Arbeiter in den Feierabend gingen, war vom Garten der Familie Hadlauber ein brauner Acker übriggeblieben mit einem einzigen Baum: der alten Mirabelle.

Frau Kaab aus der Nummer dreiunddreißig, die Laura als Letzte lebend gesehen hatte, stand kopfschüttelnd am Gartenzaun und sagte immer wieder: »Alles für einen Film. Alles für einen Film.«

Und Frau Gelphart meinte: »Wenn das mein Haus wäre, würde ich mich auch in Kanada verkriechen.«

Die Gärtner begannen damit, anhand der Pläne die Standorte für die früheren Pflanzen abzustecken. Taler und Knupp überwachten die Arbeiten, Angela kümmerte sich im Haus weiter um die kniffligen Details.

Am Mittwoch rief ihn Gerber auf dem Handy an. Taler erkannte die Nummer auf dem Display und rannte in Knupps Küche, damit der Anrufer den verräterischen Lärm des kleinen Baggers nicht mitbekam.

Sein Chef war kurz angebunden und hielt sich länger mit der Frage nach seiner Rückkehr auf als mit der nach seinem Befinden. Taler machte ihm keine großen Hoffnungen auf eine Genesung noch vor dem Wochenende.

»Und am Montag habe ich ja Ferien«, fügte er bedauernd hinzu.

»Dann hoffe ich, du bist wenigstens dann wieder auf den Beinen«, bemerkte Gerber giftig und legte auf. Ohne gute Besserung gewünscht zu haben.

Am Donnerstag kam der Kranlastwagen mit einer Ladung Pflanzen. Als Erstes riss der Ausleger den Mirabellenbaum aus und ließ seinen jüngeren Bruder einschweben.

Taler wies ihn mit Hilfe von Markierungen und Stativ unter lauten Rufen ein. Es dauerte über eine halbe Stunde. Dabei war die Mirabelle noch einfach. Ihr Standort war durch das Loch markiert, das ihre Vorgängerin hinterlassen hatte. Die übrigen Pflanzen mussten mit Messbändern lokalisiert werden.

In dem Sektor, der in den Zustand des Stichtages zurückversetzt werden musste – also nach Knupp alles von der Grundstückgrenze aus Sichtbare in einem Abstand von zwanzig Metern –, waren es vierundsechzig Pflanzen. Und es blieben ihnen vier Arbeitstage.

Angela war es gelungen, sich von einem befreundeten Fotografen ein Stativ, die gleiche Kamera und das gleiche Objektiv auszuleihen. So konnte sie wenigstens mit Knupp im Haus weitermachen, während Taler draußen arbeitete. Aber ohne Überstunden und Wochenendarbeit würden sie es trotzdem nicht schaffen.

Ein Gespräch mit Wertinger junior ergab, dass er und seine Leute zu beidem bereit waren. Gegen einen Aufpreis von hundert Prozent. Taler willigte sofort ein.

Die Arbeit der Set Factory verlief nach Zeitplan. Das Baugerüst wurde bereits am Freitag abgebaut, und zum Vorschein kam ein hellgraues Haus in Rauhverputz, wie es aufgrund von Knupps seltenen Farbfotos damals ausgesehen hatte. Es war frisch verputzt gewesen, was die Arbeit erleichterte. Ebenso wie die Tatsache, dass an jenem Tag die Läden geschlossen waren. Auch Hadlaubers Vorgänger waren, wie Knupp sich erinnerte, damals in den Ferien gewesen. Die Maler und Verputzer hatten neben den Fenstern wieder Kloben eingelassen, in die Betrios Leute die alten Läden einhängen konnten. Sie waren in Hochglanztannengrün frisch gestrichen, genau wie damals.

Auch das Holzspalier wurde noch am selben Tag angebracht. Im Gegensatz zu dem von Knupp, das schon damals leer gewesen war, gehörte eine junge Spalierbirne dazu, die Wertinger wegen ihrer ungewöhnlichen Form lange hatte suchen müssen.

Mit dem Verlegen der alten Waschbetonplatten wollten sie am Samstag beginnen. Für Filmausstatter war Wochenendarbeit nichts Außergewöhnliches.

Ronnie Betrio leitete persönlich die Arbeiten in Peter Talers Wohnung und den drei über und unter ihm. Die Bewohner hatten sich damit einverstanden erklärt, ihre Vorhänge auswechseln und ihre Blumenfenster rekonstruieren zu lassen. Vor allem Letzteres war ein aufwendiges Unterfangen, denn sie mussten die Vorderansicht der Pflanzen von hinten wiederherstellen. Peter Taler wechselte in Knupps Garten von Kamerastandpunkt zu Kamerastandpunkt und dirigierte die Floristin, die Betrio für diese Aufgabe engagiert hatte, per Walkie-Talkie.

Mit seinem professionellen, etwas pompösen Auftreten konnte Ronnie Betrio die Hausbewohner auch von der Notwendigkeit überzeugen, am zehnten Oktober bis spätestens eine halbe Stunde vor Mitternacht entweder die Wohnung zu verlassen oder sich in die hinteren Räume zurückzuziehen. Bei Frau Feldter traf es sich gut, sie war an diesem Tag in der Luft. Steingärtners mit dem Baby nahmen gerne das Angebot an, auf Kosten der Filmproduktion, zweimal im Hotel am See zu übernachten. Herr Keller machte es »überhaupt nichts aus«, zwei Nächte nicht nach Hause zu kommen. Und seine Frau verbrachte in letzter Zeit ihre Tage sowieso am liebsten im hinteren Teil der Wohnung, wie sie Betrio wissen ließ.

Das Ehepaar Scholter hatte ohnehin vorgehabt, den Rummel der Drehtage zu meiden, und sich deshalb für zehn Tage in die Ferienwohnung von Freunden im Wallis zurückgezogen.

Peter Taler hatte seine eigenen Pläne für diese vierundzwanzig Stunden.

Am Montag kamen die Straßenarbeiter und sperrten den Gustav-Rautner-Weg. Sie malten an den Stellen, die Taler ihnen zeigte, mit gelber Kreide zwei gerade Striche quer über die Straße und ratterten mit dem Pressluftbohrer an diesen entlang. Dann rissen sie den Belag dazwischen auf und hoben einen Graben aus. Nicht so tief, wie die Leitungen lagen, denn Walter W. Kerbeler war der Ansicht, nur sichtbare Veränderungen müssten rückgängig gemacht werden.

Bereits am frühen Nachmittag erfüllte der Lärm eines Stampfers die Straße, und noch vor fünf Uhr lud der Lastwagen die Handwalze wieder auf, und die Arbeiter entfernten die Absperrungen. Peter Taler unterschrieb dem Vorarbeiter den Arbeitsrapport. Er war auf Feldau & Co. ausgestellt.

Quer über den Gustav-Rautner-Weg verlief nun eine saubere Flickstelle im Asphalt, die von Betrios Leuten mit einer Mischung aus Sand und Asche ein wenig abgetönt wurde.

Es waren lange Tage, diese letzten vor dem Elften. Die Gärtner arbeiteten mit Flutlicht, um die verbleibenden Pflanzen noch vor Dienstag einzupassen. Denn spätestens dann musste der Rollrasen verlegt werden. Der Mittwoch war für die letzten Details vorgesehen, bevor um Mitternacht der Schicksalstag begann.

Taler war übermüdet und gereizt. Der Schlafmangel schlug ihm auf die Geduld. Dabei war Geduld das, was er für die letzten Arbeiten am nötigsten brauchte.

Gleich am Montagvormittag hatte Betty angerufen. »Das hast du ja sehr elegant gelöst«, sagte sie süffisant. »Danke für den Pendenzenberg.«

»Ich war wirklich krank. Ich zeig dir meine ärztliche Bescheinigung.«

»Wenn sie so echt ist wie gewisse Rechnungen ...«

Als endlich auch die letzte Stechpalme in Hadlaubers wiederauferstandener Mischhecke eingepasst war und die Gärtner das Flutlicht ausschalteten, kam Wertinger junior zu ihm und sagte: »Ein gewisser Gerber hat mich angerufen. Er will mit mir über die Rechnungen reden. Ist etwas nicht in Ordnung?«

»Ach der«, antwortete Taler. »Wann treffen Sie ihn?«

»Wenn das hier vorbei ist und ich einen Tag ausgeschlafen habe. Am Freitag.«

»Freitag ist prima.«

Als Taler kurz vor ein Uhr nachts in Knupps Wohnung trat, kniete Angela im Wohnzimmer vor dem Sessel mit der Klöppelrolle und weinte. Knupp stand neben ihr und streichelte hilflos über ihr Haar.

»Die Stecknadeln«, erklärte der Alte.

Taler verstand nicht gleich. Alle Nadeln waren gesteckt und alle Klöppel arrangiert. Aber dann sah er das Problem: Die Stecknadelköpfe waren farbig. »Sie hat versucht, die Farben anhand der Grautöne auf dem Foto zu bestimmen. Aber jetzt ...« Er deutete auf das schluchzende Mädchen. »Ich habe ihr gesagt, für mich gehöre das nicht unbedingt zu den sichtbaren Veränderungen. Aber ...« Er zuckte mit den Schultern, und Peter sah, dass er ebenfalls den Tränen nahe war.

Taler musste jetzt schlafen gehen, sonst würde auch er noch anfangen zu heulen.

Bereits um sieben Uhr am nächsten Morgen begannen die Gärtner, den Rasen auszurollen. In der kurzen Zeit zwischen Dusche und Frühstück war die Hälfte des Gartens wie im Zeitraffer grün geworden. Taler stand mit der Kaffeetasse in der Hand am Fenster bei der ungewohnten Versammlung von Zimmerpflanzen auf dem Sims und sah eine Weile der Verwandlung zu.

Ronnie Betrio empfing ihn mit einer schlechten Nachricht. Er hatte die verzierten Terrakottatöpfe mit dem Buchs gebracht und wartete auf Taler, damit dieser mit Stativ und Kamera die Bäumchen einwies.

Als er Taler kommen sah, griff er in die Brusttasche und hielt ihm ein Papier hin. »Wir wollten heute wie geplant die Autos holen.« Es war eine Rechnung von Carenzo.

Carenzo war der Name von Enzos Firma. Die Rechnung führte die drei Autos auf: Fiat X 1/9 Bertone, Volvo 940 Kombi, Peugeot 205. Darunter über drei Seiten die detaillierte Liste aller durchgeführten Arbeiten. Der letzte Posten lautete »Mehraufwand, pauschal«. Daneben stand 9 999.00.

»Sonst gibt er die Wagen nicht raus, sagt er.«

»Sauhund«, murmelte Taler.

»Was machen wir?«

»Zahlen. Was sonst?«, antwortete Peter. »Ich geh nachher auf die Bank.«

»Okay«, sagte Ronnie. Er konnte nicht wissen, dass es sein Geld war, das Taler holte.

Taler machte auf dem Parkfeld Platz für den Bertone und parkte seinen Citroën auf der Straße. Der Volvo kam auf

Frau Feldters Platz, der frei war bis zum Freitag. Nur der Peugeot musste ebenfalls am Straßenrand ausharren, bis am Mittwoch Steingärtners ins Hotel zogen.

Taler, Betrio und einer seiner Mitarbeiter waren dabei, die beiden Autos einzuzirkeln. Ein Messband war über die Straße gespannt und hinderte für einen Moment die Müllabfuhr an der Durchfahrt. Der Fahrer hupte, und Taler machte ihm ein Zeichen, sich eine Sekunde zu gedulden.

Der Mann ließ das Fenster runter und rief etwas, das Taler nicht verstand. Aber der nichtige Anlass genügte, um ihn die Kontrolle verlieren zu lassen. Er ging zu dem Müllwagen, stieg aufs Trittbrett, packte den Fahrer am Overall und schrie: »Was ist das Problem, Arschloch?«

Die beiden Müllmänner kamen hinter dem Wagen hervor. Die Sache wäre ausgeartet, wenn Ronnie nicht dazugekommen wäre. Er legte Taler beruhigend die Hand auf den Arm und führte ihn weg. »Entschuldigen Sie«, sagte er zu dem Fahrer und seinen Kollegen. Wie der Besitzer einer zähnefletschenden Dogge zu einer Gruppe von Joggern.

»Wie gut, dass die gekommen sind«, sagte er zu Taler, »jetzt können wir die Container austauschen.«

Taler bedankte sich für die Rettung. Aber Anspannung und Übermüdung hatten den Damm brüchig werden lassen, der den angestauten Hass auf alles und jeden bis jetzt zurückgehalten hatte.

Kurz nach dem Vorfall tauschten Betrios Leute die Müllcontainer gegen die älteren Modelle auf den Fotos.

21

Die Prognosen hatten schönes Wetter vorausgesagt, aber als Peter Taler nach einer kurzen, unruhigen Nacht ans Fenster trat, hatte sich der Gustav-Rautner-Weg mit dem ersten Herbstnebel des Jahres verhüllt, als wollte er sich vor der Zeit verstecken.

Die drei kleinen Häuser lagen da wie traumversunken. Schemenhaft dahinter der alte Baumbestand der Villa Latium.

Alles war so unwirklich, wie es die vergangenen Wochen und Monate gewesen waren.

Als er über die Straße ging, fiel ihm die Stille auf. Die Gärtner und die Ausstatter waren im milchigen Licht des Herbstmorgens bei der Arbeit. Aber sie verrichteten sie schweigsam, wie in Ehrfurcht vor diesem geheimnisvollen Tag.

Auch in Knupps Haus war es still. Er und Angela hatten ihn erwartet. Sie wollten einen letzten Kontrollgang durch die Räume machen und nach Fehlern oder Unsorgfältigkeiten suchen.

Sie begannen im Schlafzimmer. Knupps Feldbett war weggeräumt, und auf dem Ehebett lag der geklöppelte Überwurf. Die Falten, die dieser jetzt so natürlich bildete, waren das Resultat mehrerer Stunden Feinarbeit.

Über dem Fußteil der Bettstatt hingen ein hellblaues Nachthemd und ein gestreifter Pyjama. Bei beiden hielt der Faltenwurf jedem Vergleich mit den Fotos stand.

Auf der Marmorplatte des Waschtischs lagen Kamm und Bürste und der Parfumzerstäuber mit den Silbermotiven.

Marthas Zimmer wirkte, als wäre es der schwierigste Raum des ganzen Hauses gewesen, mit all seinen Stickereien, Spitzen, Bordüren, Deckchen und Rüschen. Aber das Gegenteil war der Fall: Knupp hatte in Marthas Refugium in all den Jahren nichts angerührt. Die meisten Sammelstücke hatten sich ihre Faltenwürfe über einundzwanzig Jahre bewahrt. Möglich, dass das eine oder andere Stück an einer Faltstelle etwas brüchig geworden war. Aber sichtbar im Kerbeler'schen Sinne war davon nichts.

Das Vermessungszimmer war jetzt wieder zum Gästezimmer geworden. Das Fenster war noch geschlossen, aber die Markierungen für die Öffnungswinkel der Flügel waren angebracht. Man musste sie nur noch öffnen. Die Blumen in der Vase fehlten noch. Die Floristin hatte genaue Anweisungen, sie würde die Rosen heute bringen und nach Angelas Vorgaben hineinstellen. Es mussten gelbe gewesen sein, Knupp war sich sicher. Gelb war Marthas Lieblingsfarbe für Rosen.

An der ganzen oberen Etage hatten sie nichts auszusetzen. Beim Dachboden war die Sache etwas komplizierter. Knupp besaß nur drei Fotos davon. Er hatte zwar damals den Kameratest auch mit einer Art Hausreportage verbunden, um das teure Filmmaterial nicht ganz zu verschwenden, aber den Dachboden hatte er mehr der Form halber mit einbezogen. Jetzt waren die Veränderungen, die er selbst bewirkt hatte, zwar abgeräumt, zum Beispiel das Podest auf den Backsteinen, von dem aus er seine Beobachtungen gemacht und fotografiert hatte. Die Möbel und Gegenstände, die er für die Dauer der Vorbereitungen hier zwischengelagert hatte, waren wieder zurück an ihren angestammten Plätzen.

Von den Zeitschriften, den Waschkörben voller Gerümpel, den Schachteln mit Schießtrophäen besaß er nur zwei Fotos. Bei dem, was darauf nicht sichtbar war, musste er sich darauf verlassen, dass in den Jahren nichts daran verändert worden war. Was – damit beruhigte er sich – bei einem Dachboden nicht unwahrscheinlich schien.

Sie gingen ins Erdgeschoss hinunter. Knupps Arbeitszimmer sah aus, wie er es vor einundzwanzig Jahren verlassen hatte. Auf dem aufgeräumten Schreibtisch lagen die aufgerissenen Filmpackungen, eine halb aufgefaltete Michelin-Karte von Kenia und ein altmodischer ewiger Kalender aus weinrotem Leder. Im Fach für den Monat lag der Oktober zuoberst, im Fach für den Tag bereits die Zahl elf.

Auch hier stand gemäß den Fotos eine Vase mit Blumen. Astern. Sie waren aus dem Garten und mussten deshalb weinrot gewesen sein. Es gab dort keine anderen. Auch sie würde die Floristin bald bringen. Zusammen mit den Margeriten fürs Wohnzimmer.

Im Arbeitszimmer notierten sie sich ein paar Trophäen, die noch minimal verrückt werden mussten.

Als sie das Wohnzimmer betraten, stieß Angela einen Schrei aus. Das Rundkissen auf dem Sessel war nach vorn gekippt. Die Klöppel waren zu schwer gewesen und hingen jetzt über den Rand des Sitzpolsters. »Mit Glück anderthalb Stunden«, schätzte Angela die Zeit für die Wiederherstellung.

Die Küche war jetzt nicht mehr Arbeits- und Aufenthaltsort. Der Campingtisch war weg, Lauras Computer und Elektronik wieder in Talers Wohnung. Auf dem Linoleum des Küchentischs lagen sechs Boskop-Äpfel neben einem Brett mit einem Küchenmesser. Die sechs Boskop waren die Ausbeute einer Auswahl aus sechzig Kilo, hatte der Mitarbeiter, der sie nach der Fotovorlage ausgesucht hatte, stolz erklärt.

Im Waschbecken lagen die Stielabschnitte von neun Astern und – im richtigen Winkel zum größten davon – die schwarz angelaufene eiserne Gartenschere. Auf dem Boden neben dem Herd stand eine Einkaufstüte des Quartierladens, der vor Jahren von Juanitos übernommen und zu neuer Blüte gebracht worden war. Das Kunststück seiner Wiederbeschaffung war Angela gelungen. Sie hatte den vormaligen Besitzer ausfindig gemacht, der als verbitterter Magazinarbeiter bei einem Großverteiler kurz vor der Pensionierung stand.

Sie gingen in den Keller. Als Erstes fiel Taler der Schraubstock auf. Er war wieder auf die Werkbank montiert. Das Stück, das gefehlt hatte, war der Drehteller. Damit ließ sich der Schraubstock um die eigene Achse drehen und in der gewünschten Position mit einem Spindelschlüssel fixieren.

»Wo hast du den gefunden?«, fragte Taler.

»Betrio hat ihn aufgetrieben.«

Die Dunkelkammer war wieder ein einziger Raum. Er roch nach Fotochemikalien. Die Chromfläche der Fototrocknerpresse spiegelte die rote Birne. In ihrem schummrigen Licht schimmerten die Entwicklerschalen, Trichter und Messbecher. Der altmodische Vergrößerer dämmerte vor sich hin wie eine Statue in einer vergessenen Kapelle.

Knupp machte Licht. Sie verglichen auch hier die Positionen der Gegenstände mit den Vorgaben auf den Fotos und Plänen.

Als sie ins Erdgeschoss zurückkehrten, war der Korridor lichtdurchflutet. Die Sonne hatte den Nebel aufgelöst und zeigte den Künstlern ihr Werk in strahlendem Licht.

Knupp humpelte andächtig durch die Räume, gefolgt von Angela und Peter. »Ja«, flüsterte er immer wieder, »ja, so war es damals.«

Sie gingen ins Wohnzimmer, auf Zehenspitzen und mit angelegten Armen, um auch ja nichts zu berühren. Taler öffnete ein Fenster bis zu den feinen Bleistiftmarkierungen auf dem Sims, die die Winkel der Flügel bezeichneten.

Was sie sahen, war genau die Welt, die sie von Knupps Fotos kannten. Aber bunt und dreidimensional.

Draußen legte da und dort ein Gärtner letzte Hand an. Die Ausstatter luden Requisiten ab, die mit ihrer Hilfe noch eingemessen werden mussten. Auf dem Parkplatz gegenüber wurde gerade der Fiat auf die Kreidemarken eingepasst, die Taler und Betrio gestern Abend noch angebracht hatten.

»Ja, so. Genau so«, wiederholte Knupp ergriffen.

Plötzlich wurde die Idylle gestört. Eine Frau öffnete das Gartentor. Es fiel ihr nicht leicht, denn sie ging am Stock und trug in der anderen Hand einen Gegenstand.

»Sophie?«, sagte Knupp.

Es war die Nachbarin aus der Villa Latium. Sie hatte die

drei Beobachter am Fenster noch nicht bemerkt und ging entschlossen quer über den Rasen.

»Sophie!«, rief Knupp. Sie sah zu ihnen herüber. Taler konnte jetzt auch den Gegenstand erkennen. Es war eine neue Heckenschere mit leuchtend roten Griffen.

Sie antwortete nicht, sondern ging schnurstracks auf den Zwergahorn am Rand des Sitzplatzes zu.

Peter Taler wurde schlagartig klar, was sie vorhatte. »Stopp!«, schrie er und rannte los.

Auch Knupp und Angela reagierten. »Sophie, nicht!«, rief Knupp. Und Angela schrie einem der Gärtner zu, der vor einem Beet kauerte: »Mario! Halt sie zurück!«

Der Gärtner sprang auf und rannte auf die alte Frau zu. Er erreichte sie gleichzeitig mit Peter Taler.

Aber beide kamen zu spät. Sophie Schalbert war mit der Heckenschere schon dreimal in die zierliche Krone des Bäumchens gefahren, bevor sie sie zurückhalten konnten.

Alle starrten auf den geschändeten Ahorn.

Da ertönte in der Stille plötzlich die Stimme von Sophie Schalbert: »Du bleibst da! Du gehst nicht zu ihr!«

Als Taler ins Wohnzimmer zurückkam, saß Knupp weinend am Boden. Angela kniete neben ihm. »Ich hätte nicht auf diesen Brief reagieren dürfen. Ich hätte sie nicht ins Haus lassen dürfen. Ich hätte es ihr nicht erzählen dürfen«, schluchzte der alte Mann. »Sie hätte es nie erfahren dürfen.«

Angela sah Taler fragend an. Auch sie hatte Tränen in den Augen.

»Versuchen kann ich's ja«, sagte er. »Aber macht euch keine großen Hoffnungen.«

Dafür, dass Betrios Landrover keine hundertzwanzig fuhr, war er sehr laut. Sie hatten sich für ihn entschieden, weil er groß genug war für den Zwergahorn, falls sie einen finden sollten.

Wertinger hatte ihnen eine Liste von Gärtnereien und Baumschulen im Westen des Landes mitgegeben. Er selbst war mit einem seiner Gärtner im Osten unterwegs. In der eigenen Baumschule brauche er gar nicht erst zu suchen, hatte er erklärt, dort gebe es nichts Ähnliches.

Sie hatten die Autobahn verlassen und fuhren auf der Landstraße durch den sonnigen Frühherbst. Taler hatte Betrios Versuche, ein Gespräch anzuknüpfen, immer wieder mit seiner Wortkargheit zunichtegemacht. Er befand sich in der Apathie, die einen befällt, wenn man kurz vor dem Ziel merkt, dass man es nicht erreichen wird. Er tat zwar so, als kämpfe er weiter, aber im Grunde hatte er aufgegeben und war in Gedanken bereits dabei, sich mit der Niederlage abzufinden.

Draußen zogen die Ortschaften vorbei. Gesichtslose Zusammenwürfelungen aus Bauerndörfern, Industriesiedlungen und Schlafgemeinden. Sie hatten schon bei zwei Gärtnereien haltgemacht. Keine hatte einen Zwergahorn anzubieten, wie sie ihn suchten.

Ronnie Betrio nahm einen neuen Anlauf: »Meine Leute haben natürlich längst gemerkt, dass es nicht um einen Film geht.« Er schloss sein Schiebefenster, um den Lärm des Fahrtwindes auszusperren.

Taler ließ sein Fenster offen. »Und? Was sagen Sie ihnen?«

»Die Wahrheit. Beziehungsweise das, was Sie mir als

Wahrheit verkauft haben: Er wolle die Illusion haben, einen ganz bestimmten Tag noch einmal zu erleben.«

Jetzt schob auch Taler sein Fenster zu. »Es ist fast die Wahrheit. Nur ›die Illusion haben‹ stimmt nicht. Knupp will den Tag tatsächlich noch einmal erleben.«

Betrio sah so lange zu Taler hinüber, dass er über die Sicherheitslinie fuhr. Erst beim Hupen eines entgegenkommenden Fahrzeugs griff er ins Lenkrad und brachte den Wagen auf die Fahrspur zurück.

»Knupp will eine Zeitreise machen?«

»Nein«, antwortete Taler. »Er glaubt nicht an die Zeit.«

Betrio lachte auf. »Er glaubt nicht an die *Zeit*?«

»Er glaubt nur an die Veränderung. Sie allein mache uns glauben, es gebe eine sogenannte Zeit.«

»Sogenannte?«

Betrio hielt auf dem Parkplatz eines Gartencenters. Sie irrten durch ein Labyrinth aus Kompost-, Humus- und Düngersäcken, vorbei an Pfosten, Gitterzaunrollen und Eternitkästen, bis zu einem mit Efeu bekränzten Torbogen mit dem Schild »Willkommen im Baumparadies«.

Ganze drei Zwergahorne standen da, alle nur halb so groß wie der gesuchte. »Kommen Sie im März wieder«, riet ihnen eine Mitarbeiterin in einer Gärtnerschürze mit der Aufschrift »Fragen kostet nichts«.

Als sie wieder im Auto saßen, sagte Betrio: »Wir waren bei der *sogenannten* Zeit.«

Widerstrebend nahm Taler das Thema wieder auf. »Das, was wir als das Verstreichen von Zeit empfinden, ist in Wirklichkeit nur die Entstehung von Veränderung. Wenn wir diese verhindern, verstreicht auch keine Zeit.«

Ronnie dachte nach. »Weiter.«

»Und wenn wir die Veränderung rückgängig machen, ist auch keine Zeit verstrichen.«

Betrio schüttelte ungläubig den Kopf. »Und Sie, oder darf ich du sagen? Und du? *You're in for the money,* wie ich?«

»Nein«, antwortete Taler, »nicht fürs Geld.«

»Sag bloß, du glaubst da auch dran.«

Die Scheinwerfer ließen schon die Reflektoren an den Straßenpfosten aufleuchten. Peter Taler sah das dunkle Band der Böschung vorbeiziehen. Als Betrio schon gar nicht mehr mit einer Antwort rechnete, murmelte er: »Ich hab's versucht.«

Sie schwiegen wieder, bis Taler fragte: »Wo hast du eigentlich so schnell einen passenden Drehteller aufgetrieben für den alten Schraubstock?«

»Der war bei mir im Zwischenlager, bei Knupps Sachen. Einer meiner Leute hat sich daran erinnert. Der war auf so ein Gestell aufgeschraubt.«

»Ein Gestell?«

»Eines dieser vierbeinigen hohen Holzdinger, auf die man Hängepflanzen stellt.«

»Komisch.«

»Wie alles.«

Der Neuenburgersee lag dunkelgrau zu Füßen der Weinberge. Da und dort spiegelte er die Lichter kleiner Dörfer.

Seit einer halben Stunde waren sie auf dem Rückweg. Ihre Suche nach dem Bäumchen war erfolglos verlaufen. Und von Wertinger hatten sie keine Nachricht. Sie hatten vergeblich versucht, ihn zu erreichen, und auch Angela hatte nichts von ihm gehört.

Mitten in das resignierte Schweigen hinein sagte Betrio: »Nehmen wir einmal an, es funktioniert. Knupp hat alle Veränderungen der letzten einundzwanzig Jahre rückgängig gemacht und befindet sich wieder am elften Oktober einundneunzig. Und er macht irgendetwas anders. Sagen wir, er kauft all das Gerümpel nicht, das jetzt bei mir lagert – wo ist es dann? Ich meine: ab übermorgen?«

Er gab ihm die Antwort, die er auch sich selbst schon gegeben hatte: »Niemand kann es sich vorstellen, weil es nicht vorgesehen ist. Unser Vorstellungsvermögen ist nicht darauf eingerichtet.«

Talers Handy klingelte. Es war Wertinger. »Bingo!«, sagte er.

Die Nachricht wirkte wie ein Aufputschmittel. Betrio trat aufs Gas, und Talers Apathie war verflogen. Wenn nichts mehr dazwischenkam, würden sie noch rechtzeitig zurück sein.

Fünfzig Kilometer vor der Stadtgrenze rief Angela an und meldete Wertingers Ankunft und den Beginn der Einpassungsarbeit.

»Wenn es jetzt doch klappen sollte«, scherzte Betrio, »was mach ich dann mit all dem Ramsch, der bei mir lagert? Elektrische Rasenmäher, Sonnenschirm, Kleider, Trophäen, Pfannen, Küchengeräte, Zeitschriften, Knarre, Zimmerpflanzen. Oder ist das übermorgen einfach nicht mehr dort?«

»Knarre?«

Es war nach zehn, als sie die Stadt erreichten. Taler beharrte auf einem Umweg über die Set Factory.

Die »Knarre« war ein Kleinkalibergewehr mit Zielfernrohr und aufgeschraubtem Mündungsfeuerdämpfer. Wie Ronnie erklärte. Er hatte in seiner Zeit in England ein wenig gejagt.

Das Blumengestell war etwa eins fünfzig hoch und hatte die gleichen drei Bohrlöcher und den gleichen kreisrunden Abdruck wie die Werkbank.

Der Gewehrschaft aus hellem Schichtholz wies auf beiden Seiten mehrere Abdrücke auf. Sie waren wie gefächert, als wäre er in immer wieder anderen Winkeln zwischen die Backen eines Schraubstocks eingespannt worden.

Ronnie Betrio fuhr Taler durch den spärlichen Abendverkehr zum Gustav-Rautner-Weg zurück. Schon von weitem sahen sie die Flutlichter in Knupps Garten.

Angela, Wertinger und zwei Gärtner waren noch immer dabei, den Zwergahorn einzupassen. Betrio machte einen letzten Kontrollgang und verabschiedete sich. Taler half, das Bäumchen in die Position von vor einundzwanzig Jahren zu bringen. Die Zeit lief, und sie wurden mit jeder Minute nervöser.

Als es endlich stand und Wertinger mit routinierten Schnitten zwei überflüssige Äste knapp am Stamm gekappt hatte, war es fast zwanzig vor zwölf.

Während Wertinger die Erde festtrat und mit Rasenteppich abdeckte, räumten Angela und die Gärtner Messband, Fluchtstäbe, Stativ und Kamera weg. Sie löschten das Flutlicht und trugen die Leuchten davon.

Taler eilte in seine Wohnung. Als er zurückkam, waren

die Gärtner gegangen. Angela kam gerade aus dem Haus und erwartete ihn auf dem Gartenweg.

»Alles Gute.« Sie gab ihm die Hand, zögerte und küsste ihn auf beide Wangen. »Glaubst du jetzt daran?«

»Ich tue als ob.«

»Gut. Tun als ob hilft.« Sie wollte gehen, aber er hielt ihre Hand noch fest.

»Nicht wahr: Den Tipp hast du von Louise Neuschmid bekommen, vom Buchantiquariat Librorum?«

Sie sah mit schräggelegtem Kopf zu ihm hoch. »Geh zu ihm, es bleibt nicht mehr viel Zeit.«

Knupp saß in seinem Sessel, die Zeitung mit Roy Blacks Nachruf auf den Knien. Seine alte Leica lag auf dem Clubtischchen. Das neue digitale Gehäuse hatte er Angela geschenkt. Er brauche es nicht mehr, hatte er gesagt.

Seine Hände hatte er neben sich zwischen Oberschenkeln und Armlehnen eingeklemmt, um sie am Zittern zu hindern. Die Coiffeuse hatte ihren Termin eingehalten, er war frisch rasiert, sein schwarzes Bärtchen sah aus wie gemalt.

Taler sah auf den renovierten alten Mann hinunter und fühlte nichts. Er sagte: »Ein Gewehr kann man auch mit zitternden Händen in einen Schraubstock klemmen.«

Knupp sah verwundert zu ihm auf.

»Du hattest Zeit zum Üben. Wochenlang. Monatelang. Jedes Mal, wenn Laura an der Tür stand, konntest du ein bisschen korrigieren. Und dann, an dem Tag, als sie den Schlüssel vergessen hatte, hattest du genügend Zeit für den Schuss.«

Knupp wandte den Blick ab.

»Sieh mich an!«

Der Alte gehorchte.

»Es stimmt nicht, dass du mit Laura gesprochen hast. Sie hat sich auch nicht für die Kerbeler-Theorie interessiert. Es gab keine Gartenzaunbekanntschaft zwischen euch. Sie war auch nicht kurz vor Weihnachten im Antiquariat. Sie hat auch das Buch nicht bestellt. Es ist dein Buch, ich habe deine Schrift erkannt, obwohl sie damals, als du die Anmerkungen machtest, noch nicht so zittrig war. Louise Neuschmid ist deine Komplizin.«

Knupp schüttelte den Kopf. »Louise ist keine Komplizin. Sie ist eine Freundin. Sie war es, die mir die Augen über die Zeit geöffnet hat. Nein, sie ist nicht die Komplizin. Louise ist die Vordenkerin dieses gewaltigen Experiments.« Das Werk der Pendeluhr machte ein rasselndes Geräusch, als würde es Anlauf nehmen. Dann schlug es zwölf. Die beiden Männer zählten die Schläge. Nach dem letzten sagte Knupp: »Geh jetzt. Schnell. Du musst gehen, sonst stimmt etwas nicht.«

Taler ignorierte ihn. »Alles diente nur dazu, mich so weit zu bringen, dass ich euch bei eurem großen Experiment helfe.«

»Du musst gehen. Bitte geh.«

»Das habe ich alles verstanden. Aber sag mir: Warum musste Laura sterben?«

Knupp wandte wieder den Blick ab.

»Sag es mir ins Gesicht!«

Der alte Mann sah ihm in die Augen. »Ich wusste, dass der Tag kommen würde, an dem ich Hilfe brauche.«

»Und?«

»Nur von jemandem in der gleichen Situation konnte ich sie erwarten.«

Peter Taler brauchte einen Moment, um die ganze Ungeheuerlichkeit dieses Satzes zu begreifen. »Deshalb hast du einfach eine junge Frau erschossen?«, brachte er schließlich heraus.

Er griff in die Tasche seiner Sportjacke, zog die Pistole heraus, entsicherte sie und richtete sie auf Knupps Kopf.

»Nein, hör auf. Versteh doch: Ich habe sie nur erschossen, weil ich sicher war, dass ich sie nicht erschossen haben werde.«

Der Knall war lauter, als Taler erwartet hatte. Knupps Kopf machte eine ruckartige Bewegung und verharrte dann, gegen das Polster gelehnt. Auf der Stirn war ein kleines rundes Loch zu sehen.

Taler verließ das Haus. Eine dünne Mondsichel hing am Himmel. Er ging durch den Garten von damals, über die Straße von damals, vorbei an den Autos von damals in seine Wohnung von heute.

Er legte die Pistole auf den Esstisch. An diesem Abend stellte er sich nicht ans Blumenfenster und sah auch nicht länger hinunter auf den stillen, traurigen elften Oktober neunzehnhunderteinundneunzig.

Der Hass war weg. Er fühlte sich befreit. Als hätte er etwas immer wieder Aufgeschobenes endlich erledigt.

Er öffnete eine Flasche Bier, setzte sich aufs Sofa und trank sie leer. Danach öffnete er eine zweite. Nach der dritten ging er zum Wein über. Auf seiner Armbanduhr war es vier, als er schließlich einnickte.

22

Oh! Sie sind ja noch hier?«

Frau Gelphart stand in ihrer Arbeitsschürze neben dem Sofa.

»Wie spät ist es?«

»Halb zehn.«

Taler setzte sich auf. Sein Schädel pochte, seine Augen brannten, und sein Magen wollte sich drehen. Er versuchte, sich zurechtzufinden.

»Ist Ihnen nicht gut?« Frau Gelpharts Frage klang eher vorwurfsvoll als besorgt.

Jetzt ploppten die Erinnerungen hoch. Eine nach der anderen. Er stand vom Sofa auf und ging zum Blumenfenster.

Das breite Holzsims war leer und voller alter Wasserflecken von den Zimmerpflanzen der Vormieter.

Er sah hinaus. Etwas war anders.

Der Garten der Familie Hadlauber reichte bis zum Gartenzaun der Scholters. Dort, wo Knupps Haus gestanden hatte, glitzerte türkisblau ein überdimensionierter Pool in der Vormittagssonne.

»Frau Gelphart!«, rief er, »Frau Gelphart!«

»Was ist?« Sie kam erschrocken zu ihm.

»Das Haus! Dort drüben! Da stand doch gestern noch ein Haus!«

Sie sah ihn besorgt an. »Gestern? Aber das ist doch zwanzig Jahre her!«

»Das Haus von Knupp, nicht wahr?«

»Die armen Knupps. Flogen nach Nepal in die Ferien. Beim Anflug auf Katmandu verunglückte die Maschine. Hundertdreizehn Passagiere. Alle tot. Das war neunzehnhundertzweiundneunzig. – Ist Ihnen nicht gut? Sie sind ja schneeweiß.«

Hinter Frau Gelphart ging die Tür zum Atelier auf, und aus dem halbdunklen Raum trat – Laura.

Sie war zum Ausgehen gekleidet und schien es eilig zu haben.

»Sag mal, hast du irgendwo meinen scheiß Kalender gesehen?«

Dank

Ich danke Herrn Prof. Dr. Lorenz Hurni, dem Vorsteher des Departements Bau, Umwelt und Geomatik und des Instituts für Kartografie und Geoinformation der ETH Zürich, für seine Informationen und Ideen (vor allem die wunderbare mit der Camera obscura), und für die Geduld, mit der er meine laienhaften Fragen beantwortet hat. Ich danke Herrn Dr. med. Bernhard Beck, Facharzt für Tropen- und Reisemedizin in Zürich, für Anamnese, Diagnose und Prognose im Zusammenhang mit der Patientin Martha Knupp-Widler. Ich danke R. A. Livio D. Zanetti für seine Beratung in der heiklen Frage der fachkundigen Veruntreuung von Firmengeldern durch einen ihrer Buchhalter. Ich danke Herrn Christoph Wyler, Relationship Manager der Credit Suisse, für die Tipps zur fiktiven Eröffnung des Kontos einer fingierten Firma. Ich danke Herrn Nino Castellan vom gleichnamigen Architekturbüro in Zürich für seine Hilfe bei der Erfindung realistischer Baulieferantenrechnungen.

Ich danke Henri Salles, dem Erfinder der Gravimotion, für sein Buch *The Harmony of Reality, In No Time...* (Millennial Mind Publishing, ISBN 978-1-58982-421-8) und für seine Website www.Gravimotion.info, aus denen einige der Zitate stammen, die ich dem fiktiven Walter W. Kerbeler zugeschrieben habe. Ich danke meiner Lektorin der ersten Stunde, Ursula Baumhauer, für ihre wie immer professionelle, effiziente, phantasievolle und loyale Zusammenarbeit und Unterstützung. Ich danke meiner Frau und ersten Leserin, Margrith Nay Suter, für ihre behutsam scharfsinnige und konstruktive Kritik. Ich danke ihr und unserer Tochter Ana für die Nachsicht bei meinen Phasen von abhandengekommenem Zeitgefühl während der Arbeit an diesem Buch.

Und ich wäre dankbar für jeden Hinweis auf den Autor eines Sinnspruchs, den ich als Knabe in ein Poesiealbum kopiert und bis heute im World Wide Web nicht wiedergefunden habe: »Die Zeit, die Zeit, / ihre Reise ist weit, / sie läuft und läuft / in die Ewigkeit.«

Martin Suter

Das Diogenes Hörbuch zum Buch

Martin Suter
Die Zeit, die Zeit

Ungekürzt gelesen von Gert Heidenreich

7 CD, Spieldauer 468 Min.

Martin Suter im Diogenes Verlag

Small World

Roman

Erst sind es Kleinigkeiten: Konrad Lang, Mitte sechzig, stellt aus Versehen seine Brieftasche in den Kühlschrank. Bald vergisst er den Namen der Frau, die er heiraten will. Je mehr Neugedächtnis ihm die Krankheit – Alzheimer – raubt, desto stärker kommen früheste Erinnerungen auf. Und das beunruhigt eine millionenschwere alte Dame, mit der Konrad seit seiner Kindheit auf die ungewöhnlichste Art verbunden ist.

»Fesselnd. Eine der großen Qualitäten von Martin Suters Roman liegt in der Präzision, mit der er die Krankheit und Umgebung beschreibt, und in der Gelassenheit, mit der er die Geschichte langsam vorantreibt.« *Le Monde, Paris*

Auch als Diogenes Hörbuch erschienen,
gelesen von Dietmar Mues

Die dunkle Seite des Mondes

Roman

Starwirtschaftsanwalt Urs Blank, fünfundvierzig, Fachmann für Fusionsverhandlungen, hat seine Gefühle im Griff. Doch dann gerät sein Leben aus den Fugen. Ein Trip mit halluzinogenen Pilzen führt zu einer gefährlichen Persönlichkeitsveränderung, aus der ihn niemand zurückzuholen vermag. Blank flieht in den Wald. Bis er endlich begreift: Es gibt nur einen Weg, um sich aus diesem Alptraum zu befreien.

»Eine gründlich recherchierte, präzise, elegant und humorvoll geschriebene Geschichte. Martin Suter bietet ein Optimum an Belehrung, Spannung und Vergnügen.« *Friedmar Apel / Frankfurter Allgemeine Zeitung*

»Das Buch ist spannend wie ein Thriller und trifft wie ein Psycho-Roman – eine ungewöhnliche Variante von *Dr. Jekyll und Mr. Hyde.*« *Brigitte, Hamburg*

Auch als Diogenes Hörbuch erschienen, gelesen von Gert Heidenreich

Ein perfekter Freund

Roman

Durch eine rätselhafte Kopfverletzung hat der Journalist Fabio Rossi eine Amnesie von fünfzig Tagen. Als er seine Vergangenheit zu rekonstruieren beginnt, stößt er dabei auf ein Bild von sich, das ihn zutiefst befremdet. Er scheint merkwürdige Dinge getan, ein seltsames Verhalten an den Tag gelegt zu haben in jener Zeit. Aber offenbar gibt es Leute, denen es lieber wäre, jener Fabio bliebe ausgelöscht.

»In Martin Suters *Ein perfekter Freund* hungern die Leser nach Informationen wie die Hauptfigur. Jedes neue Häppchen wird stilvoll serviert: keine Schnörkel, keine langatmigen Beschreibungen, viele, aber keine überflüssigen Details. Handlung ist Trumpf, Suter das As.« *Frankfurter Rundschau*

Lila, Lila

Roman

So rein wie die Liebesgeschichte, die er als Manuskript in einem alten Nachttisch findet, sind auch Davids Gefühle für Marie. Und er möchte ihre Liebe, um jeden Preis. Dafür muss er ein anderer werden als der, der er ist. David schlüpft in eine Identität, die ihm irgendwann über den Kopf wächst.

»Wie stets bei Martin Suter geht es auch in seinem wunderbar geschriebenen Roman *Lila, Lila* um den Verlust von Identität. Suter packt einen von der ersten Seite an. Unbedingt lesen!« *Brigitte, Hamburg*

Lila, Lila wurde 2009 von Alain Gsponer mit Daniel Brühl, Hannah Herzsprung und Henry Hübchen in den Hauptrollen verfilmt.

Auch als Diogenes Hörbuch erschienen,
gelesen von Daniel Brühl

Der Teufel von Mailand

Roman

Sonias Sinne spielen verrückt: Sie sieht auf einmal Geräusche, schmeckt Formen oder fühlt Farben. Ein Aufenthalt in den Bergen soll ihr Gemüt beruhigen, doch das Gegenteil tritt ein: Im Spannungsfeld von archaischer Bergwelt und urbaner Wellness, bedrohlichem Jahrhundertregen und moderner Telekommunikation beginnt ihre überreizte Wahrnehmung erst recht zu blühen – oder gerät die Wirklichkeit aus den Fugen?

»Hochspannender Stoff, angerichtet mit der für den Schweizer Bestsellerautor Martin Suter so typischen Milieukenntnis, die dem Roman die wunderschönen Boshaftigkeiten schenkt.«
Verena Lugert / Neon, München

Auch als Diogenes Hörbuch erschienen,
gelesen von Julia Fischer

Der letzte Weynfeldt

Roman

Adrian Weynfeldt, Mitte fünfzig, Junggeselle, großbürgerlicher Herkunft, Kunstexperte bei einem internationalen Auktionshaus, lebt in einer riesigen Wohnung im Stadtzentrum. Mit der Liebe hat er abgeschlossen. Bis ihn eines Abends eine jüngere Frau dazu bringt, sie – entgegen seinen Gepflogenheiten – mit nach Hause zu nehmen. Am nächsten Morgen steht sie außerhalb der Balkonbrüstung und droht zu springen. Adrian vermag sie davon abzuhalten, doch von nun an der ihm gegenüber wohnt. Denn der möchte etwas denkbar Unmögliches möglich machen.

»Wie immer genial konstruiert. Ein Roman, der zum Denken anregt und unsere Welt für einen Moment auf den Kopf stellt. Ein absolutes Muss für alle Suter-Fans und die, die es werden wollen.«
Nicole Abraham / HR1, Frankfurt am Main

Auch als Diogenes Hörbuch erschienen, gelesen von Gert Heidenreich

Außerdem erschienen:

Allmen und die Libellen
Roman
Auch als Diogenes Hörbuch erschienen, gelesen von Gert Heidenreich

Allmen und der rosa Diamant
Roman
Auch als Diogenes Hörbuch erschienen, gelesen von Gert Heidenreich

Allmen und die Dahlien
Roman
Auch als Diogenes Hörbuch erschienen, gelesen von Gert Heidenreich

Business Class
Geschichten aus der Welt des Managements

Business Class
Neue Geschichten aus der Welt des Managements

Richtig leben mit Geri Weibel
Sämtliche Folgen. Geschichten

Huber spannt aus
und andere Geschichten aus der Business Class

Unter Freunden
und andere Geschichten aus der Business Class

Das Bonus-Geheimnis
und andere Geschichten aus der Business Class
Auch als Diogenes Hörbuch erschienen, gelesen von Gert Heidenreich

Abschalten
Die Business Class macht Ferien

Business Class
Geschichten aus der Welt des Managements. Liveaufnahme von Martin Suters Lesung im Casinotheater Winterthur im Okober 2006
Diogenes Hörbuch, 1 CD